DE MAYONAISEMOORDEN

ENCKELS & DEWIT

DE MAYONAISE MOORDEN

WITSAND UITGEVERS

Tweede druk, april 2012
Eerste druk, februari 2012

Een boek van Witsand Uitgevers
info@witsand.be
www.witsand-uitgevers.com

Omslagontwerp: Wil Immink Design

'Doden was dus zo gemakkelijk?'
Italo Svevo

1

Het metalen hek schreeuwde hees als een kraai toen Ralf Ratzinger het openduwde. De wind gierde door de betonnen galerijen. Hij voelde een rilling over zijn lichaam glijden en ritste zijn overall dicht tot aan zijn kin. Hij was een stevige man van middelbare leeftijd, met de gebruinde huid van een bouwvakker. Maar hij had ook iets van een jongetje, in zijn blik lag een kinderlijke angst, alsof hij in de duisternis voor zich een spook vermoedde. Van alle plaatsen op aarde, dacht hij, moest een ondergrondse parkeergarage zowat de guurste en meest vreugdeloze zijn. Direct daarna kwamen luchthavens. En op de derde plaats stonden dierentuinen. Die derde plaats deelden ze met de nieuwe pompeuze stadspaleizen, zoals het gerechtshof in aanbouw, dat als een logge boom van glas en beton uit de parkeergarage omhoogschoot en boven de verminkte stationswijk uitgroeide.

Ralf wist niet waarom, maar even twijfelde hij nog. Uit de grijze schaduwen steeg een kilte op, die hem genadelozer dan anders bij zijn knoken greep. Terwijl hij naar binnen stapte, troostte hij zich bij het vooruitzicht van de zonsopgang. Nog enkele minuten en het was zover, dat zag hij aan de rode gloed die over het rangeerstation hing.

Die van de laatste ploeg waren vergeten af te sluiten. Daar stond hij niet meer van te kijken. Sinds de firma werkte met onderaannemers was dit soort slordigheden alleen maar toegenomen. Hij zocht tussen de rollen ijzerdraad naar het hangslot, maar vond het niet. Eigenlijk moest hij de ploegbaas hiervan op de hoogte brengen. Hij haalde zijn schouders op en stapte verder. Hij was al sinds zijn negenentwintigste ijzervlechter, dat was nu bijna eenentwintig jaar, en hij had geleerd zich niet te bemoeien met de werkattitude van zijn collega's. Je liet iedereen zijn gang gaan, tot er iets grondig fout liep.

Het was tien over zes in de ochtend. Uit de bureaucontainer klonk het zachte gekeuvel van de mannen van de ochtendploeg, die koffie zaten te drinken.

Ongeveer een jaar geleden waren ze beginnen te bouwen in een reusachtige put van ongeveer driehonderd bij honderd meter, de 'zandbak' zoals ze hem noemden. Uit dat reuzengat was een betonnen constructie gegroeid waarvan ze nu de veertiende en laatste verdieping aan het afwerken waren. De basis ervan werd gevormd door een parkeergarage, die plaats zou bieden aan 827 personenwagens.

Langzaam stapte Ralf tegen de helling op naar de volgende verdieping. De echo's van zijn voetstappen renden voor hem uit. Hij speurde in het halfduister de bodem af. Hij kende dit terrein als zijn broekzak, maar je wist nooit of een idioot van de laatste ploeg niet een of ander obstakel had achtergelaten. Hij vroeg zich af of dit bouwwerk iets was om trots op te zijn. Als jonge bouwvakker had hij gewerkt bij een kleine aannemer, die woningen voor particulieren bouwde, vooral op het platteland. Achteraf was hij vaak met zijn vrouw en zijn zoon langs een van die huizen gereden, gewoon om nog eens te gaan kijken en de herinnering levend te houden. 'Dat huis heeft papa nog gebouwd,' zei hij dan. Je leeft en je werkt en je laat sporen achter. Maar het zou nooit in zijn hoofd opkomen om zijn zoon dit architectonische monster te tonen. Dit heette vernieuwing. De tijd was genadeloos. Zijn jongen was ondertussen achtentwintig en had op zondagmiddag wel wat anders te doen.

Boven was alle geluid verstomd, op het geritsel en gefladder van de duiven na. Hij was gevoelig geworden voor geluiden. Iemand had hem eens verteld dat het met de leeftijd samenhing, je zintuigen worden zwakker en proberen wanhopig elk detail vast te houden. Nu ja, helemaal stil was het nu ook niet, in de verte klonk het geruis van de ontwakende ochtendspits en het gedempte schuren van een trein. De wind kwam dus uit het westen. Als hij uit het oosten kwam, bracht hij de stationsgeluiden in pijnlijke helderheid tot hier, zodat het leek alsof je je op het perron bevond.

Voor hij zijn overall losknoopte, voelde hij iets onder zijn voeten, een kleverige substantie, alsof hij in een plas versgemaakte mortel stond. Wat natuurlijk niet kon, de ochtendploeg was nog niet begonnen. Hij vloekte, tuurde langs zijn benen naar beneden, maar hij kon in het schemerduister niet zien wat het was. Een plotselinge angst overviel hem. De tranen sprongen in zijn ogen. Niet nu, dacht hij, alsjeblieft niet hier op deze plaats. De laatste tijd gebeurde het wel vaker dat hij zonder aanwijsbare reden emotioneel reageerde. Soms kon een betekenisloos detail of de kleinste verandering van de routine hem in paniek brengen. Zoals de plas waarin hij nu stond, maar waarvan hij niet wist wat het was. En altijd was een dergelijke paniekaanval de aankondiging van een drama geweest. Hij sperde zijn neusgaten open als een schuw dier en begon over zijn hele lichaam te trillen. De eerste keer dat het gebeurde was een half jaar geleden, hij wist niet eens meer wat de aanleiding was, maar hij zou het gevoel nooit meer vergeten. Hij was er zo door getroffen dat hij er zelfs met zijn vrouw over had gepraat. 'Ik heb het gevoel,' had hij tegen haar gezegd, 'dat er iets ergs gaat gebeuren, iets waardoor mijn leven dramatisch verandert en nooit meer wordt zoals vroeger.' Hij moest toegeven dat het een beetje melig klonk, zeker uit zijn mond. Ze had hem dan ook spottend aangekeken en gezegd: 'Aha, dat is nieuw, je voelt dus toch iets.' Dat was vlak voor ze uit elkaar gingen. Zijn gevoel was dus juist geweest. Ondertussen was de scheiding achter de rug, maar die overgevoeligheid voor het noodlot was gebleven. 'Je moet je eens laten onderzoeken,' had zijn vrouw ook nog gezegd. Misschien had ze gelijk en groeide er in zijn hersenen een gezwel dat hem gek maakte, en in één moeite door een speciale mentale kracht activeerde. Die van het voorgevoel. De blik in de duistere hel die op hem af stormde.

Ralf wachtte tot zijn ademhaling weer rustiger werd. Waarover zou hij zich zorgen maken? Hij wist precies waar hij zich bevond, daarvoor had hij niet veel licht nodig. En wat hij van plan was te doen, was niet meer dan een routinehandeling. Toch voelde hij zijn knieën knikken toen hij voor de bekistingrooster ging staan, zijn broek liet zakken en over de rand hurkte. Straks zou de betonwagen komen en met zijn hydraulische pomp alle roosters vullen. Zijn uitwerpselen zouden voor eeuwig in beton worden gegoten. Het vooruitzicht stemde hem een beetje weemoedig. Hij spande zijn buikspieren. Dit keer leek het perfect getimed: net op het ogenblik dat hij zijn darmen leegde, rees de zon boven het braakland en de grommende ringlaan aan de andere kant van de rails en gooide zijn verschroeiende licht tegen de glazen muur van het gerechtsgebouw. De toren leek te ontploffen.

De gloeiende bol deed hem instinctief de ogen sluiten. Toen hij ze weer open deed en zijn blik naar beneden gericht hield om zijn ogen te beschermen tegen de gloed van de rijzende zon, zag hij wat er onder aan zijn schoenen kleefde. Het was bloed.

9

2

Toen hoofdinspecteur Kareem Zeiz in de late namiddag het parkeerterrein van de federale politie opreed, bleef hij nog even in zijn auto zitten, om te overdenken wat hij die morgen had gezien. Liever had hij het gruwelijke beeld uit zijn geheugen gewist en zich zo bevrijd van het zurige gevoel dat hij eraan had overgehouden. Hij zocht in zijn zak naar het doosje met Rennietabletten en herinnerde zich dat hij het op zijn bureau had laten liggen. Hij was een normale man en hij had dus niets tegen geweld. Maar hij had wel iets tegen bestiaal geweld en hij kon moeilijk accepteren dat hij tot een monsterlijke soort behoorde, die sadisme tot een systeem had verheven. Hij vroeg zich altijd opnieuw af waarom denkende wezens elkaar dit aandeden. Toch was er ook een gevoel van tevredenheid, de vaststelling dat met deze nieuwe zaak zijn glansloze leven weer wat kleur kreeg, ook al was het dan de kleur van bloed. Met een diepe zucht draaide hij het portierraam op een kier, maakte zijn broeksriem wat losser en sloot zijn ogen. Kort daarna viel hij in slaap.

In de droom die hem overviel, bevond hij zich samen met zijn vader op de afdeling oncologie van het Virga-Jesseziekenhuis. De zon scheen weelderig naar binnen. Door het raam was een landschap te zien dat Afrikaans aandeed, heel in de verte aan de einder van wat een lege zandvlakte leek, bewoog traag een karavaan van kleine en grote stipjes. Een verpleegster met een polychroom hoofddoekje leidde zijn vader en hem langs de witte kamers en kantoren, die uitnodigend open stonden en bevolkt waren met lachende, hartelijke mensen. Overal stonden sympathieke kruikjes met geurende bloemen. Ergens pruttelde een koffiemachine. Uit de radio klonk 'Seven Seconds' van Youssou n'Dour, iemand begon mee te zingen en even later was er een heel koor van uitbundige stemmen. Hij waande zich op een gegeven moment zelfs in de kraamafdeling, hier en daar zag hij jonge Arabische vrouwen met op de arm de baby's van wie ze net waren bevallen en die ze trots aan iedereen wilden laten zien.

Zijn vader droeg sinds de laatste chemo een pruik, die scheef stond. Hij was spectaculair afgevallen, maar dat misstond hem eigenlijk niet. Hoewel hij nog makkelijk zonder hulp kon lopen, hing hij zwaar in Kareems arm. Hij genoot er duidelijk van de zieke, afhankelijke, oude man te spelen.

'Dit is mijn zoon,' zei zijn vader tegen iedereen. 'Hij is hoofdinspecteur, bij de federale politie.'

Wat hij ook zei, was: 'Zijn moeder is een Tunesische. Hij is uit een Maghrebijns kutje gekropen.'

De verpleegster kirde en schuurde uitdagend tegen zijn vader aan terwijl ze zijn pruik probeerde recht te trekken. Kareem schaamde zich.

Zijn vader porde hem aan. 'Zeg eens iets in het Arabisch, jongen.'

'Salaam aleikom.'

'Hoor je dat? Hij spreekt Arabisch. Voor een flik is dat een voordeel, zeker in Brussel, daar is Arabisch de tweede taal.'

Zeiz werd wakker toen iemand op het raam klopte.

Hij schrok. Het eerste dat hij vaststelde, zeer tot zijn ongenoegen, was dat hij zich niet in Brussel bevond, maar op het parkeerterrein achter het gebouw van de federale politie in Hasselt. Hij keek de man aan die op het raam had geklopt en die hem een valse glimlach schonk. Het was Willy Vannuffel, commissaris bij de recherche en zijn directe chef.

Het weer was compleet omgeslagen. Een deken van donkere wolken had zich over de provinciestad genesteld, zodat het leek alsof de avond al was gevallen.

'Goedemorgen, Zeiz,' bromde de corpulente Vannuffel. Hij maakte bij het inademen een knorrend geluid als een Franse buldog. 'Goed geslapen?'

Zeiz reageerde niet. Op het dashboard zag hij dat het nog maar kwart over zes was, hij had dus nog geen uur geslapen. Zijn maag protesteerde. Hij moest Vannuffel niet en hij had ook de grootste twijfels over diens kwaliteiten als politieman. Hij niet alleen trouwens. Vannuffel was in het beste geval middelmatig. Zeiz maakte zich ook geen illusies over de mening die Vannuffel over hem koesterde. Het gevoel van antipathie was duidelijk wederzijds. Al vanaf zijn intrede in deze ploeg, nu een half jaar geleden, was hun samenwerking niet in de beste verstandhouding verlopen. Vanmorgen nog, tijdens de gruwelijke vaststellingen in de parkeertoren bij het station, waren ze elkaar publiekelijk in de haren gevlogen.

'Terwijl jij lag te slapen, hebben wij nog een beetje gewerkt,' zei Vannuffel.

Zeiz bleef voor zich uit staren. Ze waren alleen op het parkeerterrein, hij had geen zin om beleefdheid te veinzen. Het was ook niet zo dat de man hem onverschillig liet, integendeel zelfs, Vannuffel wekte agressie bij hem op. Maar Zeiz had met ouder worden geleerd zijn explosieve karakter in toom te houden. De kans was klein dat hij zijn zelfbeheersing verloor, maar het was niet verboden erover te fantaseren. Hij stelde zich voor dat hij het portier in het gezicht van zijn chef ramde. Hoe hij met één welgemikte stoot een einde maakte aan hun samenwerking. En aan zijn eigen carrière, vanzelfsprekend.

Vannuffel bracht zijn dikke lippen bij het kiertje van het raam, alsof hij een kus naar binnen wilde wringen. 'Hoofdcommissaris Vanderweyden wil je spreken, er wacht een verrassing op jou,' siste hij.

Zeiz sloot zijn ogen. Toen hij ze weer opendeed, was Vannuffel verdwenen. Zo eenvoudig was dat dus. Zijn werkplaats was in elk geval een spectaculaire verbetering vergeleken met Brussel. Het gebouw lag pal in het centrum van de stad, geen oase van rust, maar je kon er wel een verstaanbare conversatie voeren met het raam open. Zijn huidige kantoortje had een echt raam, een contrast met het vensterloze hok waartoe hij in Brussel veroordeeld was geweest. Hij wandelde over het parkeerterrein, tikte bij de ingangsdeur de cijfercode in, knikte tegen de wachtdoende agent aan het loket en nam de trap naar de tweede verdieping. Bij de lift stond een groepje mensen. Vanuit zijn ooghoeken zag hij dat iemand hem wenkte, maar hij liep snel door.

Op zijn bureau lagen de rapporten met de eerste vaststellingen over de moord. Die bladerde hij snel door. De dokter en de fotograaf hadden zoals gewoonlijk hun werk snel gedaan. Het voorlopige verslag van de wetsdokter was maar één bladzijde lang. Het vermoedelijke tijdstip van overlijden lag tussen vier en half vijf vanochtend, dus iets meer dan twee uur voor de ontdekking van het lijk.

Zeiz deed de deur dicht. Na enig aarzelen draaide hij de sleutel om. Hij wilde nu niet gestoord worden. Hij schakelde de telefoon uit, ging achter zijn bureau zitten en legde zijn aantekeningen naast de rapporten. Dit was wat hij graag deed: de zaken voor zichzelf op een rijtje zetten en een verslag schrijven. Om zeven uur vanavond was er een persconferentie.

Het was een hectische dag geweest, die was begonnen om vijf voor half-zeven vanochtend. Er was een noodoproep gekomen vanuit het gerechtshof in aanbouw bij het station. De agenten die ter plaatse kwamen, hadden meteen de recherche gebeld. Zeiz was rechtstreeks van thuis naar de plaats delict gereden. Er was al aardig wat volk samengestroomd, gewone voorbijgangers en natuurlijk ook een aantal mensen van de pers, die op een afstand werden gehouden door een lokale politiepatrouille. De agenten keken bedrukt, ze hadden waarschijnlijk gehoopt op een rustiger einde van hun nachtdienst.

Zeiz' vaste collega bij de recherche, Adam Sterckx, stond bij de ingang van de bouwwerf te telefoneren, maar toen hij Zeiz zag, wenkte hij naar een agent in uniform en wees naar boven. De agent die hem naar boven gidste, heette Louis Das, een oudere man met de graad van hoofdinspecteur.

'Vandaag is zo'n dag waarop een mens heel erg naar zijn pensioen gaat verlangen,' zuchtte de oude politieman.

Zeiz keek omhoog. Het trappenhuis en de liftkoker waren nog in aanbouw, en dus liepen ze over een geïmproviseerd pad van balken dat met haarspeldbochten naar boven voerde. Tussen de grijze zuilen op de bovenste verdieping stonden metalen hekken in een driehoek opgesteld. De mannen van het forensisch team waren geconcentreerd bezig, er werd niet gesproken, ze leken in trance en schenen hen niet op te merken.

Door het rasterwerk was een menselijke figuur te zien. Zeiz liep in een wijde boog om de driehoek heen, langzaam, het was alsof er lood in zijn schoenen kroop en hij had het akelige gevoel dat dit de verkeerde plaats was, dat hij getuige zou zijn van iets dat hij niet wilde zien.

Tegen het metalen hek hing een naakte man, een jongeman vermoedde Zeiz. Zijn enkels en polsen waren met ijzerdraad aan het hek vastgemaakt. Zijn hoofd hing schuin op zijn linkerschouder. De mond, een gapende opening in het beurs geslagen gezicht, was versteend in een geluidloze schreeuw. Het lichaam was vreselijk toegetakeld. Hier was een sadist aan het werk geweest. Zeiz had in zijn loopbaan al veel wreedheden gezien en vaak had hij zijn weerzin moeten overwinnen als de gerechtsdokter hem op een detail wees. Maar de aanblik van dit starre, gefolterde lijf, dat nog steeds pijn leek uit te schreeuwen, kon hij moeilijk verdragen. De dokter keek op. Zijn vlezige gezicht zat onder het zweet. Enkele seconden lang staarde hij naar Zeiz. Toen werkte hij verder. Hier viel voorlopig niets te zeggen. De bodem rond het hek was bedekt met het bloed dat ooit aan het lichaam van deze jongeman had toebehoord. Er zaten rode spatten op de grijze betonzuilen en op de kruiwagen naast de bekisting van de liftkooi. De jongen was morsdood, hij was grondig gemarteld voor hij stierf. Hij was van allochtone afkomst, de huid van zijn gezicht glom alsof hij zich overdreven had ingesmeerd om zich tegen de ochtendzon te beschermen.

'We gaan hem nu losmaken,' hoorde hij de dokter zeggen.

Zeiz voelde een doffe steek ter hoogte van zijn maag. Hij draaide zich om en liep naar beneden.

Het slachtoffer heette Yusuf Hallil. Dat was niet moeilijk te achterhalen, in het hoopje kleren naast zijn lichaam zat een portefeuille met een identiteitskaart. Yusuf was zeventien jaar oud, Marokkaan van afkomst, maar hij bezat de Belgische nationaliteit, en hij woonde in de wijk Ter Hilst. Wat een agent van de lokale politie de opmerking ontlokte: 'Ach ja, natuurlijk daar...'

Ter Hilst was een sociale woonwijk met geen al te beste reputatie. Een groot deel van de bewoners was van allochtone afkomst. Werkloze en spijbelende jongeren zorgden er voor overlast. Het bekende verhaal. Enkele weken voordien nog had de busmaatschappij De Lijn, na het zoveelste geval van agressie, beslist om haar lijnen in die wijk tijdelijk te schrappen.

Terwijl Zeiz de foto's op zijn bureau vluchtig doorkeek, begon zijn maag weer op te spelen. Hij nam een Rennietablet en dacht aan de man die het lijk had ontdekt. Hij controleerde de naam in zijn aantekeningen. Ratzinger, inderdaad, zoals de paus. Zijn voornaam was Ralf. Zeiz staarde naar de naam en vroeg zich af of het toch geen grap was. Zelf was hij ook maar matig tevreden met de naam die hij van zijn vader had geërfd. Ook een Duitse naam. Bovendien had zijn vader de ergerlijke gewoonte Zeiz consequent met 'ai' uit te spreken, in plaats van 'ei'.

Ralf Ratzinger was negenenveertig jaar oud, tien jaar ouder dan Zeiz, hij was ijzervlechter van beroep en had koppig geweigerd een verklaring af te leggen. 'Staart zwijgend voor zich uit en schudt het hoofd,' las Zeiz in de notities. Hij dacht aan de lijkbleke man die in de bureaucontainer zat met een kop koffie voor zich die hij niet aanraakte. Hij was duidelijk in shock, maar Vannuffel wilde niet lossen en dreigde zelfs om hem mee naar het commissariaat te nemen als hij niets wilde vertellen.

14

Zeiz nam Vannuffel apart en zei dat het zinloos was en dat ze beter konden wachten tot de man een beetje tot rust kwam.

'Kom jij mij vertellen hoe ik een onderzoek moet voeren?' beet Vannuffel hem toe.

'Ik voer dit onderzoek,' repliceerde Zeiz met een uitgestreken gezicht. 'Beslissing van de chef.'

Dat was ook min of meer zo, hoofdcommissaris Vanderweyden had hem vanmorgen persoonlijk uit zijn bed gebeld.

'Dat kan wel zijn,' zei Vannuffel, 'maar je voert het onderzoek onder mijn bevel en we doen het dus zoals ik het zeg.'

'Dit heeft geen zin, we kunnen nu niets zinnigs uit die man krijgen, dat zie je toch ook,' bromde Zeiz.

'Nu kom jij me nog vertellen wat ik moet zien ook,' antwoordde Vannuffel.

'Maar die man is niet in staat om een verklaring af te leggen,' hield Zeiz vol.

'Misschien heeft hij iets te verbergen.'

'Denk je dat hij de moordenaar is?' suggereerde Zeiz.

'Houd je me voor de gek?' zei Vannuffel. Hij staarde Zeiz wantrouwend aan. 'Maar het is natuurlijk nooit uit te sluiten.' Hij ging verder op plechtige toon: 'Elk detail kan belangrijk zijn. Iedereen hier wordt aan een individueel getuigenverhoor onderworpen.'

'Wat bedoel je met "iedereen"?' zei Zeiz verveeld.

Vannuffel maakte een vage beweging naar de arbeiders, die vanaf een afstand grijnzend hun discussie aan het volgen waren.

Zeiz knikte. 'Natuurlijk doen we dat, maar niet nu. Ze hebben allemaal verklaard dat ze niets hebben gezien. We hebben hun persoonsgegevens, dat is voorlopig genoeg.'

'We gaan tewerk volgens de geijkte procedure,' zei Vannuffel bitsig.

'Wat is de geijkte procedure?' vroeg Zeiz.

Vannuffel keek hem vernietigend aan. 'Je vergeet blijkbaar wie hier de hoogste in rang is.'

Zeiz negeerde die opmerking. 'Dit is de ochtendploeg, die mannen zijn hier pas om 6 uur vanmorgen gearriveerd,' zei hij. 'Of denk je dat ze met zijn allen liegen, dat ze eerst samen de moord hebben gepleegd, dan de politie hebben gebeld en in afwachting een kopje koffie zijn gaan drinken?'

'We kunnen niets uitsluiten, dat zou jij toch moeten weten,' antwoordde Vannuffel.

'Dat doen we ook niet.'

'Een getuigenverhoor is essentieel. Er lopen hier nogal wat Polen rond. Bij mij gaat er dan meteen een belletje rinkelen.'

'Je bedoelt de Poolse maffia?' vroeg Zeiz.

De ogen van Vannuffel lichtten op, hij leek het idee niet eens zo gek te vinden. 'Zoals ik al zei, we kunnen niets uitsluiten.'

Zeiz zuchtte diep. Hij had het gevoel dat hij met een puber stond te praten. 'We moeten onze prioriteiten stellen,' zei hij. 'Het belangrijkste eerst.'

'Als hoofd van de recherche ben ik verplicht op te treden als iemand de verkeerde prioriteiten stelt,' merkte Vannuffel fijntjes op.

'Zo is het genoeg,' riep Zeiz. Zijn geduld was op. Hij was zich plotseling bewust geworden van het absurde van de situatie. 'We doen het zoals ik het zeg. Basta.'

Vannuffel droop af. Hij had zich de rest van de dag op de achtergrond gehouden, wat niet noodzakelijk betekende dat hij tot inkeer was gekomen. Zeiz twijfelde er niet aan dat hij ondertussen zijn beklag was gaan maken bij de hoofdcommissaris, die zich verplicht zou voelen Zeiz op het matje te roepen en zoals altijd zou dreigen met een disciplinair verslag. Zeiz zou berouwvol het hoofd buigen en beloven dat hij voortaan respect zou tonen voor de hiërarchische meerdere die Vannuffel tenslotte was. De gebruikelijke procedure dus. Van een disciplinair verslag zou niets in huis komen. En daarmee zou het zoveelste conflict tussen hem en Vannuffel worden afgesloten.

Zeiz schreef zijn verslag. Veel had hij niet, behalve een afdruk van schoenmaat 45 in het bloed rond de bekistingrooster waar het slachtoffer aan vastgeketend had gehangen. Ratzinger, die het lijk had ontdekt, had schoenmaat 42.

Was de moordenaar in zijn eentje tewerkgegaan? Het was nog te vroeg om daar iets over te zeggen. Ook het buurtonderzoek had niets opgeleverd. De mensen leken zich in hun huizen te begraven, doof en blind voor hun omgeving. Je kon hen geen ongelijk geven, de stationsbuurt was maar een schim van wat hij vroeger was geweest. Aan beide zijden van de spoorweg lagen nu bouwputten, waaruit betonnen staketsels de hemel ingroeiden. Volgens de glanzende prospectussen van de bouwbedrijven was het doel 'de omgeving een grootstedelijke voornaamheid geven en het wooncomfort en veiligheidsgevoel verhogen'. De kroon op het werk was de toren van glas en beton, 'een multifunctioneel kantoorgebouw', waarin het nieuwe gerechtshof een plaats moest krijgen. Uitgerekend daar was vanmorgen dus de vermoorde Yusuf Hallil aangetroffen. Zeiz had een wandeling in de buurt gemaakt en een kille, meedogenloze sfeer opgesnoven. De meeste oude huizen waren afgebroken. De nog bewoonde stukjes straat bestonden uit schriele rijtjeshuizen en het leek de logica zelf dat ook zij op een keer plaats zouden moeten maken voor weer andere bouwprojecten. Het historische weefsel was verdwenen. Het verkeerslawaai werd overstemd door het gedreun van de graafmachines en de pneumatische boren. De binnenrijdende treinen maakten de kakofonie compleet.

Maar de moordenaar had geen betere plaats kunnen kiezen om zijn akelige werk uit te voeren.

Het viel Zeiz op hoe gelaten de bewoners van de stationsbuurt reageerden. De meesten hadden een verklaring afgelegd zonder te vragen wat er was gebeurd, alsof het de normaalste zaak van de wereld was dat de politie aan de deur kwam vragen of ze iets verdachts hadden gezien.

Zeiz sprak met een oude man uit de Grote Breemstraat, wiens huisje in de schaduw stond van het nieuwe 'multifunctionele kantoorgebouw'.

'Wilt u niet weten wat er is gebeurd?' vroeg Zeiz aan de oude man.

'Laat me raden,' zei de man op spottende toon, 'de ene bruine heeft de andere bruine om zeep geholpen.' Daarna keek hij Zeiz geschrokken aan. 'Neem me niet kwalijk,' zei hij, 'ik heb het natuurlijk over dat crapuul dat rondhangt bij het station.'

'Natuurlijk, over wie anders?' zei Zeiz rustig. 'Toch niet over mij, hoop ik?'

'Nee, excuseer, dat bedoelde ik niet, u bent anders... normaal... aangepast.'

'Aangepast waaraan?' vroeg Zeiz.

'Aangepast aan ons,' piepte de man.

'Aan u dus ook?' vroeg Zeiz. Hij keek over de schouder van de man naar binnen. De gang van zijn huis was volgestouwd met rommel. Een smalle doorgang voerde naar een ruimte die in nevels was gehuld. Aan de geur te oordelen was het huis door schimmels aangetast.

'Wat bedoelt u?' vroeg de man.

'Ben ik ook aangepast aan u?' herhaalde Zeiz.

'Jaja. Maar moet u geen uniform dragen?'

'Alleen op feestdagen,' zei Zeiz.

'U spreekt tenminste Nederlands,' zei de man, 'ik bedoel, min of meer normaal Nederlands.'

'Dank u,' zei Zeiz. 'Het doet me plezier dat te horen. Ik doe inderdaad hard mijn best.'

Uit ervaring wist Zeiz dat in Brussel mensen vaak zwegen omdat ze schrik hadden. Hier in de provincie was dat anders. Mensen weigerden een verklaring af te leggen omdat ze vonden dat het hun zaak niet was. Ze zwegen uit gewoonte. Zeiz was eenentwintig geweest toen hij uit Hasselt verhuisde om naar de politieschool in Brussel te gaan, maar hij herinnerde zich die mentaliteit hier maar al te goed.

Ook het onderzoek van de plaats delict had nauwelijks aanwijzingen opgeleverd. Het slachtoffer was met een kruiwagen naar boven gebracht, dat stond vast. Voetsporen op de bodem konden erop wijzen dat de dader alleen had gehandeld. Ze vonden alleen maar een stukje stof, dat misschien aan de dader had toebehoord. Het lijk bevond zich in het lab. De patholoog praatte nog met de dode.

Zeiz was samen met Adam Sterckx naar het huis van de vermoorde jongen geweest. Ook dat had niets opgeleverd, behalve een beschadigde politieauto. De moeder van Yusuf Hallil, die de deur voor hen opendeed, barstte uit in een hartbrekend huilen. In een mum van tijd stond het huis vol met roepende en huilende mensen. Buiten op straat verzamelde zich een menigte, die eerst scheldwoorden en daarna bedreigingen naar hen riep. Zeiz had het raadzaam gevonden de aftocht te blazen. Toen ze wegstoven, boorde zich een steen door de achterruit van hun dienstvoertuig.

Terwijl Zeiz de geprinte versie van zijn verslag las, klopte iemand op de deur. Tegen zijn zin deed hij open. Het was hoofdcommissaris Hans Vanderweyden, een kleine mollige man van een jaar of vijftig, met een verzorgd baardje en een chronisch verongelijkt gezicht.

'Ah zo, Zeiz, dus je bent toch hier.' Ook nu liep Vanderweyden een beetje rood aan, hoewel dat niets te betekenen had. Hij was van nature uit een rustige persoon, die de kunst verstond problemen te onderschatten. Bovendien sprak hij op een bijzonder zangerige toon, die zelfs Limburgers komisch in de oren klonk.

'Om zeven uur is de persconferentie,' zei hij, 'ik zou graag...'

'Voilà.' Zeiz overhandigde hem het verslag.

Vanderweyden bladerde er even in en mompelde: 'Ah, perfect.' Toen Zeiz iets wilde zeggen, hief Vanderweyden zijn hand op. 'Kom,' zei hij.

In het kantoor van de commissaris wachtten Lieve Engelen, de onderzoeksrechter, coördinerend commissaris Alexander Lambrusco en commissaris Vannuffel. Engelen was een slanke vrouw van middelbare leeftijd, met donkere halflange haren en een strenge bril. Ze had voorzitster van een christendemocratische partij kunnen zijn. Toevallig was ze ook schatplichtig aan zo'n partij, werd er gefluisterd. Hetzelfde gold voor Lambrusco, een grijzende man met de uitstraling van een kapelmeester. Hij zat keurig in een pak en zijn snor was getrimd. Aangezien hij wat politiek betrof een minder solide reputatie had dan Engelen, werd van hem gezegd dat hij ook andere partijkaarten in de kast had liggen. Vanderweyden was zonder enige twijfel een socialist en Vannuffel een openlijke aanhanger van de Vlaams-nationalisten, die bij de laatste verkiezingen dertig procent van de stemmen hadden behaald en de grootste partij van Vlaanderen waren geworden. Terwijl hij dit alles overdacht, kreeg Zeiz het vreemde gevoel dat hij op een politieke meeting was terechtgekomen.

Vooral de aanwezigheid van coördinerend commissaris Lambrusco verbaasde hem. Lambrusco, bijgenaamd Coco, toonde doorgaans geen interesse in lopende onderzoeken. Zijn bijzondere opdracht behelsde naar eigen zeggen het uitzetten van de grote beleidslijnen en het bepalen van de te volgen strategie. Wat heel concreet betekende dat niemand precies wist waarmee hij bezig was. Het voordeel was dat hij geen tijd had om zich bezig te houden met zaken die er echt toe deden.

Op verzoek van Vanderweyden gaf Zeiz een overzicht van de moordzaak en de stand van het onderzoek. Hij had het gevoel dat er niet echt naar hem werd geluisterd. Lambrusco was een beetje apart bij het raam gaan staan, geenszins uit bescheidenheid, dat was zijn stijl niet. Hij was het soort man dat zich niet kon permitteren onopgemerkt te blijven. Net door zich te distantiëren trok hij de aandacht naar zich toe.

'Het rapport van de dokter is voorlopig,' zei Zeiz. 'Maar wat we al weten is dat de man, of beter gezegd de jongen, nog niet lang dood was voor hij werd gevonden. Het lijk was nog warm.'

Vanderweyden knikte. 'Officieel is het nog geen moord, maar...'

Hij haalde een foto uit het rapport en hield die voor iedereen zichtbaar in de lucht. Lieve Engelen trok een gezicht en wendde haar blik af.

'Maar alles wijst in die richting,' zei Zeiz. 'Het is geen zelfmoord en het is geen ongeval en het lijkt me nogal absurd om hier een natuurlijk overlijden te vermoeden.'

'Wat hier absurd is, bepaal ik wel,' riep Lambrusco van bij het raam, zonder verder duidelijk te maken hoe hij dat zou gaan opleggen.

'Die... hoe heet hij weer?' Vanderweyden keek in het verslag. 'Yusuf Hallil. Is hij een Turk?'

'Een Marokkaan.'

'Een Marokkaan of een Belg?' vroeg Lambrusco.

'Hij had de Belgische nationaliteit,' zei Zeiz.

'Een Belg dus. En minderjarig. Wees duidelijk alsjeblieft,' bromde Lambrusco.

'Die arme jongen,' fluisterde Engelen, nog altijd onder de indruk van wat ze net had gezien. 'Zijn de ouders op de hoogte gebracht?'

Zeiz knikte. 'Maar een lieverdje was Yusuf niet. Hij werd verscheidene keren voorgeleid voor vechtpartijen en drugsbezit. Vermoedelijk dealde hij ook.'

'Vermoedelijk?' riep Lambrusco. 'Houd je aan de feiten, Zeiz. Hoe zit het met de getuigenverslagen?'

'Er zijn geen getuigen. Of beter gezegd, we zijn daar nog mee bezig.'

'Nog mee bezig, nog mee bezig...' Lambrusco gromde en keek op zijn horloge. 'Luister, Zeiz, ik heb zo meteen een belangrijke vergadering, iets op een heel hoog niveau, ik heb dus niet veel tijd voor flauwekul. Denk eens goed na, je moet toch iets concreets te bieden hebben? Iemand heeft het lijk gevonden, of vergis ik me? Hoe zit het daarmee?'

'Die man is in shock, we gaan morgen opnieuw met hem proberen te praten.'

'Proberen? Heb ik dat goed verstaan, we gaan het proberen? Doen we tegenwoordig aan recherche met de Franse slag?'

Vannuffel mompelde, goed verstaanbaar: 'Of de Noord-Afrikaanse slag...'

Zeiz wilde reageren, maar Lambrusco wees naar het rapport dat op Vanderweydens bureau lag. 'En de anderen die op de plaats delict aanwezig waren, zijn die al ondervraagd?'

Zeiz antwoordde niet en keek naar Vanderweyden. Die staarde op zijn beurt hevig blozend naar de muur. Er was iets dat niet klopte. Het leek er sterk op dat Vannuffel dit keer rechtstreeks naar de coördinerende commissaris was gestapt om zijn beklag te maken.

'Negen mannen, van wie zeven met een Poolse nationaliteit. Avonturiers, zwartwerkers, wie weet...' Lambrusco schudde het hoofd. 'En die laat jij zomaar naar huis gaan?'

'Had ik ze dan allemaal moeten arresteren?' vroeg Zeiz.

'Straks is er een persconferentie,' zei Lambrusco streng. 'Die journalisten zijn niet van gisteren. We kunnen alleen maar hopen dat ze niet doorhebben hoe wij hier werken.'

'Dat klopt,' zei Engelen ernstig. 'Er mag niets van uitlekken.'

'Waarvan?' vroeg Vanderweyden.

Engelen aarzelde. 'Ja, wat bedoel je precies, Alexander?'

Lambrusco negeerde haar vraag. 'We houden de persconferentie sec,' zei hij. 'Jij weet wel hoe dat moet, Hans.'

'Sec?' Vanderweyden keek een beetje hulpeloos rond. 'Is er iets dat ik niet mag zeggen?'

Lambrusco negeerde ook die vraag. 'Er mag absoluut niets uitlekken,' herhaalde hij.

Engelen knipoogde naar hem. 'Ik denk dat ik weet wat je bedoelt, Alexander.'

'Ik niet,' zei Zeiz. Het was eruit voor hij het wist.

Lambrusco keek hem vernietigend aan en richtte zich tot Vannuffel, die het gesprek met een nauwelijks verholen glimlach had gevolgd. 'Vannuffel, ruim de rommel op en rapporteer rechtstreeks aan mij.'

Zeiz begreep dat praten geen zin had. Deze dienstbespreking had over Yusuf Hallil moeten gaan, maar Lambrusco's aanwezigheid had een andere bedoeling gehad. Kareem Zeiz was het echte onderwerp geweest. Het meest ergerde Zeiz zich aan het besef dat hij met de ogen open in de val was gelopen. Met zijn domme uithaal naar Vannuffel vanmorgen had hij iets in beweging gezet dat al maanden lag te gisten. Hij wist dat het er was en dat het groeide, zoals de kanker in het lichaam van zijn vader. Nu kwam het op hem af en hij kon het niet meer ontwijken.

'En nu ter zake,' bromde Lambrusco. Hij keek weer op zijn horloge. 'Ik moet weg, ik heb hier al veel te veel tijd verloren.'

Vanderweyden nam een document van zijn bureau en keek Zeiz en Vannuffel afwisselend indringend aan. 'Nu ja,' mompelde hij en overhandigde het document met duidelijke tegenzin aan Zeiz.

Zeiz voelde dat alle ogen nu op hem waren gericht. Vannuffel, die geen woord had gezegd, kuchte discreet en kwam een stapje dichterbij.

Aan één blik op het papier had Zeiz genoeg om te begrijpen wat er aan de hand was. Het was tien jaar geleden dat zijn toenmalige chef in Brussel hem een gelijkaardig formulier onder de neus had geduwd, maar hij herkende het meteen: het was een tuchtnota. Dat betekende dat hem een ernstige fout werd aangewreven en dat er een intern tuchtonderzoek zou worden gestart. Ook Lambrusco was nu dichterbij gekomen, ongemerkt haast, als een aasgier die de doodstrijd van zijn prooi van dichtbij wil volgen.

Instinctief zette Zeiz een stap achteruit. 'Ik praat alleen nog in aanwezigheid van mijn advocaat,' zei hij.

Het was het gebruikelijke grapje binnenshuis, als iemand op een foutje werd betrapt. Maar ditmaal was er niemand die lachte.

3

Zeiz was als een blok in slaap gevallen, maar werd midden in de nacht wakker. Het duurde even voor hij wist waar hij zich bevond. Het mistige licht van een straatlantaarn sijpelde de kamer binnen. Bij het open raam, achter de gordijnen die zachtjes bewogen, kropen de schaduwen van een grauwe, anonieme wereld voorbij. Blijkbaar lukte het hem niet zich in deze woning thuis te voelen. Na meer dan een half jaar ontwaakte hij hier nog altijd als in een hotelkamer.

Hij stak zijn hand uit naar de plaats waar Cathy ooit had gelegen, waar ze nog had moeten liggen. Terwijl hij de vage patronen op de muur observeerde, vroeg hij zich af wat hem meer beklemde: de schaduwen van de nacht of de kille, geometrische figuren van het behangpapier. Het schemerduister gaf de ruimte de aanblik van een woonhok, het voorlopige onderkomen van de eeuwige vluchteling. Wat was er gebeurd? Waarom had Cathy hem verlaten? Er was niets aan te doen, besefte hij, ze zou niet meer terugkomen, hij zou zelfs niet willen dat ze terugkwam. Maar het gemis was ondraaglijk.

In het appartement beneden klonk een vreemd geluid. Waarschijnlijk was hij daardoor wakker geworden. Voor zover hij kon opmaken was het geluid van menselijke oorsprong, mogelijk vrouwelijk, te oordelen naar de enigszins hoge toon. Enkele weken geleden waren er nieuwe bewoners ingetrokken, een stel van middelbare leeftijd. Hij had hen maar een enkele keer ontmoet, toen ze hun fietsen met enorme zadeltassen helemaal naar hun woning op de eerste verdieping droegen. Hij wist niet waarom, maar ze gaven de indruk niet van deze wereld te zijn, alsof ze gelukkige toeristen waren uit een afgelegen melkwegstelsel. Misschien waren ze wel met pensioen. Ze zagen er in elk geval onwezenlijk gebruind en afgetraind uit.

Zeiz' gedachten dwaalden af naar het tuchtonderzoek dat hem boven het hoofd hing. Vannuffel had dus een klacht tegen hem ingediend wegens weigering van een dienstbevel. Het had er alle schijn van dat de tijd van kinderachtig bekvechten voorbij was en dat Vannuffel in de aanval ging. Verontrustend hierbij was dat hij in Lambrusco blijkbaar een bondgenoot had gevonden.

Hij woelde in zijn bed en keek naar de onheilspellende schaduwen van de nacht, die zijn bezorgdheid aanwakkerden. Zijn vader had hem bij zijn overplaatsing naar Hasselt gewaarschuwd voor de politieke valkuilen in de provincie en hem geadviseerd een partijkaart aan te schaffen. Dat laatste had hij uiteraard geweigerd. Gisterenavond, toen hij uitgeput in bed was gekropen, had hij niet één minuut wakker gelegen. Hij was van nature een makkelijke slaper, maar nu deed het vooruitzicht van de interne krachtmeting met Vannuffel en co zijn maag samenkrimpen. Hij wist dat hij geen oog meer dicht zou doen.

Hij liet zich uit het bed rollen. Met zijn oor tegen de vloer hoorde hij het geluid nu veel duidelijker. Het klonk als een soort gehijg. Plotseling werd hem duidelijk dat zijn benedenburen seks hadden en dat de vrouw luid aan het klaarkomen was. Ze leek daarvoor ruim de tijd te nemen. Af en toe voegde zich bij het hoge geluid een diep gebrom of instemmend gemompel.

Terwijl Zeiz zich uitrekte, raakte zijn hand iets onder het bed. Het was een stukje stof of een kledingstuk. Hij haalde het tevoorschijn en bestudeerde het. Het was een slipje van Cathy. Een gedragen slipje, dat voelde hij aan de gekreukte textuur van de stof. Hij rook eraan. Het slipje bevatte geen geur meer. Natuurlijk had het vertrek van Cathy niet bijgedragen tot zijn welbevinden in deze woning. Samen met haar waren ook een groot deel van de meubelen en het huisraad verdwenen. Zeiz had geen zin de flat opnieuw aan te kleden, hij beschouwde hem als een tijdelijk onderkomen, een transitcentrum, in afwachting van een nieuwe thuis. Hij ontving er ook geen bezoek. Hij betaalde de huur. En daarmee was alles gezegd.

Het gehijg beneden hield niet op. Zeiz bleef op de grond liggen tot het tijd was om op te staan. Eigenlijk was sinds zijn terugkeer naar Hasselt alles misgelopen wat maar mis kon lopen.

Het vooruitzicht dat hij tot de orde van de dag kon overgaan, temperde zijn pessimisme. Hij stond lang onder de douche en dacht na over de vermoorde jongen uit Ter Hilst. Hij liet de feiten door zijn hoofd gaan. Dat de jongen was gemarteld, kon erop wijzen dat het om een afrekening ging. De oude man uit de stationsbuurt had een punt toen hij zei dat de ene bruine de andere misschien om zeep had geholpen. In Brussel ging dat zo, criminele bendes bekampten elkaar almaar driester omdat ze hun terreinen wilden afbakenen. Maar hoe zat dat in Hasselt? Er waren tekenen die erop wezen dat dit geweld nu oversloeg naar de provincie. Het was een feit dat een nieuwe generatie jonge allochtonen, meestal bij gebrek aan valabele perspectieven, haar toevlucht zocht in geweld. Terwijl hij voor de spiegel stond en het flashy jasje bestudeerde dat hij afgelopen zomer voor zijn verjaardag nog van Cathy had gekregen, betrapte Zeiz zich erop dat hij aan het fluiten was. Cathy had zich altijd geërgerd aan zijn enthousiasme voor moordzaken. Ze vermoedde dat er een vorm van perversie achter zat.

Het jasje beviel hem wel. Hij had het met opzet op een hoopje in een hoek van de kamer laten liggen, zodat het nu vol sympathieke kreuken zat. Hij nam een besluit dat hem zelf verbaasde: hij zou gaan ontbijten in het café van het station.

Het was een goede ingeving geweest. Hier een croissant te staan eten, bij het stationsbuffet, gaf hem een prettig gevoel. Misschien lag het aan het overjarige meubilair en het afgesleten houten blad van de tapkast, die om een onverklaarbare reden aan zijn moederland Tunesië deden denken. De ramen aan zijn linkerkant gaven uit op de perrons. Hij luisterde naar het onderdrukte geroezemoes van de vroege reizigers en voelde hoe de binnenrijdende treinen de vloer onder zijn voeten deden trillen. De koffie was uitstekend en hij bestelde een tweede. De patron riep met luide stem zijn bestelling door. De espressomachine blies als een oude stoomlocomotief. Het was halfzeven en de radio bracht het nieuws, maar door het rumoer kon Zeiz niet verstaan wat er werd gezegd. Naast hem leunde een dikke man tegen de tapkast. Hij hield een aktetas tussen zijn benen geklemd. Hij dronk bier en las de krant. Vanuit zijn ooghoeken zag Zeiz de voorpagina: SADISTISCHE AFREKENING IN PARKEERGARAGE. Blijkbaar had de pers een klare kijk op de zaak.

'Is dat hier gebeurd?' vroeg de dikke man aan de patron.

Die zwaaide vaag naar het stationsplein. In het gebaar lagen verachting en berusting.

'Tja,' zei de ambtenaar, 'opgeruimd staat netjes, zou ik zeggen.' Hij dronk zijn bier in een teug leeg. 'Kan ik nu zonder gevaar in de trein stappen?'

'Het crapuul komt pas later, tegen de middag,' zei de patron. Hij wierp Zeiz een scheve blik toe. 'Die bruine klootzakken liggen nu nog in hun bed te stinken.'

Zeiz knikte. Moest hij dit als een belediging beschouwen of oordeelde de patron dat hij ondanks zijn bruine huidskleur zelf geen klootzak was? Zeiz gromde: 'Je had sociologie moeten studeren, vriend.'

De patron kneep zijn ogen tot speeltjes en begon een glas te boenen. Het was duidelijk dat hij de sneer niet begreep.

Maar wat de patron had gezegd, bracht Zeiz op een idee. Misschien moesten ze de familie van Yusuf met een bezoekje vereren. Na hun chaotische bezoek aan Ter Hilst gisteren hadden ze beslist om tot de volgende dag te wachten en met een uitgebreide ploeg terug te gaan. Zeiz had een hekel aan dat soort van demonstraties van machtsvertoon. Hij nam zijn telefoon en belde Adam Sterckx, die meteen opnam.

'Ik sta net onder de douche,' zei hij.

'Neem jij je gsm altijd mee onder de douche?' smaalde Zeiz. Hij hoorde op de achtergrond inderdaad een ruisend geluid. Toen besefte hij dat het een grap was. Sterckx gaf ondanks zijn jonge leeftijd soms blijk van een belegen soort humor, maar hij was de enige Hasseltse collega met wie Zeiz ongecompliceerd kon samenwerken. Ze spraken af over een half uurtje, bij het huis van Yusuf Hallil. Sterckx zou eerst langs het politiekantoor rijden om het huiszoekingsbevel op te halen.

Het was halfacht in de ochtend toen ze Ter Hilst binnenreden. Boven de nog slapende straten hingen flarden ochtendnevel. Zeiz parkeerde zijn auto achter die van Sterckx, bij het speeltuintje waar zich gisteren de allochtone jongelui van de wijk hadden verzameld voordat ze hun woede richtten op de politie, die hen in hun ogen weer eens viseerde. Er waren sporen die aan hun verontwaardiging herinnerden: de metalen speeltuigen waren met geweld uit elkaar gehaald, de verroeste onderdelen lagen verspreid in de omgeving. Het bushokje was al eerder vernield. En overal slingerden plastic tassen rond, samen met lege blikjes en allerlei andere soorten afval, waarvan een mens zich in het voorbijgaan nu eenmaal wil ontdoen. Achter een kunstmatige zandduin met verschrompelde beplanting klonk het geraas van de snelweg.

'Ik heb slecht geslapen,' zei Sterckx. 'Telkens als ik mijn ogen sloot, zag ik die Marokkaan weer voor mij hangen.' Hij legde zijn handen op het dak van zijn auto, stak zijn kont achteruit en rekte zich uit, alsof hij zich klaarmaakte voor een sprint. Sterckx was tien jaar jonger dan Zeiz en atletisch gebouwd. 'Trouwens, het autopsierapport is er, het ligt op jouw bureau. Die lijkschouwers werken tegenwoordig blijkbaar 's nachts door.'

Ze ontweken elkaars blik. Zeiz vermoedde dat Sterckx van het tuchtonderzoek had gehoord. Waarschijnlijk zou dat nu hét onderwerp van gesprek zijn op de recherche.

Wijken met uniforme woningen deden Zeiz altijd terugdenken aan zijn legerdienst bij het Tweede Bataljon Paracommando's in Diest. Ze straalden doelloosheid uit, zoals soldaten die op een plein lopen te exerceren. Sociale wijken en kazernes deden iets met een mens, daar was hij van overtuigd. Ze nivelleerden. En het respect voor de openbare ruimte verdween er. Niemand voelde zich nog verantwoordelijk. Toch had Zeiz zelf goede herinneringen aan zijn legerdienst. De keuze voor de para's was destijds ingegeven door de gespannen relatie die hij had met zijn vader, een zelfverklaarde pacifist. Zeiz was twee jaar beroepsvrijwilliger geweest, voordat hij besloten had naar de politieschool te gaan. Het was een onbezorgde tijd geweest waarin hij zich fysiek had kunnen ontwikkelen en ontdekt had dat maatschappelijk zinloze bezigheden best leuk kunnen zijn. Achteraf bekeken was dit misschien wel de gelukkigste periode in zijn leven geweest.

Toen ze door het nette voortuintje liepen, zagen ze de dichtgeschoven gordijnen bewegen. Ondanks het gure weer stond de deur op een kier. Toen Sterckx op de bel drukte, zwaaide de deur meteen open. Een kleine jongen staarde hen aan met donkere, brutale ogen. Zeiz schatte hem een jaar of zeven. Voordat hij iets kon zeggen, klonk vanuit het huis een schelle vrouwenstem, die de jongen in het Arabisch commandeerde meteen weer naar binnen te komen.

Het jongetje rende weg terwijl hij riep: 'Die vuile flikken van gisteren zijn weer hier.'

Uit een achterkamer kwamen twee mannen naar de deur. Zeiz herkende hen van de dag voordien. Hassan Hallil, de vader van de vermoorde jongen, was een bleke magere man in een donkere djellaba. Aan zijn voeten droeg hij gele babouches met blauwe pareltjes. Hij zag er zwaar aangeslagen uit. Zeiz had te doen met de oude man en betuigde hem zijn steun en medeleven. Dat deed hij in het Arabisch. Hij besefte plotseling dat de man tegenover hem eigenlijk zelfs niet zoveel ouder was dan hij. Achter hem

27

stond zijn zoon Mohammed, een typische Marokkaan van de tweede gene-ratie, zoals er tientallen rondhingen in Ter Hilst. Een spannend T-shirt, dat zijn spieren accentueerde, zijn hoofd opgeschoren tot boven zijn oren, op zijn schedeldak een donkerbruin tapijtje van enkele millimeters hoog. Hij stak met een verveeld gebaar een sigaret op en blies de rook uitdagend in de richting van de politieagenten.

'We willen even met u praten,' zei Zeiz.

'De begrafenis moet worden geregeld,' zei Hassan. 'Er is zoveel te doen. En... en ik ben maar alleen. Mijn vrouw... haar hart is gebroken.' Hij keek vluchtig opzij naar Mohammed en zuchtte als om zich te verontschuldigen. Zeiz vermoedde dat hij niet veel redenen had om trots te zijn op zijn zonen.

'Het spijt me,' zei Zeiz, 'maar het is nodig voor het onderzoek.'

'Fuck dat onderzoek,' mompelde Mohammed, en hij voegde eraan toe: 'Ebn el metanaka.' Zeiz wist dat dat zoveel betekende als 'hoerenzoon'.

'Zwijg als ik met je vader praat,' zei hij op besliste toon.

Mohammed sloeg zijn ogen neer. Zijn verschijning wekte bij Zeiz agres-sie op. Het liefst had Zeiz de snaak een klap gegeven. Misschien had Hassan bij de opvoeding van zijn zonen te weinig van dat soort pedagogische mid-delen gebruikt.

Hassan nodigde hen uit binnen te komen.

Zeiz overschouwde het interieur. Het was een samenraapsel van stijlen. Overal stond koperwerk en Marokkaans servies. Uit een van de belendende kamers klonk gehuil. Het was een meerstemmige jammerklacht en Zeiz wist dat het de moeder was, die treurde om haar overleden zoon, en daarbij gesteund werd door andere vrouwen. Ze gingen zitten op de plastic stoelen die rond een teakhouten salontafeltje stonden. Het interieur maakte een rommelige indruk, maar het was er schoon. Zeiz herkende het, het huis waarin hij was opgegroeid, had er ook zo'n beetje uit gezien. Zijn vader had dat Noord-Afrikaanse tintje fantastisch gevonden. Vroeger had Zeiz zich daartegen verzet door van zijn eigen kamer een westerse oase te maken. Na-dat zijn ouders waren gescheiden en zijn moeder in Tunesië was gebleven, was zijn vader die exotische stijl blijven cultiveren. Hij had nauwelijks iets aan de inrichting veranderd, en hoewel hij geen moslim was, waren ook de foto's van Mekka blijven hangen.

Ook hier hingen de obligate foto's van Mekka aan de muur. Op een ervan herkende Zeiz een veel jongere Hassan Hallil, in de Grote Moskee, met achter hem de Ka'aba, de heilige zwarte steen. Hassan staarde in de camera, met een mengeling van verplichte ernst en jongensachtige trots. Zeiz observeerde de grijsgeworden man tegenover hem en vroeg zich af hoeveel van diens dromen waren uitgekomen. Misschien had de verschrikking die hij nu meemaakte de kracht en het optimisme waarmee hij destijds zijn reis naar West-Europa was begonnen definitief aan flarden geslagen. Boven de deur die op de keuken uitgaf, hing de spreuk Allahu Akbar, Allah is groot. Maar de meest prominente plaats in het interieur werd ingenomen door een enorme flatscreentelevisie, waarop geluidloos een film met Indische acteurs speelde. Een Bollywoodfilm, vermoedde Zeiz. Hassan zei met verstikte stem: 'Het ergste is dat we onze zoon niet kunnen begeleiden naar zijn laatste rustplaats.'

Zeiz wist wat Hassan bedoelde. Een moslim moest na een rituele wassing de eerste dag na het overlijden al worden begraven. Ze hadden gisteren aan de familie laten weten dat het lichaam pas zou worden vrijgegeven na de autopsie, die enkele dagen in beslag kon nemen.

'Het spijt me,' zei hij. 'Maar ik zou u willen vragen om morgen naar uw zoon te komen kijken. Voor de identificatie.'

Hassan keek hem geschrokken aan. 'Bent u moslim?' vroeg hij.

Zeiz wilde iets zeggen, maar Hassan knikte en hief zijn hand: 'Morgenochtend kom ik.'

Daarna begon hij te praten. De woorden stortten zich als een waterval uit zijn mond, alsof ze daar lange tijd hadden gewacht en blij waren om eindelijk te worden losgelaten. Zeiz moest zich inspannen om het allegaartje van Nederlands, Arabisch en Frans te verstaan. Hassan vertelde over zijn droom om naar Europa te komen, om er te werken en geld te verdienen en als hij oud was terug naar Marokko te gaan om daar te sterven. Dertig jaar geleden was hij op vijftienjarige leeftijd naar België gekomen. Op zijn Marokkaanse pas stond dat hij achttien was, een kleine dienst die hij bij een ambtenaar van de bevolkingsdienst in Rabat had gekocht. Iedereen mocht dat nu weten, ook de politie, ze mochten hem terugsturen of op een andere manier straffen, het maakte hem allemaal niets meer uit. Hij had twaalf jaar in de steenkoolmijn van Heusden-Zolder gewerkt en daar als een van de laatste kompels het licht uitgedaan. Sindsdien was hij van het ene klusje naar het andere gehinkeld. De toekomst had er mooi uitgezien, vroeger. In de mijn verdiende hij goed, zijn oudste zoon Ibrahim was in die tijd geboren. Ibrahim, die genoemd was naar zijn grootvader, en zijn eerste zoon en zijn trots was geweest, was drie jaar geleden omgekomen bij een verkeersongeval. Allah had het zo gewild. Daarna was zijn zoon Yusuf op het verkeerde pad geraakt. De dood van Ibrahim had iedereen getekend. Het was moeilijk om in deze moderne wereld, waar alles te koop was, niet van het rechte pad af te wijken. Het was ook moeilijk, zeker voor jongelui, om respect op te brengen als je geen respect kreeg. Iedereen in de Marokkaanse gemeenschap klaagde over het toenemende racisme. In zijn vorige school, het Heilig-Kruiscollege, was Yusuf door een leraar in elkaar geslagen. Hij had twee weken in het ziekenhuis gelegen. Stel je voor, zoiets zouden ze bij een Belg toch nooit durven? En de toenemende criminaliteit was zeker niet alleen de schuld van de buitenlanders. Enkele maanden geleden nog was de portefeuille van Yusuf met al zijn papieren gestolen. Ze hadden hem voor zijn verjaardag een nieuwe portefeuille gekocht. Dat was hun laatste geschenk geweest. Of ze die portefeuille terug konden krijgen?

Tot slot zei Hassan dat hij niets wilde vergoelijken, iedereen droeg de verantwoordelijkheid voor zijn eigen daden. Allah is wijs, zijn wegen zijn ondoorgrondelijk. Allah had hem alles geschonken wat hij zich had gewenst en hem vervolgens weer alles afgenomen.

Toen Hassan zweeg, was het stil in de kamer. Mohammed zat zenuwachtig op zijn stoel te bewegen. Hij stond op en ging naar buiten. Ze hoorden hem op de grond spuwen. 'We willen de kamer van Yusuf zien,' zei Zeiz ten slotte. Sterckx wilde het huiszoekingsbevel te voorschijn halen, maar Hassan schudde al zijn hoofd en wees naar een deur die openstond en naar het trappenhuis voerde.

Yusuf en Mohammed hadden een gemeenschappelijke kamer op de eerste verdieping gehad. Iemand had de kamer 'opgeruimd', zoveel was duidelijk. Hij maakte een onwaarschijnlijk kale indruk. Zelfs de asbakken waren leeg. Natuurlijk had Mohammed bezoek verwacht, zo dom was hij nu ook weer niet. Zeiz en Sterckx onderzochten de kamer grondig, wat niet veel tijd in beslag nam. Ze liepen ook door de andere kamers van het huis, terwijl Mohammed hen vanaf een afstand volgde.

De hele tijd dat ze in het huis waren, hoorden ze de vrouwen huilen. Zeiz moest denken aan zijn laatste bezoek aan Tunesië vorige zomer. De broer van zijn moeder werd toen begraven. Zeiz had zich bij de mannen gevoegd, die thee zaten te drinken op het binnenplein, terwijl Cathy binnen was bij de jammerende vrouwen, die zich rond het lijk hadden verzameld. Cathy had hem verzekerd dat ze het niet erg vond, ze respecteerde de traditie van zijn familie en het ritueel van hun verdriet.

'Vergeet jouw afkomst niet,' had zijn moeder hem daar meermaals op het hart gedrukt. Alsof hij een afvallige was. Zo bedoelde ze het ook, had hij zich gerealiseerd. In haar ogen was hij een ongelovige hond. Ze schaamde zich voor hem. Dat had hem gekwetst en met groeiend onbehagen had hij zitten luisteren naar het geprevel van de Tunesische mannen, naar de oude melodieuze klanken die zij produceerden, en naar het gehuil van hun vrouwen, dat daarboven uitsteeg. Het gevoel bekroop hem dat ze ook voor hem aan het bidden waren.

Toen de imam het woord had genomen, was Zeiz weggeslopen. Als kind had hij tijdens zijn vakanties in Tunesië koranles gevolgd, op aandringen van zijn moeder. De herinneringen aan imam Hassan El Wahar, de djinn met de stok, zoals hij werd genoemd, waren te veel geweest voor hem. Toen de geestelijke, voor hij het gebed aanhief, op zalvende toon iedereen opriep van elkaar te houden, zoals de profeet het had voorgeschreven, was Zeiz naar buiten gevlucht, naar de hete Afrikaanse zon waar hij zo van hield. Hij had het gevoel gekregen niet meer te passen in het land waarvan zijn moeder vond dat hij het als zijn land moest beschouwen.

Na de terechtwijzing van Zeiz aan het begin van het gesprek had Mohammed zijn mond niet meer durven open te doen. Ze hadden hem bewust genegeerd, wat de ontevreden trek op Mohammeds gezicht alleen maar groter had gemaakt. De jongeman was er niet aan gewend geen aandacht te krijgen. Hij stond achter zijn vader te roken toen ze bij de deur afscheid namen.

Zeiz richtte zich tot Hassan: 'Ik verwacht ook uw zoon Mohammed morgen om negen uur in mijn kantoor.'

Hassan boog het hoofd als afscheid.

'Ik zal al het mogelijke doen om de moordenaar van uw zoon te vinden,' zei Zeiz. Hij schaamde zich voor het cliché, maar iets anders was hem niet te binnen geschoten.

'*Inch Allah*,' zei Hassan.

'Wat is jou opgevallen tijdens het gesprek?' vroeg Zeiz aan Sterckx toen ze in het stationsbuffet een broodje zaten te eten.

'Dat die Marokkanen altijd zo klagen,' zei Sterckx. 'Zij hebben nooit de schuld, het zijn altijd de anderen die het hebben gedaan.'

Zeiz knikte. Dat had hij niet bedoeld, maar Sterckx had ergens gelijk. Ook in Brussel, waar een grote Marokkaanse gemeenschap woonde, ergerden politieagenten zich aan die jammercultuur. Dat hun zonen spijbelden en geen werk vonden, was altijd de schuld van de anderen. De leraren waren racistisch, de bazen van de bedrijven waren racistisch, de politie was racistisch. Dat laatste was ongetwijfeld waar, realiseerde Zeiz zich. Het was dan ook niet moeilijk om een grondige hekel te krijgen aan die luidruchtige agressieve prinsjes uit de Maghreb, die zichzelf vereerden, maar de maatschappij waarin ze leefden schade toebrachten.

'Ik bedoel,' zei Zeiz, 'is jou tijdens de monoloog van de ouwe Hassan iets opgevallen dat ons van nut kan zijn?'

Sterckx fronste zijn wenkbrauwen en kauwde nadrukkelijk op zijn broodje gezond zonder vlees.

Zeiz wachtte. Hij bleef het vreemd vinden dat de afgetrainde reus naast hem een vegetariër was.

'Je bedoelt dat hij van die belachelijke pantoffeltjes droeg?' vroeg Sterckx. Zeiz grijnsde. 'Ja, wat nog?'

'Die leraar in de school, van wie hij een pak rammel kreeg?'

'Ja, dat ook. Maar wat nog?'

'De portefeuille dan?'

'Precies.'

'Wat is er met die portefeuille?'

'Dat weet ik ook niet,' zei Zeiz. 'Misschien moeten we dat proberen uit te zoeken.'

Ze aten verder terwijl ze naar buiten keken. Reizigers liepen in en uit. De treinen denderden het station binnen. De espressomachine siste en zuchtte. De patron scandeerde zijn bestellingen, alsof hij op de minaret van een moskee stond. Op het stationsplein hingen de onvermijdelijke Afrikaanse en Indische jongens rond, rokend, starend naar de meisjes. Je vroeg je af waarop ze wachtten. In elk geval niet op de trein. Ze hadden hun dromen, dezelfde dromen als alle jonge mensen over de hele wereld. Misschien verbeeldden ze zich dat die dromen hier wortel zouden schieten.

'Dan ga ik naar het Heilig-Kruiscollege, de vorige school van Yusuf,' zei Zeiz nadat hij de laatste hap had doorgeslikt. 'Dat is toevallig ook de school waar ik zelf mijn humaniora heb afgemaakt.'

'Ik wist niet dat jij school had gelopen,' grapte Sterckx.

4

Al bijna een uur zat Zeiz op het bankje onder de lindeboom te observeren wie over het schoolplein van het Heilig-Kruiscollege liep. Ondertussen was de bel van de middagpauze gegaan en waren de leerlingen en de leraren naar buiten gestroomd. Maar Zeiz had niemand van de leraren herkend. Het was twintig jaar geleden dat hij hier was afgestudeerd, de meesten zouden wel met pensioen zijn of onherkenbaar ouder zijn geworden. Kon iemand een hele loopbaan in zo'n troosteloze omgeving overleven? vroeg hij zich af. Maar hij besefte dat zijn blik vervormd was door de onaangename herinneringen die hij had.

Een modelleerling was hij nooit geweest. Het afscheid van zijn school was bijzonder geweest, dat wel. Hij had op het laatstejaarsfeestje veel te veel gedronken en dingen gedaan en gezegd waar hij nu niet meer aan wilde denken.

'Maar de jongen mag natuurlijk zijn eigen moedertaal niet verwaarlozen,' zei mijnheer Houben tegen zijn vader op de ouderavond na het eerste rapport.

Mijnheer Houben was zijn leraar Nederlands in het eerste jaar Latijn-Grieks. Hij was het soort man waar Zeiz nu nog een hekel aan had: scherp van de tongriem, progressief, zelfbewust. Een jonge, gemotiveerde leraar die jongeren naar zijn beeld wilde vormen. Een jij-en-jouwer uiteraard, die spreekdurf en discussie centraal stelde en extravert gedrag beloonde. Het kon dan ook niet anders of Zeiz kreeg op zijn eerste rapport een onvoldoende voor Nederlands. Houben gaf enkele 'aanbevelingen ter verbetering' mee: Nederlands praten, ook thuis, Nederlandstalige boeken lezen, enzovoorts. Inburgeren zelfs.

Zijn vader had geduldig geluisterd en toen gezegd dat Kareem in België was geboren, hier ook altijd had gewoond, en dat zijn moedertaal het Nederlands was. 'En we lezen Nederlandstalige kranten en boeken,' had hij daaraan toegevoegd. 'We dromen zelfs in het Nederlands.' Zijn volgende cijfer was beter geweest, maar hoge ogen had Zeiz bij Houben nooit kunnen gooien.

Plotseling realiseerde hij zich dat het geen zin had zijn negatieve herinneringen te cultiveren. Anders was hij niet beter dan die kutmarokkaantjes, de eeuwige klagers die de schuld altijd probeerden af te schuiven op anderen. Hij was gewoon een miserabele student geweest, punt uit.

Zeiz keek naar de klok boven de ingangsdeur. Om kwart voor een had hij een afspraak met de directeur. Hij bleef nog even zitten met zijn ogen gesloten, stond op en rechtte zijn rug. De herinnering aan de bedompte geur van de lange, saaie gangen deed zijn maag opspelen. Voor hij naar binnen ging, stak hij een Rennie in zijn mond.

Hij begaf zich naar het bureau van de directeur. Hij zuchtte diep en sloeg de gang in naar rechts. Met de geur viel het best mee. De gangen waren nagenoeg verlaten, dat maakte veel goed. Ze hadden een frisse kleur gekregen. In zijn herinnering waren ze zwart en wit, als beelden uit een oude film.

Directeur Boudewijn Peeters was een kalende vijftiger met een rond gezicht en de weke huid van een binnenmens. Een heldere volle maan, vrij en vrolijk.

'Dag mijnheer Zeiz,' juichte hij, 'fijn dat u ons nog eens komt bezoeken.'

Zeiz keek de man verbaasd aan. Hij had een goed geheugen voor gezichten, maar dit gezicht kende hij niet.

'Ik heb u gegoogeld, mijnheer Zeiz,' zei Peeters met zichtbare trots. 'In 1991 en 1992 was u in militaire dienst bij de paracommando's in Diest. Politieschool afgesloten in 1995, momenteel hoofdinspecteur bij de Speciale Diensten van de federale politie in Brussel. Maar werkt u nu in Hasselt?' Hij wachtte. Toen Zeiz niet reageerde, ging hij verder: 'Afgestudeerd in onze school in 1988, dat was onder mijn voorganger Louis Peeters. Geen familie hoor, toevallig dezelfde naam. Herinnert u zich hem nog?'

Zeiz schudde het hoofd. Natuurlijk herinnerde hij zich de vroegere directeur nog. Hoe vaak was hij niet op het matje geroepen voor een of ander akkefietje. Louis Peeters was een fantasieloos potentaatje geweest, die perfect paste in zijn met stijlloze teakhouten meubelen ingerichte bureau, dat hij 'de commandotoren' noemde.

'Nee? U herinnert zich uw directeur niet meer, mijnheer Zeiz? Mag ik u Kareem noemen?'

Zeiz schudde zijn hoofd. 'Nee, liever niet.'

Peeters lachte. 'Die is goed. Toch vind ik het raar dat u zich Louis Peeters niet meer herinnert, u bent hier zes jaar naar school geweest.'

Zeiz haalde zijn schouders op. 'Ik werk bij de politie. Wij hebben allemaal een slecht geheugen. Gelukkig maar, zou ik zeggen.'

'Haha, die is ook goed. Een selectief geheugen?'

'Ik ga ervan uit dat uw geheugen beter is, mijnheer Peeters,' zei Zeiz. 'Herinnert u zich Yusuf Hallil?'

Peeters overhandigde Zeiz met een triomfantelijk gebaar een map. Zeiz keek de papieren vluchtig door. Het was informatie over Yusuf Hallil: kopieën van schoolbewijzen, lijstjes met namen van leerlingen, rapporten, verslagen.

Peeters grijnsde breed. 'Dat krijgt u allemaal van mij. Gratis. Omdat u een oud-leerling bent. Ik heb vanmorgen in de krant gelezen wat er is gebeurd. Ik wist dat de politie bij ons zou komen navragen. Yusuf Hallil, ja ja. Ik neem aan dat u weet wat voor een jongen hij is.'

'Hij is een dode jongen,' zei Zeiz.

'Ik bedoel: wat voor een karakter hij had.'

'Hoe bedoelt u precies?'

De directeur keek hem recht in de ogen. 'Yusuf Hallil was een rotte appel,' fluisterde hij.

'Een rotte appel?' herhaalde Zeiz.

'Hij was nog maar anderhalf jaar bij ons op school, maar hij had al meer op zijn kerfstok dan u in uw volledige schoolloopbaan hebt kunnen presteren, mijnheer Zeiz.' Hij knipoogde. 'Grapje hoor. U hebt wellicht gemerkt dat dit niet meer de school is uit uw tijd. We zijn een bruine school geworden, we hebben dus wel enige ervaring. Maar Yusuf was bijzonder explosief. Vechtpartijen. Drugsgebruik.' Hij wees naar het mapje. 'Dat leest u allemaal in ons dossier.'

Zeiz knikte. Wat Peeters vertelde kwam overeen met wat ze in de databank van de politie over Yusuf hadden gevonden. Hij bladerde het dossier door. Een bepaalde passage trok zijn aandacht. 'Seksuele intimidatie van een leerkracht,' las hij hardop. 'Hoe moet ik me dat voorstellen?'

'Zoals het er staat. Na dat incident hebben we hem buitengegooid.'

'Over welk incident heeft u het?'

Peeters aarzelde. 'Er was een erg zwaar vergrijp. Maar ik moet voorzichtig zijn. Er zijn een paar leerkrachten bij die zaak betrokken geweest.

Yusuf Hallil randde met een kompaan een lerares aan. Ze wachtten haar op in het atelier van de afdeling mechanica, dat toen verlaten was. Ze trapten en sloegen haar, plakten haar mond met kleefband dicht, scheurden haar kleren kapot...'

'En toen hebben ze haar verkracht?'

'Tja, het voorval, de lerares euh, we hebben...'

'Hebben ze haar verkracht?'

Voor het eerst tijdens het gesprek liet Peeters zijn ergernis blijken. Hij keek Zeiz verontwaardigd aan. 'Er zijn maar drie mensen die weten wat er precies is gebeurd. Die twee...' Hij vond blijkbaar geen woord dat krachtig genoeg was, '...en Moni. Ze heeft zich verdedigd als een leeuwin. Bewonderenswaardig moedig, ik had niet anders van haar verwacht...'

Zeiz onderbrak hem. 'Over wie heeft u het?'

'Over Monica Desutter, een van onze leerkrachten. Ze werkt niet meer bij ons, ze heeft na het incident ontslag genomen. Om mijn verhaal af te maken: Moni, zo noemden we haar, is erin geslaagd zich los te rukken en de tape af te trekken. Een leraar die toevallig voorbijkwam, heeft haar horen roepen en is te hulp gekomen.'

'Waarom heeft ze geen klacht ingediend?'

'Wel, het zit zo. De leraar die haar te hulp schoot, was niet zomaar een leraar. Die boefjes hadden echt wel pech dat hij net in de buurt was. Je herkende ze achteraf niet meer, als u begrijpt wat ik bedoel. Dat maakte het voor de school moeilijk om een klacht in te dienen. We zijn met de ouders tot een compromis gekomen. Yusuf was tenslotte minderjarig.'

'Wie was de andere jongen die bij de aanranding betrokken was?'

'Tarik Kanli. Hem hebben we ook buitengegooid.'

'Wie is die leraar die mevrouw Desutter te hulp schoot?'

'Walter Vaes.'

Zeiz keek op. Hij kende die naam nog van vroeger. 'Walter Vaes, de karateleraar?'

'Precies,' zei Peeters. 'Walter is sportleraar in onze school. Of beter: was. Hij is met vervroegd pensioen gegaan.'

'U heeft het dus op een akkoordje gegooid om een klacht tegen Walter Vaes te vermijden?'

'Zo ongeveer zou u het kunnen noemen, ja.'

'Vindt u ook niet dat dit een zaak voor de politie was?'

Peeters maakte een afwerend gebaar. 'Meer kan ik hier niet over zeggen. Alles staat in het dossier.'

'Had Yusuf vrienden hier?'

'Vrienden?' Peeters giechelde en wees weer naar het mapje. 'Ik heb een lijstje proberen op te stellen van de leerlingen met wie hij contact had.'

'Er waren dus vooral mensen die een grondige hekel aan hem hadden?'

'We wisten meteen welk vlees we in de kuip hadden. De les storen, pesten, spijbelen, saboteren, vechten. U vindt het allemaal in de verslagen. Ik denk dat hij de school zag als een plaats waar hij zijn frustraties kon botvieren. We konden niet veel doen. Wat voor zin heeft het bijvoorbeeld om iemand te laten nablijven, als hij gewoon niet komt opdagen? Iemand die geen gezag erkent, kun je niet straffen, toch niet in een school. De ouders? Die bekommerden zich niet om de school. U weet hoe dat gaat bij buitenlanders.'

'Nee,' zei Zeiz. 'Dat weet ik niet.'

'Excuseer mij. Ik wil niet veralgemenen. Maar u bent natuurlijk geen buitenlander.'

'Toch wel,' zei Zeiz terwijl hij opstond. 'Ik kan het alleen goed camoufleren.' Hij griste het mapje mee en liep naar de deur.

'Wat ik bedoel,' zei Peeters nog, 'is dat Yusuf onhandelbaar was. Ik heb hem een paar keer op mijn bureau gehad, maar hij luisterde niet eens als ik tegen hem praatte.'

Zeiz knikte en haastte zich naar buiten. In dat laatste kon hij inkomen. Terwijl hij naar zijn auto liep, vroeg hij zich af waarom hij Peeters zo onhebbelijk had behandeld. De man was tenslotte behulpzaam geweest. Het werd tijd dat hij die oude frustraties van zich af schudde.

Het eerste wat hij deed toen hij in zijn kantoor aankwam, was in de gegevensbank van de politie gaan kijken of er iets over Tarik Kanli terug te vinden was. Maar het systeem lag om een of andere reden weer plat. In een opwelling besloot hij Monica 'Moni' Desutter te googelen. Volgens een website was ze lerares wiskunde, vijfendertig jaar oud en 'gelukkig single'. Een andere site leerde hem dat ze penningmeester was van de Shinju Dojo karateclub. Ze was een doorwinterde karateka en was ooit zelfs Europees kampioene geweest. Zeiz vond een foto van de viering van het dertigjarig bestaan van de club, waar ze poseerde in een vuurrode gebloemde jurk tussen twee heren in witte kimono. De ene was een Japanner met een buikje, Yukio Usata genaamd, de andere was Walter Vaes. Zeiz kende Vaes van in de Militaire School, waar hij als gasttrainer gevechtstraining kwam geven. Hij was zo onder de indruk geweest van de man dat hij zich voor een cursus had ingeschreven. Vaes was een internationaal gerenommeerde karateka.

Hij surfte nog eens terug naar de foto van Monica Desutter en vergrootte die. Ze was een aantrekkelijke slanke vrouw, redelijk groot, ze stak alleszins een halve kop boven de Japanner uit. Ze had kleine borsten, maximum cup B, vermoedde hij, en ze lachte met iets dat de Japanner in haar oor fluisterde. De spontane manier waarop ze lachte, haar hoofd in haar nek, haar ene voet een beetje opgetild, deed Zeiz aan iemand denken, het schoot hem niet meteen te binnen aan wie. Maar Desutter had ook iets dat hem stoorde, een arrogant, afstandelijk trekje dat hij niet meteen kon duiden.

Daarna googelde hij uit verveling coördinerend commissaris Alexander Lambrusco, alias Coco. Hij ontdekte dat de functie van coördinerend commissaris alleen in Hasselt bestond en van de duistere term subsidiair mandaat vergezeld ging, wat zijn vermoeden bevestigde dat de baan in het leven was geroepen om Lambrusco een rustige, goedbetaalde uitloopbaan te bezorgen. Hij vond ook een foto van Lambrusco in een krijtstreeppak, in het gezelschap van Walter Reeckmans, koninklijk regeringscommissaris. Nog zo'n vreemd soort commissaris dus. Zeiz probeerde tevergeefs te achterhalen wat Lambrusco's functie precies inhield. Hij ging terug naar de foto van de beide mannen. Ze leken verdacht veel op elkaar, hun gezichten glommen van zelfgenoegzaamheid en hun snorren waren zorgvuldig getrimd.

Coco bleek tot zijn aangename verrassing ook de naam van een site van pin-upgirls te zijn, wulpse jonge vrouwen met grote borsten en frisgeschoren kutjes. Terwijl hij zocht naar een meisje met kleinere borsten, werd er op de deur geklopt. Hij deed niet open, schakelde snel zijn computer uit en begon te lezen in de rapporten die op zijn bureau lagen. De technische recherche was nu formeel: uit het sporenonderzoek kon niet worden opgemaakt of er één of meerdere daders waren. Verder was er de verklaring van een bouwvakker, een ploegbaas, die op zaterdag, de dag dat Yusuf Hallil was verdwenen, een witte bestelwagen bij de bouwwerf had zien staan. Er was daar weliswaar een parkeerverbod, maar hij had het zo gelaten. Een ploegbaas was toch geen flik, of wat? De nummerplaat kende hij niet en hij herinnerde zich ook niet precies van welk merk de wagen was. Misschien wel een Mercedes Vito.

De autopsie had nieuwe details opgeleverd. Het gezicht van Yusuf Hallil was met een soort vet ingesmeerd. Verder onderzoek moest duidelijkheid verschaffen. Het was nu ook zeker dat het slachtoffer in de parkeergarage aan zijn verwondingen was overleden. Nauwkeuriger gezegd, hij was leeggebloed. Zeiz slikte. Dat was gebeurd na het afsnijden van onder andere zijn penis en zijn teelballen. Hij las dat Yusuf ook verwondingen had die al ouder waren en zelfs aan het genezen waren, waaronder ronde brandwonden. Dat wees erop dat het slachtoffer al eerder en op een andere plaats was gemarteld. Vervolgens was hij naar de parkeergarage overgebracht, waar de akelige klus was afgewerkt.

Zeiz leunde achterover in zijn stoel. De moordenaar had dus een plaats, een hol waar hij ongestoord kon martelen. De vraag was waarom hij het risico had genomen zijn slachtoffer naar het midden van de stad te brengen om hem daar af te maken. En waarom op de vijfde verdieping van het gerechtshof in aanbouw?

Om drie uur was een dienstvergadering gepland. Zeiz sloot zijn ogen en probeerde nergens aan te denken. Maar het tuchtonderzoek kwam als een spookbeeld voor zijn ogen zweven. Vroeg of laat zou hij door de tuchtcommissie worden opgeroepen en gehoord. De procedure volgde haar gebruikelijke ambtelijke weg, dus het kon nog even duren voor het zover was.

Voor hij naar buiten ging, stak Zeiz nog een Rennietablet in zijn mond.

De dienstvergaderingen gingen, op aangeven van coördinerend commissaris Lambrusco, sinds kort door in de 'ovale kamer'. Hoewel de modern ingerichte kamer ruim en functioneel was, hadden Zeiz en zijn collega's er een bloedhekel aan. Niemand kon precies uitleggen waarom. Misschien was er te veel plaats. Aan de muur hing een abstract schilderij van iets dat aan een gestold roerei deed denken. Vroeger hadden de vergaderingen plaatsgevonden in het rommelige bureau van Vanderweyden.

De hele rechercheploeg was vandaag op de dienstvergadering aanwezig. Vanderweyden en Vannuffel hadden plaatsgenomen aan het hoofd van de tafel. Aan de ene kant zaten Adam Sterckx en Roger Daniëls, de rechercheur-informaticus. Aan de andere kant de bijna gepensioneerde hoofdinspecteur Johan Neefs en de jonge aspirant-inspecteur Eefje Smeets.

Op de valreep kwam Coco Lambrusco het vergaderlokaal binnengestormd, met in zijn zog Jolanda Steukers, zijn persoonlijke woordvoerster, in de wandelgangen 'het woordmeisje' genoemd. Lambrusco maakte zoals verwacht een gejaagde indruk.

'Luister goed, mensen,' betoogde hij op strenge toon, 'ik heb niet veel tijd.' Waarna hij vorsend de tafel rond keek, als wilde hij zich ervan vergewissen dat die mededeling goed tot iedereen was doorgedrongen. Zijn blik bleef uiteindelijk rusten op Zeiz. 'Wat is de stand van het onderzoek?' vroeg hij bars.

'Het onderzoek loopt,' zei Zeiz.

Lambrusco knikte en wachtte. Toen het duidelijk werd dat er geen verdere uitleg kwam, knipperde hij met de ogen. Ten slotte wendde hij zich tot Vannuffel. 'Willy?' Sinds de N-VA de verkiezingen had gewonnen, sprak Lambrusco Vannuffel soms aan met de voornaam.

Vannuffel schrok, hij had niet verwacht dat hij het woord zou krijgen. Hij keek op zijn beurt naar de overkant van de tafel. 'Johan?' vroeg hij.

Hoofdinspecteur Johan Neefs trok een gezicht. Iedereen wist dat hij nog meer dan alle anderen een hekel had aan vergaderen. Eigenlijk was er maar één persoon in de kamer die daar geen hekel aan had en dat was Lambrusco zelf.

'Ik neem aan dat iedereen mijn verslag heeft gelezen,' zei Neefs met monotone stem, zoals een leraar die zijn leerlingen voor de zoveelste keer de les spelt. 'Er is ook een voorlopig autopsieverslag en ik ga ervan uit dat iedereen ook dat heeft gelezen. Die twee samen geven een goed beeld van de stand van het onderzoek.'

Er viel weer een pijnlijke stilte. Het woordmeisje in de schaduw van Lambrusco bewoog. Iedereen keek haar richting uit. Ze bloosde en lachte verontschuldigend.

Vanderweyden redde de situatie door de verslagen voor te lezen. Dat nam een tiental minuten in beslag. Iedereen behalve Lambrusco kende de inhoud ervan. Dit zou dus een slaapverwekkende vertoning zijn geweest, ware het niet dat de zangerige stem van Vanderweyden de verveling neutraliseerde. Als door een gelukkig toeval scheen door het open raam de zon naar binnen. Het gezang van de vogeltjes vormde een vrolijk achtergrondkoor. Zelfs het barse gezicht van Lambrusco leek enigszins te ontspannen. Johan Neefs produceerde tegen zijn zin een flauwe glimlach.

Toen Vanderweyden was uitgepraat, schoven donkere wolken voor de zon.

'Wie heeft die ploegbaas ondervraagd?' vroeg Lambrusco.

Vannuffel stak zijn hand op. 'Roger en ik zijn alle bouwvakkers aan het doorlichten. We hebben een Poolse tolk ingeschakeld.'

'Goed werk, doe zo verder,' zei Lambrusco. Hij keek de tafel rond. 'We hebben veel tijd verloren. Dat van die bestelwagen hadden we ook gisteren kunnen weten, nietwaar? Tenminste, als er op een professionele manier was samengewerkt. Vanaf nu wil ik niet dat er nog van de geijkte procedure wordt afgeweken, is dat duidelijk? De hiërarchische ordening wordt gerespecteerd. Iedereen focust zich nu op de bestelwagen.'

Zeiz wist niet wat hij hoorde, maar slikte zijn woorden in. Hij zag dat de anderen beschaamd de ogen neersloegen. Wat Lambrusco net had gezegd, was een stommiteit. De bestelwagen was een detail om te onthouden, niet iets om meteen op verder te bouwen. Hoe stelde hij zich dat eigenlijk voor? Moest er nu in Hasselt en omstreken een zoekcampagne gestart worden naar een onbekende bestelwagen, mogelijk van het merk Mercedes? Moesten de nu al overbelaste agenten aan elk winkelraam de afbeelding van een witte bestelwagen hangen?

Neefs kuchte. 'Een klein detail misschien nog. Wat betreft het vet dat we op het gezicht van Yusuf hebben aangetroffen. We weten nu precies wat het is.' Hij zweeg en keek de tafel rond.

'Wel,' blafte Lambrusco, 'wat is het?'

'Het was... mayonaise.'

Lambrusco's mond viel open. 'Zei je mayonaise?'

'Wie smeert er nu zijn gezicht in met mayonaise?' vroeg Roger Daniëls.

'We gaan ervan uit dat iemand anders dat heeft gedaan,' zei Neefs laconiek. 'De moordenaar bijvoorbeeld.'

'Waarom zou hij zoiets doen?' vroeg Lambrusco.

'Dat vragen we hem als we hem hebben gearresteerd,' grapte Neefs.
Lambrusco keek hem vernietigend aan.

'We tasten voorlopig nog in het duister,' sprak hoofdcommissaris
Vanderweyden. 'Maar één ding is duidelijk: het slachtoffer is uitgebreid
gemarteld. Het motief zou dus wraak kunnen zijn.'

'Dat stond al in de krant,' zei Vannuffel verveeld.

'Wat had Yusuf Hallil op zijn kerfstok?' vroeg Zeiz. 'Dat moeten we
eerst uitzoeken.'

Sterckx hief zijn hand op. 'Hij heeft een half jaar geleden een lerares
aangerand. Kareem en ik onderzoeken die kwestie. Verder zou enkele
maanden geleden Yusufs portefeuille zijn gestolen...'

'Waarom hoor ik dat nu pas?' vroeg Vannuffel nors.

'Ik stel voor dat we deze piste verder volgen,' zei Vanderweyden.

'Hoe dan ook,' bulderde Lambrusco, terwijl hij zich uit zijn stoel hief, 'ik
eis vanaf nu directe rapportering, is dat duidelijk?' Hij liet zijn blik rusten
op Zeiz. 'En dat geldt voor iedereen.' Hij repte zich naar de deur, met het
woordmeisje in zijn zog. Ze hoorden hem nog zeggen: 'En nu moet ik weg,
ik heb een belangrijke vergadering.'

'Het bijzondere,' zei Neefs nog, 'is dat deze specifieke soort mayonaise
eigenlijk een saus is die wordt gebruikt in frituren en ook in kebabzaken. Je
vindt ze alleen in de groothandel.'

Maar zijn collega's luisterden al niet meer. Ze volgden het voorbeeld van
Lambrusco en vluchtten de ovale ruimte uit.

5

Zeiz zat naast zijn vader op de divan naar de televisie te kijken. Bij de deur stond een oude bruine koffer, die was volgeplakt met stickers uit vervlogen tijden: 'MAKE LOVE NOT WAR'; 'GIVE PEACE A CHANCE'; 'HAVE A NICE DAY'; 'MEAN PEOPLE SUCK'. Verder badges met de beeltenissen van Che Guevara, Fidel Castro en Mao Zedong. En een miniatuurgitaartje met de tekst: 'THIS MACHINE KILLS FASCISTS'.

Ze wachtten op de taxi die zijn vader naar het ziekenhuis zou brengen. De televisie zond een wedstrijd curling uit.

'Ze zitten in het derde end,' zei zijn vader.

Daarna begon hij het spel te becommentariëren. Zeiz luisterde niet echt. Verveeld volgde hij de bewegingen op het scherm, die hem absurd overkwamen. In kitscherige trainingspakken geklede mannen en vrouwen lanceerden een ronde kegel op een ijsbaan, achtervolgden die, haalden hem in en begonnen de ijsbaan vlak voor de glijdende kegel zenuwachtig te vegen met een soort van schrobborstel. Het was duidelijk dat het schouwspel betekenisvol was voor zijn vader. Hij schoot in een gierende lach, die langzaam overging in een zacht gejank. Zeiz zuchtte. Zo lang hij zich herinnerde had hij een hekel gehad aan die lach. Een ander irritant trekje van zijn vader was om humor te zien in volstrekt saaie verschijnselen en dan pretentieuze verbazing te tonen als anderen die niet zagen.

Zeiz wist niet waar de oude man zich mee bezig hield sinds zijn pensionering enkele maanden geleden. Eigenlijk wisten ze weinig of niets van elkaar. Tijdens de jaren dat Zeiz in Brussel werkte en woonde, hadden ze nauwelijks contact. Sinds kort zagen ze elkaar weer meer. De ziekte had hen dichter bij elkaar gebracht.

Zeiz observeerde de oude man zoals hij in de divan voor de televisie zat. Hij droeg zijn onafscheidelijke oude parkajas. Vroeger had Zeiz zich geschaamd voor die lange bruine jas met kap en lusknopen, die volgens hem niet bij een volwassen man paste. Nu moest hij toegeven dat de outfit zijn vader een jongensachtige charme gaf.

Zeiz was tijdens de middagpauze uit zijn kantoor geglipt, na een eerder frustrerende voormiddag. In een opwelling was hij bij zijn vader langsgereden. Die had hem niets laten weten van het medische onderzoek. Het was dus een toeval geweest dat hij de oude man nog thuis aantrof, net voor hij naar het ziekenhuis vertrok.

Zeiz overwoog of hij zijn vader zou vertellen over de problemen op het werk, maar verwierp die gedachte uiteindelijk. Waarschijnlijk zou de oude man toch maar met klassieke dooddoeners van opmerkingen aankomen en hem doorverwijzen naar een van zijn politieke vrienden of vakbondsmensen. Trouwens, dit was niet het moment om zijn vader daarmee lastig te vallen. Plotseling voelde hij een diep medelijden met die zonderlinge zieke man die naast hem op de divan zat en gefascineerd naar het curling keek.

Hij betwijfelde of het ziekenhuisonderzoek iets zou opleveren. Het was de tweede keer in een maand tijd dat zijn vader aan een uitgebreid onderzoek werd onderworpen. Ze hadden bij hem lymfeklierkanker vastgesteld. De diagnose van de oncoloog, een gerenommeerde arts van het Universitaire Ziekenhuis van Brussel, was niet bemoedigend geweest. Volgens hem had zijn vader een vrij agressieve variant van het non-hodgkinlymfoom waarvoor de behandeling bovendien onzeker was. Daarop had zijn vader zich gewend tot een oncoloog in het ziekenhuis van Hasselt, een jonge vrouw die hij meteen in zijn hart had gesloten en die aan haar diagnose, die overigens bevestigde wat de Brusselse dokter had vastgesteld, een hoopvolle boodschap had toegevoegd: 'U bent niet meer jong, de kans is dus groter dat de ziekte zich stabiliseert.' Ze wilde nu onderzoeken welke chemotherapie of andere medicatie de beste kans op slagen zou hebben.

Zijn vader riep: 'Give one and take two, skippy.' Dat was althans wat Zeiz verstond.

Zeiz viel in slaap. Hij schoot wakker toen de taxi claxonneerde.

Hij droeg de koffer van zijn vader naar de taxi. Aan de overkant van de straat stond Emma, de buurvrouw, in haar gebloemde werkschort. Gewapend met een emmer observeerde ze de twee mannen, wachtend tot iemand in haar richting zou kijken zodat ze een gesprek kon beginnen. Zeiz had haar nooit anders dan in een gebloemde werkschort gezien.

'Wanneer zien we elkaar weer?' vroeg zijn vader.

'Ik kom je morgen bezoeken,' zei Zeiz.

Toen de taxi was vertrokken, haastte hij zich naar zijn auto, nog voor Emma hem kon aanklampen. Hij bedacht dat hij zijn vader nog had willen vragen of hij Yusuf Hallil kende. Zijn vader had een groot deel van zijn professionele leven bij de Dienst Welzijn gewerkt. De laatste jaren was hij 'wijkmanager' van de stad geweest, het kon dus niet anders of hij was vertrouwd met de problemen in de wijk Ter Hilst. Zeiz nam zich voor hem daar morgen over aan te spreken.

In de auto dacht hij aan wat voor een vreselijke voormiddag het was geweest. De dag was al slecht begonnen. Hij was met Sterckx om halfnegen 's morgens naar Ter Hilst gereden om er Tarik Kanli aan de tand te voelen. Tarik was de mededader van de aanranding van Monica Desutter. Hij woonde in een huisje, de helft van een deprimerende tweewoonst, in een straatje dat doodliep op de geluidsdijk van de snelweg. De gordijnen waren dicht. Niemand had opengedaan en ze hadden een oproepingsbevel in de brievenbus gedropt. Niet meer dan een formaliteit, ze wisten ook wel dat Tarik daar niet op zou reageren. Hij was geen onbekende voor de politie. Nog niet zo lang geleden had hij enkele maanden in een jeugdgevangenis doorgebracht wegens dealen, geweldpleging en joyriding. Ze besloten later op de dag terug te komen, misschien konden ze hem dan klissen.

Toen ze in het politiekantoor kwamen, zat Mohammed Hallil op hen te wachten. Ze lieten hem nog een uurtje langer wachten op een houten bankje in wat ze de 'donkere kamer' noemden, een muf ruikend hok zonder ramen. Sterckx ondernam daarna een poging tot gesprek met de jongeman. Die toonde zich van zijn meest coole zijde door korte ontwijkende antwoorden te geven, die begonnen met 'hey' en eindigden op 'man'. Op zeker moment spuwde hij op de grond. Sterckx vloog tegen hem uit:

'Denk je dat je hier op een geitenmarkt staat, hé, BLO'er?' riep Sterckx.

'Ik wil een advocaat!' gilde Mohammed.

Ten slotte stuurden ze hem onverrichterzake naar huis.

Daarna dook een man op in het politiekantoor die dringend de 'bruine commissaris' wilde spreken. Zeiz ontving hem en herkende hem meteen. Het was de oude man van de Grote Breemstraat, die hij twee dagen geleden had geïnterviewd. Bleek dat de man zich plots meer herinnerde. Op zondagmorgen had hij een witte bestelwagen gezien bij het nieuwe gerechtsgebouw en een man die met hekken zeulde, wat toch vreemd was, aangezien de werken in het weekend stillagen. Maar hij had zijn bril niet op gehad, dus hij kon ook niet beschrijven hoe de man eruitzag. 'Waarschijnlijk een vreemdeling of zoiets,' zei hij. Van automerken wist hij niets af en aan de nummerplaat had hij natuurlijk niet gedacht, waarom zou hij ook? Hij nam afscheid van Zeiz met de woorden: 'Doe zo verder, jongen. Waren ze maar allemaal zoals jij.'

Monica Desutter werkte nu in een bankkantoor van KBC hadden ze ontdekt. Na lang proberen had Zeiz haar telefonisch kunnen bereiken. Ze zei gewoon 'hallo' toen ze opnam, wat hem eigenlijk altijd stoorde. Zijn eerste indruk was dat ze schrik had. Haar stem klonk achterdochtig en paste niet bij de foto van haar die hij op het internet had gevonden.

'Kareem Zeiz?' zei ze. 'En u zou van de politie zijn?'

'Ik ben hoofdinspecteur bij de federale recherche, ja. Ik zou u willen spreken over een conflict dat zich vorig jaar heeft voorgedaan in het Heilig-Kruiscollege. U bent toen aangerand door een zekere Yusuf Hallil.'

Het was even stil aan de andere kant van de lijn. 'Wie heeft u dat verteld?'

'Ik moet u spreken in het kader van een onderzoek.'

'Welk onderzoek?'

'Daarover kan ik u nu niets zeggen. Kunnen we een afspraak maken voor een gesprek?'

'Dat zal niet gaan,' sprak ze. 'Ik heb geen zin om daarover te praten.' Ze klonk nu heel gedecideerd. 'Luister, mijnheer Feis of Seis of hoe u ook heet, dit gesprek komt mij heel vreemd voor. Hoe weet ik of u ook echt van de politie bent?'

Zeiz ademde diep in en zei: 'Mijn naam is Zeiz, met een z aan het begin en een z aan het eind. U kunt me altijd googelen.'

Toen had ze de verbinding verbroken. Hij probeerde haar niet opnieuw te bereiken.

De rest van de voormiddag hadden Zeiz, Sterckx en Neefs doorgebracht met het herkauwen van de onderzoeksresultaten. Aspirant-inspecteur Eefje Smeets, die geklaagd had dat ze te weinig om handen had, mocht het definitieve autopsierapport voorlezen. Dat was geen opwekkend verhaal, maar ze slaagde er min of meer in het verteerbaar te maken. Haar onschuldige stemmetje transformeerde de opsomming van wreedheden in een gruwelijk sprookje.

Zeiz twijfelde niet, alles wees erop dat Yusuf het slachtoffer van een afrekening was geworden. De vraag was: van welke afrekening? Ze moesten een beeld proberen te krijgen van zijn entourage. Tarik Kanli was de eerste die ze op de rooster moesten leggen.

'En wat doen we met de witte bestelwagen?' vroeg Eefje.

'We wachten tot hij weer opduikt,' zei Neefs.

Daarna was iedereen opgestaan en naar zijn eigen bureau gegaan. Zeiz schreef zijn verslag, dat hij in het postbakje van Vanderweyden legde.

De rest van de voormiddag bogen ze zich over andere dossiers die de afgelopen dagen op hun bureau waren beland. Een onbekende amuseerde zich met het beschadigen van peperdure personenwagens door in het koetswerk de boodschap 'KILL THE PIGS' te krassen. Het viel Sterckx op dat alle beschadigde wagens vijftigduizend euro of meer kostten. Verbaasd bekeken ze de lange lijst van slachtoffers.

'Zitten we in een economische crisis?' vroeg Zeiz droogjes.

'Is het strafbaar om varkens te bedreigen?' vroeg Sterckx.

'Is dit geen zaak voor de gemeentelijke politie?' opperde Neefs.

Eefje mocht de map in het postbakje van Vanderweyden leggen, met een post-it: 'Gemeentelijke?'.

Verder was er een schietpartij, enkele uren geleden pas, in het zigeunerkamp achter de afvalcontainers van het Gemeentelijke Sorteercentrum. Een onbekende had vanuit het sorteercentrum geweerschoten afgevuurd op een woonwagen en daarbij een jongen van twaalf verwond. En in de buurt van het Openluchtzwembad was er een vechtpartij geweest, waarbij volgens getuigen Turkse jongens een man van middelbare leeftijd in elkaar hadden geslagen en vervolgens tegen die man een klacht hadden ingediend wegens belediging en racisme. Het slachtoffer lag in het ziekenhuis en was voorlopig zelf niet in staat een klacht in te dienen. Ook dat was iets voor de gemeentelijke politie, vonden ze.

'Het werk schiet goed op,' stelde Sterckx tevreden vast.

Vlak voor de middagpauze werd Zeiz ontboden op het kantoor van Lambrusco. Lambrusco wilde hem een papier laten tekenen waarin het conflict met Vannuffel beschreven stond en waarin Zeiz toegaf dat hij een professionele fout had gemaakt aan en zich bovendien had onttrokken aan het hiërarchische gezag. Toen Zeiz weigerde te tekenen, eiste Lambrusco dat hij dan ten minste 'voor kennisname' zou tekenen. Ook dat had Zeiz geweigerd, waarna Lambrusco zijn zelfbeheersing had verloren en woedend had geroepen dat Zeiz zijn gezag ondermijnde. 'Welk gezag?' had Zeiz gevraagd.

In de namiddag hadden ze meer succes. Ze troffen Ahmed Kanli, de vader van Tarik, thuis aan. Hij was een kleine man met een stoppelbaard en een voorspelbare stuurse blik. 'Tarik niet hier,' bromde hij. Hij ging wijdbeens op zijn drempel staan, als een stoere jongen in een B-film. Hij beweerde dat zijn zoon al enkele dagen niet meer thuis was geweest en waarschijnlijk bij vrienden in Brussel logeerde. Nee, hij kende het adres niet. Op al hun vragen antwoordde hij met: 'Ik niet weten.' Het was duidelijk dat hij niets wilde vertellen en dus loog. Zijn stem trilde en hij ontweek hun blik.

'Mogen we even binnenkomen, mijnheer Kanli?' vroeg Zeiz.

'Alleen met speciaal papier.'

De man was dus op de hoogte van zijn rechten, maar daar was Zeiz niet van onder de indruk. In het kader van een moordonderzoek hadden ze het recht om belangrijke getuigen op te vorderen en mee te nemen voor ondervraging. De ongelukkige en zelfs wanhopige uitdrukking op het gezicht van Ahmed Kanli deed Zeiz denken aan die van Hassan Hallil, de vader van de vermoorde Yusuf. Nogal wat Marokkaanse en andere moslimvaders hadden weinig of geen invloed meer op hun zonen, bedacht Zeiz. Ze konden de problemen die hun jongens veroorzaakten alleen maar registreren en achteraf voor de schade instaan.

Op dat ogenblik hoorden ze het geluid van een naderende bromfiets. De bestuurder, een jongeman met een zwarte muts, leek even te vertragen, maar toen hij hen opmerkte, versnelde hij meteen. Hij draaide vlak voor de geluidsdijk een zandpaadje in. Zeiz zag in de blik van Ahmed Kanli dat deze jongeman Tarik moest zijn. Hij knikte naar Sterckx. Ze liepen naar de auto.

'Nee, kom maar binnen,' riep Ahmed Kanli hen na. 'U mag binnen zonder papier. Het was maar een grap. U bent welkom. Kom binnen.'

Ze reden de straat uit en volgden de jongen die ze nu over de dijk zagen stuiven als een volleerde motorcrosser. Plots was hij verdwenen.

'Shit, we zijn hem kwijt,' zei Zeiz.

Sterckx antwoordde niet en stuurde de wagen buiten de wirwar van straatjes naar een hoofdweg, die de grens vormde van de wijk en parallel liep met de snelweg. Met gierende banden scheurde de wagen een straat rechts in. Deze straat met nieuwe huisjes liep dood op een voetgangerstunneltje dat onder de snelweg voerde. Daar dook de motorrijder weer op. Met enige moeite laveerde hij tussen de paaltjes van de tunnel. Ze lieten de wagen staan en renden achter hem aan. Sterckx liet met een snelle sprint Zeiz achter zich en het scheelde niet veel of hij had de motorrijder te pakken gekregen. Maar die verliet de tunnel net op tijd en gaf gas. Wellicht uit paniek reed hij rechtdoor een veld in, waar hij na honderd meter vastraakte in de modder. Daar werd hij door Sterckx gegrepen. Sterckx deed hem hardhandig voorover buigen op zijn motorfiets en fouilleerde hem. Zeiz had gezien hoe de jongen onderweg iets had weggegooid. Terwijl hij voorzichtig verder liep, erop lettend dat de modder zijn schoenen niet te veel besmeurde, speurde hij de bodem af. Hij vond drie plastic zakjes, waarop een groen blad stond gedrukt. Hij deed een zakje open en rook aan de inhoud. Het was cannabis.

Tarik spuwde. Sterckx kon het speeksel maar net ontwijken. Vervolgens begon de jongen te schelden. 'Vuile flikken,' riep hij. 'Vuile racisten.' Hij ging verder in het Arabisch. Zeiz stond te ver af om alles te verstaan, maar hij herkende het woord khawal, wat homo betekent. Tarik zweeg pas toen Sterckx met de palm van zijn hand een harde klap tegen de zijkant van zijn hoofd gaf, waardoor hij tegen de grond smakte.

In het politiekantoor lieten ze de jongeman een medisch onderzoek ondergaan. Een urinetest toonde aan dat hij cannabis en amfetamine had genomen. De doses waren eerder laag, wat erop wees dat hij de drugs de avond voordien of tijdens de nacht had ingenomen. De dokter verklaarde hem geschikt voor verhoor.

In de verhoorruimte stonden alleen een houten tafel en twee stoelen. Tarik moest plaatsnemen op een stoel. Daar lieten ze hem een uur wachten. Toen ze binnenkwamen, had hij zijn hoofd op de tafel gelegd. Zeiz ging op de stoel tegenover hem zitten, Sterckx vatte post achter Zeiz en bij de deur stond Eefje Smeets, die ook eens een verhoor wilde bijwonen.

'Zal ik hem even wakker schudden?' vroeg Sterckx.

Tarik ging als door een wesp gestoken rechtop zitten. Hij keek zorgelijk in de richting van Sterckx en zei: 'Ik voel me niet goed, ik wil terug naar de dokter.'

'De dokter is naar huis,' zei Sterckx.

'Ik wil ook naar huis,' zei Tarik.

'Eerst moeten we praten,' sprak Zeiz.

'Waarover?' vroeg Tarik. Toen kreeg hij Eefje in het oog. 'Wat doet die trut daar?'

'Wat zei hij?' vroeg Sterckx scherp aan Zeiz. 'Noemde hij haar een trut?'

'Ik heb niets gehoord,' zei Zeiz.

'Jawel, hij noemde haar een trut,' antwoordde Sterckx. Hij maakte aanstalten om naar Tarik toe te gaan.

'Ik heb niets tegen haar gezegd,' haastte Tarik zich, 'ik was gewoon in mezelf aan het praten.'

'Hoor je dat, Adam?' sprak Zeiz sussend, terwijl hij Sterckx bij de arm nam. 'Die jongen zat gewoon wat in zichzelf te praten.'

Sterckx schudde zijn hoofd. 'Ik zweer je, hij is een klootzak. Ik zal hem leren in zichzelf te praten.'

'Denk aan wat we hebben afgesproken, Adam,' zei Zeiz, 'houd je dus nog even in.' Hij nam zijn collega even apart. 'Misschien is het toch beter dat Eefje hier niet bij is, of wat denk jij? Ze is nog zo jong. Dit wordt misschien een beetje te... te delicaat voor haar.' Hij had luid genoeg gesproken opdat ook Tarik hem kon verstaan.

Adam knikte. Hij ging naar Eefje en fluisterde haar iets in het oor. Ze verliet de verhoorkamer.

'Wat zijn jullie van plan?' vroeg Tarik achterdochtig.

'Wij stellen hier de vragen,' zei Sterckx luid. Hij ging weer achter Zeiz staan.

'Met die weed heb ik niets te maken,' zei Tarik.

'Maar ik heb gezien hoe je die plastic zakjes weggooide,' zei Zeiz.

'Ze zijn niet van mij, man,' beet Tarik. 'Ik heb dorst.'

Zeiz legde de zakjes met de drugs op de tafel en keek er beteuterd naar. 'Maar als ze niet van jou zijn, van wie zijn ze dan? Van mij misschien?'

Tarik haalde zijn schouders op. 'Weet ik veel, man,' zei hij.

'Hij beschuldigt jou,' zei Sterckx. 'Hij beweert nu dat jij de drugs bij je had en dat je hem erin wilt luizen.'

Zeiz keek Sterckx verbaasd aan. 'Denk je dat echt?'

'Je hoort toch wat hij zegt. Alsjeblieft, Kareem, zo bereik je niets. Hij houdt je voor de gek. Laat mij met hem praten.'

'Nee,' zei Zeiz met een verongelijkt gezicht. 'Ik doe de ondervraging, dat was zo afgesproken.'

'We hebben niet de hele dag tijd, Kareem. Laat me vijf minuten met hem alleen en...'

Zeiz schudde gedecideerd zijn hoofd. 'We hebben afgesproken dat ik eerst probeer. Als het niet lukt, mag jij het overnemen, oké?'

Sterckx grijnsde. Ze gaven elkaar een high five. Tarik had hun gesprek met verbijstering gevolgd.

'Zeg eens eerlijk, Tarik,' sprak Zeiz op vriendelijke toon, 'zijn die drugs nu van jou of niet?'

'Ik...' Tarik schudde zijn hoofd. 'Ik voel me niet goed, man, ik wil een dokter.'

'Hij heeft de vraag niet verstaan, denk ik,' zei Sterckx. 'Ik zal een beetje dichter bij hem gaan staan. Als jij iets vraagt, zal ik dat klaar en duidelijk in zijn gehoorgang brengen.'

'Dat is lief van jou, Adam,' glimlachte Zeiz. 'Dan kan ik mijn stem een beetje sparen.' Hij wierp Sterckx een kushandje toe.

Sterckx had nu postgevat achter Tarik, die begon te beven. 'Herhaal de vraag nog eens, Kareem.'

'Zijn die drugs van jou, Tarik?'

'Ja,' zei Tarik snel.

'Van wie heb je ze?'

'Gekocht in Eindhoven, in een coffeeshop.'

'En de speed?'

'Van een tiep die daar altijd rondhangt. Ik weet niet hoe hij heet, echt niet, die gasten delen geen naamkaartjes uit.' Hij keek schichtig over zijn schouder naar Sterckx.

'Wat doe je in je vrije tijd, behalve blowen en trippen?' vroeg Zeiz.

Tarik keek eerst verbaasd, maar haalde toen zijn schouders op.

'Antwoord,' brulde Sterckx in zijn oor.

Tarik schrok en hief zijn arm omhoog alsof hij een slag wilde afweren.

'Ik... ik ga kickboksen.'

'Aha, dus daar heb je leren slaan. Heb je vrienden? Wie zijn je vrienden?'

Tarik aarzelde. 'Hé man, Ik ben geen verklikker, hé.'

'Wie zijn je vrienden?' brulde Sterckx.

'Hassan Massoud, Fa... Fati Bouchardi...'

'Je vergeet iemand. Je allerbeste vriend.'

'Welke vriend?'

'Yusuf. Je dode vriend.'

Zeiz haalde uit de map die voor hem lag een foto van het autopsie-verslag. Daarop stond Yusuf zoals ze hem hadden gevonden in het nieuwe gerechtsgebouw: onherkenbaar verminkt. De fotograaf had zijn werk uitstekend gedaan: de verminkingen waren duidelijk herkenbaar, dat wil zeggen: bloederig in beeld gebracht.

Tarik hapte naar adem en keek weg. 'Wie is dat?' vroeg hij.

'Dat is Yusuf Hallil,' zei Zeiz.

'Ik ken geen Yusuf Hallil.'

Zeiz maakte een afwerend gebaar. 'Hij woonde bij jou in de buurt. En je zat bij hem in de klas, in het Heilig-Kruiscollege, weet je nog?' Hij knipoogde. 'Jullie hadden een gemeenschappelijke hobby. Mensen aanranden.'

Tariks ogen schoten heen en weer. 'Ik weet niet waar je het over hebt, man.'

'Monica Desutter, zegt die naam je iets?'

Zeiz keek naar Sterckx, die haast onmerkbaar knikte. Er was iets veranderd in de houding van Tarik. Hij hing met gebogen schouders in zijn stoel voor zich uit te staren.

'Even je geheugen opfrissen misschien, Tarik. Vorig jaar, op donderdag 25 februari, na de les, hebben jij en Yusuf Hallil mevrouw Desutter in het praktijklokaal van mechanica gesleept, haar gestampt en geslagen...' Hij knipoogde weer naar Tarik. 'Dan komen die kickbokstechnieken goed van pas, hé? Jullie hebben haar de kleren van het lijf gescheurd en haar probe-ren vast te binden... Jullie hebben haar vervolgens eens goed doorgeneukt.'

Tarik antwoordde niet. Zijn haren waren nat van het zweet. Met zijn arm veegde hij over zijn bovenlip.

Zeiz wachtte en keek hem onderzoekend aan. 'Wiens plan was dat eigenlijk?'

'Antwoord,' schreeuwde Sterckx in Tariks oor, 'was dat jouw plan?'

Tarik kromp in elkaar. 'Maar... maar dat is toch allemaal geregeld, hebben ze toen gezegd.'

'Wij willen er alleen maar over praten,' ging Zeiz sussend verder, 'gewoon uit interesse.' Wiens plan was dat?'

'Ik wist niet wat Yusuf van plan was, echt niet.'

'Jij vond het dus niet leuk, je kreeg er geen stijve van?'

'Ik heb met Yusuf niks meer te maken.'

'Vertel eens, hebben jullie samen nog zulke dingen gedaan? Elke avond kickboksen is ook maar saai. Een mens wil er af en toe ook echt tegenaan gaan, nee? Vertel maar, het blijft onder ons.'

Sterckx greep Tarik bij de haren en schreeuwde in zijn oor: 'Antwoord, idioot.'

Tarik trok een van pijn vertrokken gezicht. Zijn ogen schoten vol tranen. 'Ik heb Yusuf al weken niet meer gezien, echt waar.'

'Wanneer heb je hem het laatst gezien?'

'Vorige maand of zo of nog langer geleden. Ik moet hem niet, hij is een klootzak.'

'Hadden jullie ruzie over die portefeuille?'

Tarik schrok zichtbaar. In zijn blik lag nu een radeloosheid die hij onmogelijk kon verbergen. Het was muisstil geworden in de verhoorkamer. 'Welke portefeuille?' fluisterde hij.

Zeiz dacht snel na. Dat van die portefeuille was een ingeving geweest. Hij ging verder op goed geluk: 'Yusuf dacht dat jij zijn portefeuille had gestolen. Was dat zo? Had je hem gestolen?'

Tarik verborg zijn gezicht in zijn handen en begon geluidloos te huilen. Een straaltje snot gleed tussen zijn vingers en viel met vertraging op zijn knieën. 'Ik weet er niets van, echt niet. Ik heb er niets mee te maken. Ik voel me niet goed. Ik moet kotsen.'

Zeiz keek naar Sterckx, die zijn hoofd schudde. Er zat niets anders op dan de ondervraging af te breken. Ditmaal leek het erop dat Tarik geen komedie speelde en echt in elkaar was gestort.

'Hij heeft niet eens om een advocaat gevraagd,' zei Sterckx toen ze de verhoorkamer verlieten. 'Maar we hadden hem bijna zover.'

Hoever wisten ze eigenlijk niet. Maar het was duidelijk dat Tarik informatie achterhield en angst had om te praten. Bij een tweede gesprek zouden ze zijn weerstand misschien kunnen breken, tenminste als niemand op het idee kwam een advocaat erbij te halen. Bovendien hadden ze niets in de hand om Tarik vast te houden. Dat beetje weed zou de onderzoeksrechter niet overtuigen.

'En, heeft hij bekend?' vroeg Eefje, die hen tegemoet kwam gelopen.

Sterckx ontfermde zich over haar. Het was Zeiz al eerder opgevallen dat zijn collega zich met een zekere welwillendheid om de jonge aspirant-inspecteur bekommerde. Ze vormden een jong, aantrekkelijk koppel. Hij keek hen na en voelde zich plotseling oud en lelijk, zoals het grauwe gebouw waarin hij werkte.

Zeiz ging rechtstreeks naar het kantoor van de hoofdcommissaris. Vanderweyden luisterde aandachtig naar het verslag van de ondervraging. Zeiz had altijd gedacht dat hoofdcommissaris worden zowat het ergste was wat je als politieagent kon overkomen. Zijn ervaring was dat mensen op dat niveau hun feeling met de baan verloren. Toch kon hij over Vanderweyden niet klagen. De man maakte tussen zijn vergaderingen en bureaucratische beslommeringen door tijd om te luisteren, of deed in ieder geval alsof, en hij had Zeiz in zijn conflict met Vannuffel en Lambrusco nog niet laten vallen. Bewijs hiervan was dat Zeiz het onderzoek naar de moord op Yusuf Hallil verder mocht leiden.

'Je weet ook dat het bezit van een beetje softdrugs niet voldoende is om iemand in hechtenis te nemen, zelfs niet voor één dag,' zei Vanderweyden. 'Hoeveel, zei je? Vijftien gram marihuana?' Het woord marihuana kreeg in zijn zangerige universum een onbezoedelde exotische klank, die nog even in de ruimte bleef navlinderen. 'Maar als ik het goed begrijp, hebben jullie het gevoel dat Tarik Kanli meer zou kunnen weten over de moord. Hij zat samen met Yusuf Hallil in een bende, vermoeden jullie. Klopt dat?'

Zeiz knikte. 'Laten we het zo stellen: we mogen niet uitsluiten dat het om een afrekening tussen bendes zou kunnen gaan. Of een afrekening in de bende van Yusuf Hallil zelf. Er zou daar in elk geval iets gebeurd kunnen zijn. Wat weten we nog niet. Tarik heeft laten uitschijnen dat hij afstand had genomen van Yusuf. En hij stortte in elkaar toen we over die portefeuille begonnen.'

Vanderweyden keek Zeiz ernstig aan. 'Eigenlijk weten we niets, of wat?'

'Nee.'

'Maar als we het handig formuleren, lijkt het misschien alsof er wel iets is.'

'Precies,' zei Zeiz.

Vanderweyden nam een krant van zijn bureau en liet hem de voorpagina zien. 'MOORD IN GERECHTSGEBOUW RACISTISCH?' stond er in blokletters.

'Zoals je ziet,' zei Vanderweyden, 'is de sadistische moord een racistische moord geworden.' Maar het ene sluit het andere natuurlijk niet uit.' Hij dacht na. 'Ik zal zien wat ik kan doen. Toevallig zie ik onderzoeksrechter Engelen straks op een vergadering.'

Zeiz ging naar zijn kantoor, deed de deur op slot en liet zich in zijn stoel zakken, in zijn favoriete houding, met de voeten op het bureau. Hij luisterde naar het ritselen van het rolgordijn. Toen iemand op de deur klopte, reageerde hij niet.

Het was al half vijf toen het eerste telefoontje kwam. Dat was van de hoofdcommissaris. 'Ik heb goed nieuws en ik heb slecht nieuws,' zei Vanderweyden. 'Het goede nieuws is dat jullie Tarik Kanli een nachtje in de cel mogen houden en morgenvroeg voor de tweede keer verhoren. Het slechte nieuws bestaat uit twee delen: er zal een advocaat bij aanwezig zijn én het verhoor wordt geleid door Vannuffel.'

Zeiz bleef nog een hele tijd zitten met zijn voeten op het bureau en dacht na over het telefoontje van Vanderweyden, terwijl hij de ene Rennie na de andere kauwde. Uiteindelijk mocht hij niet klagen. Hij had gekregen wat hij wilde, ook al waren de omstandigheden verre van ideaal. Met een advocaat erbij zouden ze Tarik niet echt onder druk kunnen zetten. Vannuffel zou op zijn strepen staan en bij de ondervraging zijn eigen strategie opleggen. Zeiz zag in dat hij de situatie moest ondergaan. Het waren anderen die de touwtjes in handen hielden en het zag er niet naar uit dat daar verandering in zou komen. Zelf had Zeiz bij zijn mutatie naar Hasselt naast de bevordering tot commissaris gegrepen. En als de tuchtprocedure in zijn nadeel uitviel, riskeerde hij zelfs een degradatie of in het beste geval weer een overplaatsing. Het schoot hem nu te binnen dat de hoofdcommissaris tijdens hun onderhoud niets over die kwestie had gezegd. Ook dat appreciëerde hij aan Vanderweyden, dat hij zweeg als er niets zinnigs te vertellen was.

Toen ging de telefoon voor de tweede keer. Het was de centrale, ze hadden een buitenlijn voor hem. Een zekere Monica Desutter wilde hem spreken.

'Ik heb u gegoogeld, mijnheer Zeiz,' sprak ze, 'als u wilt, kunnen we iets afspreken.'

Maandag 07u25

Hij haalde het touw uit de rugzak en liet het decimeter voor decimeter door zijn vingers glijden. Zo had hij het ooit geleerd van een oude soldaat die een touw vergeleek met een vrouw.

'Je moet haar strelen, telkens als je haar hebt gebruikt.'

Hij herhaalde deze woorden en prevelde ze voor zich uit met de ogen gesloten, als iemand die een gebed opzegde voor een god met zaagsel in zijn kop.

Bijna was het fout gegaan. Niet met het touw, het touw was oké. Hij was van de strikte timing afgeweken, dat was het probleem. Hij had op de zonsopgang gewacht. De bloederige gloed had hem verleid. Het was allemaal zo vlot verlopen, dat hij overmoedig was geworden.

Hij rolde het touw op, vlijde het in de touwzak en dekte het toe, als een geliefde. Een gebaar dat hij nog niet was verleerd.

Eén van de dingen die je een jongen moet leren, is een vluchtweg organiseren. Het onverwachte, dat ben je in de eerste plaats zelf. Ook dat moet je hem leren.

Nadat hij het materiaal zorgvuldig had opgeborgen, ging hij water omhoog pompen. Hij hield van het hijgende roestige geluid als hij de hengel bediende. Hij hield ook van de vochtige koelte en de schimmelgeur van herinneringen, ook al deden ze pijn. Op een keer had de jongen tegen hem gezegd: 'Papa, er groeien champignons in je oren.'

Tot 's middags ongeveer had hij nodig om alles op te ruimen en al het bloed, het onvoorstelbaar vele bloed, weg te wissen.

6

Zeiz besliste om de weg naar de bank waar Monica Desutter werkte te voet af te leggen. Ze hadden om vijf uur afgesproken. Haar stem had anders geklonken dan tijdens hun eerste telefoongesprek. Ze schikte zich nu in de vraag van de politie om te praten over de aanranding waarvan zij een jaar geleden het slachtoffer was geworden. Of had ze over de moord op Yusuf Hallil gehoord en begreep ze dat de politie nu diens verleden aan het uitpluizen was? Terwijl Zeiz in gedachten verder stapte, zag hij weer het beeld voor zich van de aantrekkelijke vrouw in de rode gebloemde jurk. Misschien was het slechts inbeelding, maar hij had het gevoel dat achter haar beslissing om nu toch met hem te praten een rationele reden zat. Een vochtige wind joeg door de straten en hij had spijt dat hij geen regenjas over zijn fluwelen jacket had aangetrokken. Boven de binnenstad verzamelden zich donkere regenwolken. Bij het standbeeld van Hendrik Van Veldeke sloeg hij rechtsaf de stad in. Op het pleintje hingen jongeren rond. Een ventje met een flodderbroek sprong met zijn skateboard van de trappen voor het standbeeld naar beneden, aangemoedigd door twee kameraden. Moesten deze jongelui niet naar school?

Toen schoot hem te binnen dat het woensdagnamiddag was en dat de scholen dus dicht waren. De straten liepen vol met shoppers alsof het een zaterdag was. Ondanks het gure weer kuierden de mensen ontspannen langs de etalages en vergaapten zich aan de uitgestalde waren. Je zag ze genieten. Het aanbod was dan ook duizelingwekkend. Tijdens de twintig jaar dat Zeiz in Brussel woonde, had zijn geboortestad Hasselt een metamorfose ondergaan. Het provinciestadje had zichzelf opgeblazen tot een gigantisch openluchtwinkelcentrum. Er bleef geen pand over zonder etalage waar iets te koop werd aangeboden. Ook voor woningzoekers was de stad bijzonder attractief: in de woonwijken tussen de boulevard die het centrum afsloot en de ringweg groeiden uit de talrijke bouwputten 'uitzonderlijk mooie verkavelingen' en 'residentiële nieuwbouwprojecten'. Zelf woonde Zeiz aan de rand van de binnenstad, in residentie De Kaai aan de Blauwe Boulevard. Een naam die verwachtingen wekte, maar die Zeiz maagkrampen bezorgde. Het water in de kanaalkom was niet blauw, maar grijs. En als de wind uit het noorden kwam, waaide de slachtgeur van het vlakbij gelegen abattoir over naar de stad. Het was Cathy's keuze geweest om daar te gaan wonen. Toegegeven, ze hadden er een paar mooie momenten beleefd, zoals die zonnige lenteavond, toen Cathy en hij op hun balkonnetje hadden gezeten met een flesje wijn en onder hen de boten de jachthaven in en uit waren gevaren. Maar sinds ze hem had verlaten, kon hij het sobere, dure design niet meer verdragen.

Monica Desutter werkte bij de KBC, de bank die tijdens de recente financiële crisis acht miljard euro staatssteun zou hebben ontvangen. Althans dat had Zeiz zijn vader horen beweren. Kritiek geven op banken was een van diens stokpaardjes. Volgens de oude man behoorden bankiers tot het schurkengilde waarvan ook garagehouders en mensenhandelaars deel uitmaakten. Voor het raam van de bank hing een affiche met de tekst: 'WAT KRIJGT U ALLEMAAL VOOR NUL EURO? KOM BINNEN, DAN REKENEN WE HET VOOR U UIT!'

Zeiz had een vreemd gevoel bij deze afspraak. Monica Desutter had hem gevraagd discreet te zijn en zich niet als politieagent aan te melden. Hij moest gewoon zeggen dat hij een afspraak had met haar. Hij belde aan. Een jongeman in een overjas, die, zoals bleek uit zijn badge, assistant account manager was, kwam opendoen en bracht hem naar een glazen kantoor met een glazen bureaublad en twee plexiglazen stoelen. 'Mevrouw Desutter komt meteen, ze is nog even in gesprek,' zei de jongeman. Zeiz zag dat de jongeman onder zijn jas een wollen trui droeg. Er lag glossy leesvoer in het kantoor. Zeiz ging zitten en las een artikel over een gepensioneerde bankier die investeerde in oude Engelse tuinen in het graafschap Devon en nu van plan was een boek te schrijven over de filosofie van het perfecte kronkelpad. Dat deed hem denken aan zijn vader. Hij vroeg zich af waarmee de oude man van plan was zijn tijd te vullen nu hij met pensioen was. De tijd die hem nog restte.

Terwijl hij zat te lezen, voelde Zeiz dat een vreemd soort kilte onmerkbaar bezit had genomen van zijn lichaam. Hij stond op en begon het kantoortje op en neer te wandelen in een poging het een beetje warm te krijgen. Na tien minuten vergeefse moeite kwam hij tot de conclusie dat de airco hier opstond. Aan de rand van het plafond meende hij discrete roostertjes te zien, die de koele lucht naar binnen bliezen. Waarom stond de airco aan, vroeg hij zich af, buiten was het amper zeven graden. Of was het opzet? Hij keek op zijn horloge. Hij zat hier nu al bijna een half uur te wachten. Het was een oude truc, besloot hij. Zoals hijzelf Tarik een uurtje in de donkere kamer had laten antichambreren voor hij met het verhoor begon.

Plotseling ging de deur open. Monica Desutter kwam de kamer binnen. Hij zou haar nooit hebben herkend. Was dit dezelfde vrouw die hij op het internet had gezien in het gezelschap van Walter Vaes en de Japanse karateka? Voor hem stond een ietwat stijve jongedame in een winters mantelpakje, de wilde haren in een ouderwets dotje opgestoken. Haar badge verklapte dat ze compliance officer was. Tot zijn verbazing droeg ze handschoenen. Ze gaf hem geen hand en bleef op enkele meters afstand staan terwijl ze zich voorstelde. Maar toen ze glimlachte, meende hij in haar eindelijk de uitbundige vrouw in het zomerjurkje te herkennen.

'U kijkt alsof u een spook ziet, mijnheer Zeiz.'

'Ik had niet verwacht wat dan ook te zien,' zei hij.

'Excuseert u mij, maar ik...'

'Ik wilde u spreken over Yusuf Hallil. Een vroegere leerling van u, dat klopt toch?'

'Ik heb gehoord wat er is gebeurd,' zei ze.

Ze ademde diep in en ging bij de glazen wand staan. Hoewel de loketten waren gesloten, was het nog behoorlijk druk. Iemand wenkte in het voorbijgaan naar haar, maar ze scheen het niet op te merken. Het viel Zeiz op dat ook de andere werknemers van de bank wollen truien en dikke jassen droegen. In de verte klonk het langgerekte gehuil van een sirene uit een ouderwetse kantine.

'Ik weet niet hoe ik het moet zeggen,' zei ze aarzelend. 'Yusuf is iemand aan wie ik liever niet meer denk.' Ze keek hem aan. 'En nu komt u mij zeker vragen waar ik was op het tijdstip van de moord?'

Zeiz schrok. 'We proberen zoveel mogelijk over Yusuf Hallil te weten te komen. Daarom ben ik hier. Wat ons interesseert is het incident van vorig jaar in het Heilig-Kruiscollege. U bent toen aangerand door twee Marokkaanse jongens, Yusuf Hallil en Tarik Kanli.'

'Wie heeft u dat verteld?' vroeg ze scherp. En voor hij kon antwoorden: 'En wie zegt dat het een aanranding was?'

'Was het dan geen aanranding misschien?'

'Bent u een therapeut? Sorry, maar het is nog altijd moeilijk voor mij om erover te praten. Ik probeer dat... incident te vergeten, begrijpt u? Trouwens, we hebben toen alles geregeld... zoals het geregeld moest worden.'

'En u bent daar tevreden mee?'

Ze lachte wrang. 'Het woordje "tevreden" lijkt me hier niet op zijn plaats. Zoals u ziet heb ik een andere baan moeten zoeken. Ik bedoel, ik gaf heel graag les, maar ik kon het niet meer... als het dat is wat ik teweegbreng bij die jongens, dacht ik...'

'Wat brengt u dan teweeg?'

'Ze zijn natuurlijk niet allemaal zo. Maar het ging niet meer. Die Yusuf was een sociopaat. Laten we zeggen dat ik pech had dat ik net hem tegen het lijf liep. Tarik was een meelopertje, het knechtje van Yusuf.'

'Die aanranding, of hoe u het ook wilt noemen, is in februari van vorig jaar gebeurd, dat is nu meer dan een jaar geleden. Hebt u Yusuf of Tarik sindsdien nog gezien?'

Voor ze antwoordde, was er een lichte haast onmerkbare aarzeling. 'Nee.'

'Uw collega Walter Vaes heeft u toen geholpen. Als ik het goed heb begrepen, heeft hij die twee gasten lelijk toegetakeld.'

'Gelukkig was Walter in de buurt, meer kan ik daar niet over zeggen.'

'Weet u wie er verder nog in de bende van Yusuf zat? Met wie trok hij destijds op?'

Ze haalde haar schouders op. 'Ik stel voor dat u dat aan Tarik vraagt. Of hebt u hem nog niet op de rooster gelegd?' Dat laatste klonk bijna als een verwijt.

'Daar zijn we mee bezig,' haastte hij zich te zeggen. Het ergerde hem dat hij zich door haar liet opjagen.

'Tot moord is Tarik niet in staat,' ging ze rustig verder. 'Ik denk dat hij een lafaard is. Als hij hard wordt aangepakt, vertelt hij alles wat hij weet, denkt u ook niet?'

Zeiz antwoordde niet. Wat ze net had gezegd, leek een nuchtere analyse. Hij kon zich niet van de indruk ontdoen dat de vrouw die tegenover hem stond verschillende maskers had, die ze moeiteloos gebruikte als haar dat uitkwam. Was haar persoonlijkheid in scherven gevallen bij de aanranding? Hij vroeg zich af hoe ze eruitzag zonder masker.

'Maar dat doen jullie natuurlijk niet, of wel?'

'Wat doen we niet?'

'Hem hard aanpakken. Dat is de enige taal die iemand als Tarik Kanli begrijpt. Maar waarschijnlijk moeten jullie hem weer laten lopen? Zo gaat dat altijd.'

'Dat zou best weleens kunnen,' sprak Zeiz.

'Maar ik vermoed dat u iemand bent die niet loslaat,' ging ze verder.

'Ik probeer een goede politieagent te zijn.'

'En ik probeerde een goede lerares te zijn. Maar nu besef ik dat ik iemand als Tarik verkeerd heb aangepakt. Yusuf was gestoord, maar Tarik is een jongen met een goede kern, die een harde hand nodig heeft. Denk ik.'

Zeiz knikte. 'Dank u voor het gesprek,' zei hij. Hij onderdrukte een rilling en ging naar de deur.

'Gaat u nu al weg?' zei ze verbaasd. 'Nou, dat ging snel.' Ze volgde hem. 'Ik weet dat u niet veel aan me hebt, maar wat toen is gebeurd, is...' Ze zuchtte diep. 'Ik hoop dat u dat begrijpt. '

'Ik begrijp niet hoe u het hier uithoudt,' zei hij, 'het is hier net een ijskast.'

Ze glimlachte fijntjes. 'Waarom denkt u dat ik handschoenen draag?'

Zeiz was al in de straat waar hij woonde toen zijn aandacht werd getrokken door een groepje wielertoeristen. Mannen en vrouwen van middelbare leeftijd, gekleed in fluo bikeshirts en dito shorts, pronkten met hun schitterende rijwielen op de kade van de Blauwe Boulevard. Voorzichtig wandelde hij dichterbij en zag dat zijn seksueel actieve benedenburen er ook tussen stonden. Snel liep hij verder. Het besef dat hij daar niet langer kon blijven wonen overviel hem weer. Hij paste niet tussen het afgeborstelde volk dat er resideerde. Maar bovenal verafschuwde hij de huurprijs. Zonder de extra kosten betaalde hij zevenhonderd tachtig euro per maand. Nu Cathy weg was, moest hij daar alleen voor opdraaien. In Brussel hadden ze vierhonderd betaald voor hun gezellige flatje. Toen had hij in de illusie geleefd dat Cathy net als hij hield van de exotische chaos van de Josafatstraat. Hij liep naar zijn auto, een oude Citroën, die om de hoek stond geparkeerd, met een parkeerbon achter de ruitenwisser. Hij vloekte, voor de zoveelste maal was hij vergeten zijn bewonersparkeerkaart op het dashboard te leggen.

Zeiz volgde een ingeving en reed de stad uit. Hij wilde zijn oude karate-trainer nog eens ontmoeten. Achter het voormalige rangeerstation volgde hij op zijn gevoel de smalle straatjes die tussen de velden voerden. Hier was weinig veranderd, dit was het platteland uit zijn jeugd en hij vond makkelijk de weg. Walter Vaes woonde in een huis palend aan een vroeger magazijn. Auto's reden weg toen Zeiz het parkeerterrein opreed. Hij vermoedde dat net een trainingssessie achter de rug was.

De eerste etage van het magazijn was omgebouwd tot trainingsruimte. Zeiz liep de smalle trap op naar de Shinju Dojo, een oefenruimte met houten vloer en spiegelwand. Achter de dojo was een zithoek als cafeetje ingericht. Daar trof hij inderdaad Walter Vaes aan. Vaes stond aan de bar, alleen. In zijn ene hand had hij een trainingstas, in zijn andere een glas trappist, dat hij in één teug leegdronk.

'Ha, wie we daar hebben,' zei Vaes blij verrast. 'Leuk om je nog eens te zien, Kareem. Maar voor de training ben je te laat en voor een borrel ook. Sorry, ik sta net op het punt te vertrekken.' Hij gaf Zeiz een hand. 'Jammer dat ik weg moet, maar ik heb een afspraak. Misschien kunnen we later eens afspreken. Alles in orde met jou?'

Zeiz knikte. Dat de beroemde karateka zich zijn naam nog herinnerde, stemde hem een beetje trots. Zeiz observeerde de oude krijger, zoals Vaes door insiders werd genoemd. Hij was nu echt oud aan het worden. Hij liep een beetje gebogen en begon een buikje te krijgen. Maar daardoor moest je je niet laten misleiden, wist Zeiz, de man had zijn bijnaam niet voor niets.

'Ik ben hier als politieagent,' sprak Zeiz.

Vaes grijnsde. 'Ai ai'.

'Ik zou een paar vragen willen stellen over Yusuf Hallil.'

Vaes bleef staan. 'Tja, dat is niet mooi wat onze Yusuf is overkomen,' zei hij. Hij keek Zeiz peinzend aan. 'Maar ik vermoed dat er niet zo heel veel mensen zijn die daarom treuren. Wat wil je weten? Of ik hem een kopje kleiner heb gemaakt?'

Zeiz lachte. 'Je bent al de tweede vandaag die me dat vraagt.'

'Aha, en wie was de eerste dan? Monica Desutter?'

Zeiz negeerde de vraag. Hij vroeg zich af of Vaes wist van zijn gesprek met Desutter. 'We weten wat er vorig jaar in de school is gebeurd. Daarom ben ik hier. Monica Desutter is toen door Yusuf en zijn vriend Tarik lastiggevallen...'

'Lastiggevallen? Dat is een mooie uitdrukking. Maar eerlijk, tot moord zie ik haar niet meteen in staat.'

'En jij?'

'Ik zou er wel toe in staat zijn,' zei Vaes. 'Jij niet?'

'Wat is er precies gebeurd toen?' vroeg Zeiz.

Vaes schudde zijn hoofd. 'Luister goed, Kareem. Wat die twee idioten met haar hebben gedaan, weet ik niet. Dat is iets wat alleen Moni kan vertellen. Ik heb uren met haar gepraat, maar ze heeft me nooit verteld wat er precies is gebeurd voor ik er aankwam. Dat zegt genoeg, niet? Ik wil het ook niet weten. Wanneer is Yusuf Hallil vermoord?'

'In de nacht van zondag op maandag, tussen drie en vier uur 's morgens. Waar was je toen? Die vraag moet ik je stellen.'

Vaes gaf Zeiz een kille blik. 'Oké, toen zat ik in Glasgow, dat kun je checken. Ik was daar op uitnodiging van de European Karate Association.'

'Klopt het dat je Yusuf nogal erg hebt toegetakeld, toen? Hij heeft enkele weken in het ziekenhuis gelegen.'

Vaes staarde naar het glas dat hij op de toonbank had gezet, alsof hij zich afvroeg waarom het leeg was. Hij twijfelde even voor hij verder praatte. 'Moni is een heel goede vriendin van me, dus ik was wel kwaad, ja. Of wat dacht je? Maar dat Yusuf zo was toegetakeld, had hij ook aan zijn vechtlust te danken. Een taaie knaap, dat moet ik zeggen. Hij wilde niet opgeven, dus ik heb een paar keer heel hard moeten slaan.' Vaes grijnsde. 'Ik denk dat hij achteraf een ander gebit heeft moeten kopen.'

'Heb je Yusuf daarna nog ontmoet?'

'Ja. Een paar maanden later stond hij met zijn bende bij mijn auto, op het parkeerterrein van de school. Ze hadden de vier banden kapotgestoken. Yusuf zei dat hij mij ging neersteken of doodschieten of zoiets. Ze waren met zijn zessen geloof ik. Yusuf en Tarik, die twee, en dan was er nog iemand die ik kende van vroeger. Een zware gast, iets ouder ook. Ik denk dat niet Yusuf maar hij de ayatollah van de bende was. Die schrok wel een beetje toen hij mij zag, wist blijkbaar niet dat ik het was die zijn vriendje een pak rammel had gegeven. Maar ik weet niet meer hoe hij heet.'

'Waarom schrok hij?'

'Omdat hij vroeger bij mij in de club is geweest. Niet lang, maar toch, hij wist wie ik was, begrijp je. Ik heb hem een paar leuke dingen geleerd. Hij was een brave jongen als hij een kimono aan had.'

'En wat gebeurde er toen?'

'Niets. Yusuf, die kakkerlak, heb ik genegeerd. Ik heb tegen de ayatollah gezegd dat ik hem een uur de tijd gaf om mijn auto weer in orde te maken. Toen ik terugkwam, lagen er vier nieuwe banden op.'

Ze liepen naar buiten. Vaes knipoogde, gaf Zeiz een hand en ging naar zijn wagen. Hij wees naar de banden waarvan de sportieve wieldoppen grappig afstaken tegen het matte koetswerk. 'Geen idee hoe ze dat zo snel hebben gefikst. Misschien gewoon een straat verder van een andere auto afgedraaid.'

In gedachten verzonken en met een somber beeld voor ogen over de toekomst van de westerse samenleving volgde Zeiz de snelweg richting Brussel. In de getto's van de steden ontstond een klasse van jongeren van allochtone afkomst die alleen nog bereid was respect te betonen als ze daartoe werd gedwongen, bedacht hij. Walter Vaes was iemand waar ze met ontzag naar opkeken, hij had als karateka een zware reputatie opgebouwd en zijn club trok vechters uit binnen- en buitenland aan. De jongens uit de bende van Yusuf Hallil wisten dat ze aan iemand als Vaes niet mochten raken. In de Shinju Dojo knielden ze vroom voor de sensei, maar daarbuiten gedroegen ze zich als agressieve parasieten. Hoe moest je dat verklaren? Waren de ouders en de leraren te soft? Moesten de scholen tot kazernes worden omgebouwd? Zeiz dacht aan zijn vader met zijn flowerpowerideeën. Die zou waarschijnlijk beweren dat je oogst wat je hebt gezaaid. Je moest je kinderen het juiste voorbeeld geven en hen leren wat respect en genegenheid zijn. Maar die verklaring leek Zeiz veel te optimistisch. De dierlijke aard van de mens kon blijkbaar alleen met strikte regels in toom worden gehouden.

Hij reed met zijn eigen wagen, de oude Citroën zonder gps. De wegenkaart lag op de autostoel naast hem. Af en toe wierp hij een zijdelingse blik op de kaart. Bij afrit 21 verliet hij de snelweg en volgde een wegwijzer richting Allelanden, een dorp waar hij nog nooit van had gehoord. De wegbeschrijving had hij van de ex-vrouw van Ralf Ratzinger gekregen, de man die het lijk van Yusuf in de parkeertoren had gevonden en de voorbije week langzaam in een depressie was gegleden. Blijkbaar had de man zijn domicilie nog altijd bij haar, hoewel ze al bijna een jaar gescheiden leefden.

Toen hij de vrouw had gebeld, had ze eerst bezorgd geklonken. 'Politie? Wat heeft hij nu uitgestoken? Er is toch niets ergs gebeurd?'

Zeiz had haar gerustgesteld. 'Ik wil mijnheer Ratzinger alleen maar een paar vragen stellen. Hij is een getuige, dat is alles.' 'Getuige? Ja, dat past bij hem,' had ze op sarcastische toon gezegd. 'Wacht, ik geef u zijn adres. Telefoneren heeft geen zin, hij neemt toch nooit op.'

Dat had Zeiz de afgelopen dagen ook ondervonden, toen hij Ratzinger verscheidene malen had proberen te bellen, zonder resultaat. Niet dat hij veel van het verhoor verwachtte. Het was een formaliteit. De man was stiekem op zijn bouwwerf gaan kakken, wat bouwvakkers nu eenmaal doen, en daarbij had hij de dode Yusuf gevonden. Die gebeurtenis had een grote indruk op hem gemaakt en dat verbaasde niet als je in aanmerking nam hoe Yusuf er had uitgezien. Maar zijn volledige verklaring ontbrak nog in het dossier en dat moest in orde worden gebracht.

In de verte doemde een kerktoren op. Op een paar honderd meter van het dorpscentrum, bij een vervallen watermolen, sloeg hij rechtsaf. Hij reed verder over een hobbelig asfaltpad, dat net breed genoeg was voor een auto. Even later bevond hij zich tussen zeeën van wuivend koren waar geen einde aan leek te komen. Hij dacht na over zijn gesprek met Walter Vaes. Hij nam zich voor om Vaes de volgende dag te bellen en te vragen naar de naam van de ayatollah, zoals hij die man uit de bende van Yusuf had genoemd. Als die ayatollah in de Shinju Dojo had getraind, stond zijn naam waarschijnlijk vermeld op een ledenlijst. Om een of andere reden kon Zeiz zich niet van de indruk ontdoen dat Vaes hem niet alles had verteld wat hij wist. Ook had hij het gevoel dat er iets was tussen hem en Monica Desutter dat verder ging dan gewone vriendschap.

Het kronkelende asfaltpad voerde door een gebied dat uitgestorven leek. Volgens de kaart bevond hij zich nu niet meer in de provincie Limburg, maar in Vlaams-Brabant of misschien zelfs in Waals-Brabant. Ergens moest hier de grens tussen Vlaanderen en Wallonië liggen. Maar helemaal zeker was hij niet. Uit de stand van de zon leidde hij af dat hij naar het zuiden reed. Achter een lange bocht moest hij plotseling remmen voor een paard dat op de weg stond. Met gierende remmen kwam hij tot stilstand.

Het was een groot atletisch dier, met bruine en zwarte vlekken op een lichte huid. Hij wist niets af van paarden, maar deze soort kende hij. Het was een Appaloosa. De Appaloosa was het symbool geweest van het eskadron waar hij zijn militaire dienst had gedaan. Nieuwsgierig loerde het prachtige dier over zijn schoft naar Zeiz. Het maakte geen aanstalten om de weg vrij te maken. Pas nadat Zeiz een keer of tien geclaxonneerd had, stapte het paard met gracieuze benen over de berm om vervolgens met een haast katachtige sprong in het struikgewas te verdwijnen. Zeiz zag het hoofd nog af en toe boven de struiken uitpiepen, alsof het beest controleerde of de luidruchtige bezoeker eindelijk zijn gebied had verlaten. Zeiz vervolgde zijn weg. Een kilometer verder moest hij weer stoppen, ditmaal voor een spoorwegovergang. Het was een gedeeltelijk bewaakte overgang, zonder slagbomen, maar met waarschuwingslichten. Hij draaide zijn raam open en hoorde de bel die het naderen van een trein aankondigde. Hij ademde rustig in en uit. Er was geen haast bij, hij had geen afspraak met Ratzinger. Het was een bezoek op goed geluk. Hij had alle tijd van de wereld.

Maar er kwam geen trein.

Na tien minuten kwam achter hem een tractor aangereden. De bestuurder, een jongeman met een pet op, haalde hem in over de berm en stak zonder aarzelen de spoorweg over. Zeiz was er zeker van dat de man niet eens links en rechts had gekeken. Hij stapte uit en liep tot bij het treinspoor dat in een enigszins verroeste toestand leek te verkeren. Dat hoefde niets te betekenen, misschien was het een weinig gebruikt spoor. Hij wachtte nog enkele minuten. De bel deed pijn aan zijn oren, maar er viel echt geen trein te bespeuren. Hij stapte in zijn auto en reed aarzelend tot bij de spoorlijn. Vervolgens boog hij zich zo ver mogelijk naar voren om links en rechts te kijken. Niets te zien. Snel reed hij de spoorweg over. Aan de overkant stapte hij weer uit. De lichten bleven gloeien en de bel bleef loeien, maar er was geen trein in aantocht.

Zeiz stond bij de overweg en voelde het scherpe monotone geluid van de bel door zijn hoofd snijden. Waarom stond hij hier in deze verlaten omgeving naar een spoorwegovergang te staren? Het was belachelijk. Wat moest hij daarvan denken? En waarom maakte hij zich daar plots druk over? Omdat hij een overtreding had begaan? Maar was dit wel een overtreding? Hier was al in jaren geen trein meer langsgekomen, daar was hij nu zeker van. Een technisch foutje had het alarm in werking gesteld. Waarschijnlijk gebeurde dat vaker. Daarom was die man op de tractor gewoon verder gereden, zonder zich iets van het alarm aan te trekken. Zeiz zuchtte diep. Hij voelde een onverklaarbare woede in zich opwellen.

Voor hem op de grond lag een kei, zo een die hij als jongen over het water zou hebben laten keilen. Hij raapte hem op en streelde de koude, gladde steen. Er was een tijd geweest, herinnerde hij zich, dat hij zich altijd aan de regels had willen houden. In de politieschool was zijn regeltjestic zelfs een soort van obsessie geworden, een bijgeloof haast. Elke overtreding kon ongeluk brengen. Waarschijnlijk was het een reactie geweest op de periode daarvoor. Toen had hij in Brussel jaren als een vrijbuiter geleefd, op het randje van de legaliteit. Hij woog de kei in zijn hand en schatte de afstand in. Het alarmlicht van de spoorwegovergang bevond zich op ongeveer vijfentwintig meter. Hij strekte zijn arm achter zich en gooide met alle kracht. De kei versplinterde het onderste van de drie lichten. Automatisch vielen ook de twee bovenste lichten uit. Hij vond een tweede kei, weliswaar niet meer zo volmaakt plat als de vorige, maar ongeveer even zwaar. Daarmee raakte hij het kastje op de seinpaal. Zijn vermoeden dat daarin de bel zat was juist, want het irritante belgerinkel viel weg. Twee worpen, twee keer raak. Hij had nog altijd een vaste hand, dat was een geruststelling. Nu was alles rustig. Hij stapte in zijn auto en reed verder.

Ratzinger woonde in een gedeeltelijk verbouwde boerderij tussen twee heuvels. Alleen de benedenverdieping was in gebruik, erboven rees de bewapening op voor de eerste verdieping. Een plastic zeil fungeerde als voorlopig dak. Schijnbaar lukraak over het grondstuk verspreid waren funderingen gegoten. Er stond een betonmolen en overal slingerde materiaal rond. Zeiz klopte op de deur van het woonhuis en probeerde door het vuile raam naar binnen te kijken. Blijkbaar was er niemand thuis. Op het erf stond een oude bestelwagen, wit met roest. De motorkap was nog lauw. Zeiz voelde in de betonmolen: de kuip was vochtig, de restjes mortel waren nog niet hard geworden. Hij riep een paar keer 'hallo', maar niemand antwoordde.

Tussen twee bomen hing een hangmat, met de kleuren van de regenboog. Hij aarzelde maar heel even voor hij zich erin nestelde. Vanaf de plek waar hij lag kon hij de weilanden tegen de heuvels zien. De donkere stipjes waren arbeiders op het veld. Een eenzame tractor kroop van oost naar west. Hij meende een mestvaalt te ruiken. Toen hij zijn ogen sloot, hoorde hij niets. Maar dat was de illusie van het eerste moment, want even later stortte een wirwar van vroegelentegeluidjes over hem heen: getjilp van vogels, de wind die door de bomen streek, een blad dat ritselde, geschuifel, heel in de verte een blaffende hond.

Zijn gedachten sprongen naar het mishandelde lichaam van Yusuf in de parkeertoren. Hij probeerde op een rijtje te zetten hoever ze stonden met het onderzoek. De moordenaar of één van de moordenaars was een man met schoenmaat 45, die zich mogelijk verplaatste in een witte bestelwagen. Ze wisten niet van welk merk. Zeiz keek naar het roestige exemplaar van bestelwagen dat op het erf stond. Ratzinger had een Renault van minstens vijftien jaar oud. De vermoorde jongeman was een typisch Marokkaans crimineeltje met gewelddadige trekjes. Hij en zijn maatje Tarik hadden Monica Desutter aangerand. Wat hadden ze met haar gedaan? Waarom wilde niemand daarover praten? Was er een verband tussen de aanranding en de moord? De moordenaar was als een sadist tewerkgegaan. Had hij zijn woede gekoeld en wraak genomen voor iets dat Yusuf hem had aangedaan? Of was het een afrekening tussen bendes? Dat kon verklaren waarom Tarik angst had om te praten. Vlak voor Zeiz in slaap viel, schoot de gedachte door hem heen dat hij iets essentieels over het hoofd zag. Het antwoord was vlakbij, hij hoefde zijn hand maar uit te steken om het te pakken. Maar hij zag het niet.

Terwijl hij in de hangmat lag, droomde hij van zijn vader, die met een katheter op zijn borst gespeld langs een ijsbaan stond te roepen en met zijn armen zwaaide. Hij ging zo hevig tekeer dat zijn pruik verschoof. Waar-over wond hij zich eigenlijk op? Er was niets te zien, de ijsbaan was in mist gehuld. Daarna verscheen Monica Desutter in beeld. Ze galoppeerde schrijlings op een Appaloosapaard zonder zadel, haar jurkje opgekruld tot boven haar billen. Haar linkerhand omklemde de manen, haar andere hand cirkelde in de lucht op de maat van de galop. Met een snelle beweging trok ze haar jurkje op tot boven haar middel, ze droeg geen slipje. Nu zag hij dat ze bruin was, zonnebankbruin. Ze gooide haar hoofd in de nek en slaakte een langgerekte kreet. Zeiz kreunde in zijn slaap. Ze kwam klaar, dat wist hij zeker, opgewonden volgde hij de schokkende bewegingen van haar lichaam. Hij schrok wakker. Er was een gerucht, iemand die wegliep? Hij keek om zich heen, maar zag niemand. Hij rilde. De zon was verdwenen.

Plots voelde hij zich leeg en koud. De erotische droom had plaatsgemaakt voor de herinnering aan Cathy. Hij had haar vertrouwd, maar ze had hem verlaten, dat was de harde waarheid. Haar vertrek had alle hoop en warmte uit zijn lijf gezogen. Over de skeletten van de bomen bewoog een nevelsliert die hem deed denken aan een karavaan van in lange grijze mantels gehulde reizigers.

Slaapdronken strompelde hij uit de hangmat. In de verte klonk het geluid van een autoportier. Even later startte de auto en reed weg. Toen Zeiz de straat bereikte, zag hij een politieauto over een veldweg hobbelen.

Het was zinloos om nog langer op Ratzinger te wachten. Hij reed terug naar huis. De avondschemering had zich meester gemaakt van het land. Bij de spoorwegovergang was alles rustig.

7

Die avond sloegen Noord-Afrikaanse en Turkse jongens de handen in elkaar en vertimmerden de binnenstad grondig. De amokmakers uit Ter Hilst kregen versterking van vechtersbazen van buiten de stad. Enkele gearresteerden bleken uit Brussel te komen. Het was een goed georganiseerde raid, de krantenfoto's en televisiebeelden lieten jongemannen zien die het beste van zichzelf gaven en er oprecht van genoten etalages te verbrijzelen, auto's te beschadigen en gevels te bekladden. Bij de busterminal voor het station werden twee bussen in brand gestoken. Twee snaken op een scooter gooiden een molotovcocktail naar het politiegebouw aan de Thonissenlaan. De brandbom spatte tegen de gevel uiteen. De rellen duurden tot een stuk in de nacht. Toevallige passanten, die zich niet tijdig uit de voeten konden maken, werden lastiggevallen, bedreigd en bespuwd, sommigen geslagen. Drie politieagenten moesten gewond worden afgevoerd, twee agenten waren er zo erg aan toe dat ze werkonbekwaam werden verklaard.

Het was allemaal voor het goede doel. De allochtone jongens protesteerden tegen het racisme. Ze hadden de vermoorde Yusuf Hallil, dealer, verkrachter en relschopper, tot hun martelaar uitgeroepen.

Tarik Kanli verscheen die ochtend uitgeblust in de verhoorkamer. Hij zag eruit alsof hij de nacht voordien geen oog had dichtgedaan. Dat er bij het verhoor een advocaat aanwezig was, nota bene zijn eigen advocaat, deed hem even verbaasd opkijken, maar leek hem verder niet echt te interesseren.

Advocaat Abdul El Moodi was een Marokkaanse Belg van middelbare leeftijd met een hemelsblauw pochetje in het borstzakje van zijn blazer, een kingsize hoornen bril en een glimlach die voor eeuwig in zijn magere gelaat leek gebeiteld. Vannuffel, die zich naar eigen zeggen had verheugd op 'een hard gesprek', was ontgoocheld. Van Zeiz had hij gehoord dat Tarik niet veel meer nodig had om zijn weerstand op te geven. Maar met een advocaat in de buurt moest de jongen volgens de regels worden aangepakt.

De advocaat, die eigenlijk specialist was op het gebied van vreemdelingenrecht, was geen beginner, dat werd meteen duidelijk. Hij had het dossier snel doorgelezen en geoordeeld dat er geen enkele reden was om Tarik nog verder te verhoren. Maar nadat hij naar de argumenten van de politieagenten had geluisterd gaf hij hen goedmoedig de toelating een paar informatieve vragen te stellen in het kader van het moordonderzoek naar Yusuf Hallil, die tenslotte een vriend van Tarik was geweest.

'In je bloed hebben we de interessante mix van coke, THC en amfetamines gevonden,' begon Vannuffel. 'Wij willen weten waar je die drugs vandaan had.'

'Dat heeft mijn cliënt gisteren al gezegd.' El Moodi las voor: 'Van een coffeeshop in Eindhoven en van een drugskoerier die daar aanwezig was.'

Zeiz knikte en keek Tarik aan. 'De marihuana en de XTC, ja. Maar van wie krijg je de coke?'

Tarik haalde zijn schouders op. 'Die kun je overal krijgen. Bij het station of bij de moskee.'

'Bij de moskee?' vroeg El Moodi verbaasd.

'De Turkse moskee,' verduidelijkte Tarik.

'Ah natuurlijk,' zei El Moodi. 'Nog vragen?'

'Met wie ga je in Eindhoven altijd je inkopen doen?' vroeg Zeiz aan Tarik. 'Wie zijn de anderen?'.

'Ik heb met die klootzakken niets te maken,' fulmineerde Tarik.

'Welke klootzakken?'

'Hassan Massoud en Fati Bouchardi,' las El Moodi voor uit het dossier. 'Het spijt me, heren, maar ik vrees dat we hier tijd aan het verliezen zijn. Is het de bedoeling om het interview van gisteren over te doen?'

'De namen die u zonet noemde zijn van jongens uit zijn klas,' sprak Zeiz. 'Wij zijn geïnteresseerd in de leden van de bende, de bende van Yusuf Hallil.'

El Moodi keek naar Tarik. 'Wil je daarop antwoorden?'

'Ik... euh...' Tarik ontweek de blikken van de drie mannen.

'De namen!' riep Vannuffel. 'Wie zit er in de bende?'

'Er is geen bende,' zei Tarik.

'Voilà,' zei El Moodi, 'er is geen bende, dat weten we nu ook.'

'Je weet wie Yusuf heeft vermoord?' vroeg Zeiz.

Tarik keek hem geschrokken aan. 'Ik weet niets.'

'Wie heeft Yusuf Hallil vermoord?' riep Vannuffel. 'Is het iemand van jullie bende? Ben jij het? Heb jij hem vermoord?'

'Rustig heren, rustig,' kwam El Moodi tussenbeide. Toen wendde hij zich tot Tarik. 'Weet je wie hem heeft vermoord?'

Tarik schudde zijn hoofd.

'Hij weet het niet,' zei El Moodi. 'Heb jij Yusuf vermoord?' vroeg hij aan Tarik.

Die schudde weer met het hoofd. Hij staarde dof voor zich uit.

'Hij heeft het niet gedaan, dat is duidelijk,' zei El Moodi. 'Zijn er nog andere vragen?'

'Even je geheugen opfrissen,' zei Zeiz. 'Op 25 februari vorig jaar hebben jij en Yusuf Monica Desutter aangerand in het Heilig-Kruis...'

El Moodi hief zijn hand. 'Momentje. Zo te zien is er geen klacht ingediend tegen mijn cliënt en in het dossier vind ik hiervan ook geen proces-verbaal.'

Zeiz ging verder: 'Een maand later hebben jij en Yusuf en nog een paar anderen de auto van een andere leraar, Walter Vaes, beschadigd en hem bedreigd. Wie waren die anderen? Hoe heten ze?'

El Moodi zwaaide met zijn handen. 'Geen klacht, geen proces-verbaal.'

Tarik zat ineengezakt op zijn stoel en gaf de indruk zich niet meer bewust te zijn van wat er rond hem gebeurde.

'Gaat het?' vroeg Zeiz zacht. Hij boog zich naar de jongen toe. 'Luister Tarik, Yusuf is dood. Heb je angst? Dat begrijpen we. We kunnen jou helpen. We kunnen vermijden dat er nog meer doden vallen. Heeft iemand jou bedreigd?'

Tarik keek op. Heel even had Zeiz het gevoel dat het zou kunnen lukken, dat de jongen op het punt stond zijn weerstand op te geven.

Maar toen brak Vannuffel het magische moment. 'Wat zat er in de portefeuille?' brulde hij.

'Welke portefeuille?' vroeg El Moodi.

'Die hij waarschijnlijk heeft gepikt van Yusuf,' snauwde Vannuffel terug.

El Moodi leek even van zijn stuk gebracht. 'Is het waar dat je de portefeuille van je vriend hebt gepikt?' vroeg hij aan Tarik.

Die haalde zijn schouders op. Er was iets veranderd in zijn houding.

'Geef toe, er zat iets in de portefeuille,' drong Vannuffel aan, 'iets belangrijks, waarvoor ze hem hebben vermoord.'

Tarik keek Vannuffel onverschillig aan en er verscheen een flauwe glimlach op zijn gezicht. 'Ach man, weet ik veel wat er in de portefeuille van Yusuf zat,' zei hij.

'Op die vraag hoeft mijn cliënt niet te antwoorden,' zei El Moodi. Hij stond op. Wat iedereen voor onmogelijk had gehouden, gebeurde: zijn glimlach werd nog breder, zodat zijn reusachtige snijtanden volop in beeld kwamen. 'Het vragenuurtje is voorbij, heren,' zei hij.

Er was niet eens een uur voorbijgegaan, hooguit vijf minuten, bedacht Zeiz. Hij voelde zich gefrustreerd. Bovendien was hij kwaad. Nadat Tarik en El Moodi waren vertrokken, zei hij tegen Vannuffel: 'Dat was dom van jou, om over die portefeuille te beginnen. Net op dat ogenblik. We hadden hem bijna zover. Hij stond op het punt om te praten, dat voelde ik.'

'Dom? Jij beweert dus dat ik dom ben? Ik, jouw hiërarchische meerdere?'

Zeiz knikte. 'Ja, hiërarchische meerdere, je hebt een domme beginnersfout gemaakt. Door over de inhoud van de portefeuille te beginnen heb je een denkpiste blootgelegd. Begrijp je? Dat doe je niet als ondervrager.'

Vannuffel snoof. 'Denkpiste blootgelegd... Is dat een van die dure formuleringen die je in Brussel hebt geleerd? Je wilt gewoon niet toegeven dat je op een verkeerd spoor zit. En nu probeer je mij de schuld in de schoenen te schuiven.'

Zeiz voelde het bloed naar zijn hoofd stijgen. 'Wat zat er in de portefeuille? Hoe kun je zoiets vragen? Wat had je gedacht dat hij zou antwoorden? Condooms misschien?'

'We weten nu tenminste dat het niet belangrijk is wat erin zat,' siste Vannuffel, 'dat heb je toch aan zijn reactie gezien.'

'Wat zit er dan in jouw portefeuille, behalve je partijkaart?' riep Zeiz nog terwijl hij de verhoorkamer uitstoof.

Het was, zo bedacht Zeiz nadat hij zich in zijn bureau had opgesloten, wel degelijk belangrijk wat er in de portefeuille van Yusuf zat. De reactie van Tarik had alleen duidelijk gemaakt dat ze niet te ver moesten gaan zoeken. Het antwoord lag voor de hand. Wat zat er in een normale portefeuille, behalve geld en bankkaarten en papiertjes en andere rommel? Precies, een identiteitskaart. Zeiz gaf zichzelf in gedachten een schouderklopje. Waarom was hij daar niet eerder op gekomen? Yusuf was zijn portefeuille verloren en daardoor ook zijn identiteitskaart. Dat was ongeveer een half jaar geleden gebeurd, want hij had in oktober van vorig jaar een nieuwe identiteitskaart aangevraagd. Een boef die zijn naamkaartje kwijtraakt bij een misdrijf, was dat het? Welk misdrijf? Een kraak? Een overval? En wie had de portefeuille en dus ook de identiteitskaart gevonden? Het slachtoffer van de overval? Iemand die daar zijn voordeel mee kon doen. Een afperser? Zijn latere moordenaar of moordenaars?

Hij googelde Abdul El Moodi. De advocaat, die een eenmanszaakje had op de Havermarkt, adverteerde met 'Een advocaat, beter vroeg dan laat'. Een banale reclameslogan, vond Zeiz, die bovendien niet bij de man paste. El Moodi bood een waaier van diensten aan, van verdediging in strafrechtelijke geschillen tot sociale conflicten en echtscheidingen. Maar op het forum Asiel en Migratie werd hij aangeprezen als een specialist op het gebied van vreemdelingenrecht en asielprocedures.

Daarna schreef Zeiz een gedetailleerd rapport over de laatste ontwikkelingen in zijn onderzoek. Dat ging hij samen met het uitgeschreven interview van Tarik in het bakje van Vanderweyden leggen. Hij stond net op het punt de deur uit te gaan, toen zijn telefoon ging. Hij liep terug naar zijn bureau en nam op. Het was Ahmed Kanli. Hij klonk opgewonden en wilde weten waar zijn zoon was.

'Geef maar toe, jullie hebben Tarik opnieuw opgepakt,' riep hij. 'Waarom kunnen jullie hem niet met rust laten?'

Zeiz meende zich te herinneren dat de man bij hun vorige ontmoeting gebroken Nederlands had gesproken. Waarom vond hij het ditmaal niet meer nodig om die moeite te doen?

'Uw zoon heeft het politiebureau om half tien vanmorgen verlaten, mijnheer Kanli, samen met zijn advocaat.'

'Advocaat? Welke advocaat?'

Zeiz kreeg een akelig voorgevoel. 'Is uw zoon niet thuisgekomen?'

'Toch wel. Toen is hij naar zijn neefje gegaan. Die woont een straat verder. Maar daar is hij niet aangekomen.'

'Wanneer is hij weggegaan?'

'Om tien uur. Dat is niet normaal, mijnheer de inspecteur. Tarik en Jisa zijn vrienden. Als hij tegen Jisa zegt dat hij komt, dan doet hij dat ook.'

Zeiz keek op zijn gsm, het was bijna elf uur. Op spottende toon zei hij:

'Hij is nog geen uur weg, mijnheer Kanli. Bent u altijd zo bezorgd om uw zoontje?'

Kanli verbrak de verbinding. De telefoon ging meteen weer. Het was Sterckx om te zeggen dat de moord op Yusuf Hallil opgeëist was. Het was even stil aan de lijn. 'Je vraagt niet door wie?' vroeg hij.

'Door wie?' vroeg Zeiz afwezig. Hij bedacht plots dat Yusuf geweten moest hebben dat het verlies van zijn portefeuille zijn dood kon betekenen.

'Door White Revenge.'

Zeiz probeerde zijn gedachtegang verder af te maken. Dus de portefeuille had de moordenaar naar Yusuf geleid. En de andere bendeleden wisten dat. De angst van Tarik leek die theorie te bevestigen. Het kwam er dus op aan om te weten te komen wie die anderen waren. Er zat niets anders op: ze moesten Tarik weer op de rooster leggen en wel zo snel mogelijk.

'Je vraagt niet wie White Revenge is?' drong Sterckx aan.

'Wie is White Revenge?'

'Geen idee. Maar we worden allemaal in de ovale kamer verwacht...'

Zeiz googelde de dojo van Walter Vaes. Hij belde het telefoonnummer dat hij daar vond. Monica Desutter nam op. Even was hij perplex. Hij betrapte zich erop dat hij het warm kreeg en begon te zweten als een schooljongetje dat op het matje wordt geroepen. Desutter reageerde eerder lauw toen hij zich voorstelde. Misschien verbeeldde hij het zich, maar ze klonk zelfs een beetje depri.

'Walter is er nu niet,' zei ze toonloos. 'Is het dringend?'

'Wilt u iets voor me doen? Vraag aan Walter wie de ayatollah is. Daar hadden we het gisteren over. Misschien staat zijn naam in jullie ledenregister.'

'De ayatollah?' vroeg ze.

'Walter weet wie ik bedoel.'

'Aha,' zei ze. Haar stem klonk nu alerter. 'Het zou kunnen dat hij pas vanavond terugkomt. Misschien kan ik u helpen als u me uitlegt waar het over gaat?'

Hij dacht snel na. Iets deed hem twijfelen. 'Er is geen haast bij,' loog hij. 'U bent alvast bedankt.'

Daarna belde hij het kantoor van Abdul El Moodi, maar daar nam niemand op. Hij bleef nog een paar minuten zitten en dacht na over het telefoontje van Ahmed Kanli. Als de Kanli's geen advocaat hadden genomen, wie dan wel? En wat moest hij denken van de plotselinge bezorgdheid van vader Kanli? Hij besloot om hem na de vergadering een bezoekje te brengen.

Iedereen was al in de communicatiezaal aanwezig toen Zeiz binnenkwam. Lambrusco keek met een getergde blik op zijn horloge. Vanderweyden en het woordmeisje bloosden. De aanwezigheid van onderzoeksrechter Lieve Engelen maakte de ernst van de situatie duidelijk. Zij opende de vergadering met een balans van de rellen van de afgelopen nacht. Er was nog geen exacte berekening van de schade opgemaakt, maar vermoed werd dat die tot een half miljoen euro en meer zou kunnen oplopen. De schade beperkte zich niet tot de binnenstad, ook in Ter Hilst en omgeving hadden de vandalen vernielingen aangebracht aan woningen en personenauto's.

'Nestbevuilers,' zei hoofdinspecteur Johan Neefs op verachtelijke toon. 'En wie gaat dat betalen? Wie heeft dat georganiseerd?'

Vanderweyden zuchtte. 'Dat moet het onderzoek uitwijzen. In afwachting hebben we de gearresteerde amokmakers vanmiddag weer moeten vrijlaten. Jammer genoeg...'

'Ja, waarom ook niet?' zei Neefs. 'Ze moeten naar school.'

'De gevangenissen zitten nu al overvol,' wierp Vanderweyden tegen. 'Maar toen wisten we niet wat we nu weten.'

'Precies,' zei Engelen. 'Er is voor zaterdag een betoging aangekondigd. Dat nieuws bereikte ons pas een uur geleden en toen waren die gasten al vrij. De betoging gaat uit van het antiracismefront, een verzameling van migrantenverenigingen en anderen, dat zoeken we nog precies uit.'

'Verbieden,' zei Neefs.

'Dat is olie op het vuur,' meende Engelen. 'Beter is het om de lont uit het kruitvat te halen.'

Lambrusco knikte. 'Het wordt hoog tijd dat we iemand achter de tralies krijgen voor de situatie helemaal uit de hand loopt.'

Vannuffel grinnikte zelfverzekerd. 'Daar werken we aan.'

'Goed, laten we dan nu voortmaken,' sprak Lambrusco, 'ik heb niet veel tijd.' Hij knikte naar Vannuffel.

'De moord op Yusuf Hallil is opgeëist,' zei Vannuffel triomfantelijk, alsof hij een blijde geboorte meldde. Hij wachtte vooraleer verder te spreken en keek zijn collega's rond de tafel indringend aan. 'Een organisatie met de naam White Revenge beweert dat ze hem hebben omgebracht. Hun doel is, en ik citeer: onze maatschappij te zuiveren van dat bruine crapuul.'

Neefs stak zijn hand op. 'Ik heb de krant vanmorgen al gelezen. Gisteren schreven ze dat de moordenaar een sadist was, vandaag weten ze te melden dat het een racist was. En morgen is het misschien een kubist.'

Hij gniffelde, hij leek ingenomen met zijn eigen vondst. Zeiz en Sterckx konden het ook niet laten even te grijnzen.

'Mag ik alstublieft mijn verhaal afmaken, Johan?' zei Vannuffel, met een zuur gezicht. 'De bouwvakkers in de parkeertoren zijn ondertussen ondervraagd en doorgelicht. Roger en ik hebben de afgelopen dagen niet met onze vingers zitten draaien. En nu: luister. We hebben ontdekt dat één van de ijzervlechters, Anton Raznick, in een niet zo ver verleden banden heeft gehad met een neonazistische organisatie in Polen, een afdeling van Blood and Honour. Dat is ons vanmorgen gemeld door onze collega's van Interpol. En een beetje klassiek speurwerk toont aan dat White Revenge en Blood and Honour contacten onderhouden met elkaar.'

Lambrusco knikte. 'Goed werk, Willy.' Hij keek dreigend de tafel rond. 'De krant lezen is een leerzame bezigheid, meer mensen zouden dat moeten doen. Maar de vraag die ik me stel is: wat heeft het lopende onderzoek naar de entourage van die vermoorde jongen tot nu toe opgeleverd?' Hij wachtte even en gaf het antwoord toen zelf: 'Behalve een paar gram marihuana, noppes.' Hij wendde zich tot Lieve Engelen. 'Ik ben dus blij, mevrouw de onderzoeksrechter, dat we u eindelijk resultaten kunnen voorleggen, die perspectief bieden op de arrestatie van de moordenaar. En voor sommigen onder ons is dit ook een leerrijk moment. Politiewerk is stap voor stap, volgens de geijkte procedure, inlichtingen verzamelen, verbanden traceren en dan tot actie komen. Kortom, klassiek en efficiënt speurwerk.'

'Absoluut,' beaamde Lieve Engelen.

Neefs keek haar met opgetrokken wenkbrauwen aan. 'U bedoelt ja?' vroeg hij.

'Absoluut,' herhaalde ze.

Neefs gaapte. Vanderweyden peuterde met een pen in zijn rechteroor, dat de kleur van een tomaat aannam. Het woordmeisje bloosde. Zeiz vermeed het naar Sterckx te kijken. Hij had plotseling het gevoel dat Lambrusco deze meeting alleen maar had georganiseerd om de machtsverhoudingen in de recherchegroep naar zijn hand te zetten. Als White Revenge een waardevol spoor zou blijken te zijn, had Lambrusco een doorslaggevend argument om Vannuffel de leiding van het onderzoek te geven.

Vannuffel ging verder: 'Roger is op de redactie van *Het Belang van Limburg*, waar de e-mail van White Revenge is aangekomen, en zoekt nu uit waar de mail vandaan komt.'

'Je kunt natuurlijk nooit weten,' zei Vanderweyden, met de pen nog altijd in het oor.

'Hoe bedoel je?' vroeg Lambrusco.

'Het is weinig waarschijnlijk dat de moord wordt opgeëist via een geregistreerd e-mailadres.' Vanderweyden wachtte even, nam de pen uit zijn oor en bestudeerde hem aandachtig. 'Tenzij hij bijzonder dom is. Wat niet uit te sluiten valt, natuurlijk. Daar is onderzoek naar verricht, naar het IQ van criminelen. Ze scoren minder dan gemiddeld, wisten jullie dat?'

'Net zoals politieagenten trouwens,' mompelde Neefs.

Vannuffel en Lambrusco staarden hem niet-begrijpend aan.

'Waarmee ik wil zeggen,' haastte de hoofdcommissaris zich, 'dat het extreemrechtse spoor ernstig moet worden genomen.' Hij wees met zijn pen naar Lambrusco. 'Maar we mogen onze eieren niet in één nest leggen, we moeten op verschillende sporen verder zoeken, daarmee bent u het toch eens, waarde collega?'

Lambrusco was even van zijn stuk gebracht. 'Uiteraard. Maar vanaf nu concentreren we ons op de belangrijke zaken.'

'Absoluut,' glimlachte Engelen. 'We moeten dat extreemrechtse spoor tot op het bot uitpluizen.'

Vanderweyden knikte. 'Zeiz en Sterckx hebben Tarik Kanli op de rooster gelegd, maar we hebben hem jammer genoeg moeten laten gaan.' Hij keek naar Zeiz.

'Tarik Kanli zit in de bende van Yusuf Hallil,' zei Zeiz. 'We vermoeden dat hij iets te verbergen heeft. Hij heeft in elk geval heel veel angst.'

Lambrusco liet een flauw lachje zien. 'Vermoedens?'

Zeiz knikte. 'We vermoeden dat die bende het een en ander op de kerfstok heeft. Vorig jaar hebben Yusuf en Tarik een lerares aangerand. Een maand later werd de auto van een leraar beschadigd, daar was de volledige bende van zes Marokkanen...' Hij keek Lambrusco even met half gesloten oogleden aan en corrigeerde zichzelf: '... van zes Belgen van

Marokkaanse origine bij aanwezig. Van die twee incidenten is nooit klacht ingediend, maar betrouwbare getuigen hebben dit bevestigd. Wij zoeken nu uit wie die andere vier bendeleden zijn. En wat de bende verder heeft uitgespookt. Misschien vinden we zo een link naar de moord. Tarik houdt voorlopig de lippen op elkaar. Het was beter geweest als we hem nog een...'

'Geen sprake van,' onderbrak Lambrusco hem.

'Een aanhoudingsbevel zit er voorlopig niet meer in,' zei Lieve Engelen met een spijtige blik naar Zeiz. 'Maar een interview in het kader van het onderzoek is perfect mogelijk natuurlijk.'

'Tarik weet niets,' zei Vannuffel.

Zeiz keek hem vernietigend aan. 'Is het niet vreemd dat hij ook niet wist dat hij een advocaat had? Ik telefoneerde net met zijn vader. Ook die wist daar niets van. De vraag is dan: wie heeft die advocaat ingehuurd?'

'We kunnen het aan de advocaat zelf vragen,' zei Neefs.

'Hij was onbereikbaar toen ik hem zonet probeerde te bellen.'

'Goed werk, Kareem' zei Vanderweyden nadrukkelijk. Hij keek de tafel rond. 'We vatten dus samen. Er wordt op twee sporen verder gerechercheerd. Er is het spoor van extreemrechts en het spoor van de bende van Yusuf Hallil. Jullie rapporteren rechtstreeks aan mij.'

Lambrusco stond op. 'Voilà. Heren, ik stel voor dat we geen tijd verliezen en meteen aan het werk schieten.'

'Absoluut,' zei Neefs luid, voordat Lieve Engelen haar mond had kunnen opendoen.

Terwijl Zeiz naar Ter Hilst reed, bedacht hij dat de door Lambrusco belegde vergadering weer een maat voor niets was geweest, althans wat het onderzoek betrof. Lambrusco had alleen met de spierballen willen rollen en zijn mannetje, commissaris Vannuffel, als de centrale rechercheur naar voren willen schuiven. Dat was hem niet gelukt dankzij de interventie van Vanderweyden. Voorlopig althans.

Wel was Vannuffel er blijkbaar in geslaagd Zeiz' vaste collega Sterckx naar zich toe te trekken, zodat Zeiz er alleen voor stond. Sterckx was hem dat na de vergadering met lood in de schoenen komen vertellen. De jongeman was duidelijk aangeslagen. Maar tegen deze beslissing, die van hogerhand kwam, konden ze onmogelijk ingaan, dat wisten ze beiden. Zeiz gaf er zich rekenschap van dat dit een bewuste zet was van Vannuffel om hem te isoleren. Zijn liquidatie hing in de lucht. Als zijn onderzoek naar de bende van Yusuf niet vlug iets opleverde en tegelijkertijd de tuchtprocedure tegen hem op de rails werd gezet, zou hij zonder pardon op een zijspoor worden gezet. Dan kon ook Vanderweyden hem niet meer beschermen.

Hij had tijdens de vergadering niet over de portefeuille gesproken, hoewel zijn vermoeden dat die een sleutel was naar de ontknoping alleen maar sterker werd. Als hij Tarik Kanli thuis aantrof, zou hij hem daarover opnieuw aanspreken en aandringen op een verklaring. Onderzoeksrechter Engelen had gelijk: niets weerhield hem ervan om een 'interview' af te nemen.

Hij parkeerde in de Trekschurenstraat op een plaatsje dat net vrijkwam tussen een van de vele bestelwagens, van het merk Mercedes, en een personenwagen van het merk Volkswagen, een oud model dat met nieuwe onderdelen was opgesmukt. In Ter Hilst woonden vooral Turken. Dat zag je onder meer aan de vele auto's die er geparkeerd stonden. Turken kozen altijd voor Duitse auto's, vaak de oudere modellen die ze via interne circuits aan elkaar verhandelden.

Al van toen Zeiz jong was, was Ter Hilst ook de thuisbasis van verscheidene Turkse bendes, die met elkaar vochten bij het afbakenen van hun territorium. Waren Yusuf en zijn kompanen in het vaarwater gekomen van hun Turkse wijkgenoten? Die kans schatten Zeiz en zijn collega's klein in. Er waren in elk geval weinig precedenten, wat vreemd was in een wijk waar zoveel verschillende nationaliteiten samenwoonden en de sociale spanningen vaak hoog opliepen. Zeiz vermoedde dat het te maken had met ongeschreven wetten en informele afspraken, duistere systemen waarvan de allochtone clans zich bedienden. De Turken vormden een solide gemeenschap op alle gebied, ze hadden dus ook een gesloten crimineel circuit en lieten de Marokkanen, die in hun ogen slechts amateurs waren, links liggen. Ze beschouwden hen zelfs als minderwaardig.

Voor het huis van de familie Kanli stond een oude Peugeot. Ahmed Kanli deed open voordat Zeiz op de bel had kunnen drukken.

'Inspecteur Zeiz,' riep hij opgewonden. 'Niemand weet waar Tarik is. Er is iets gebeurd, daar ben ik zeker van. Of is hij opnieuw gearresteerd?'

'Nee, dat heb ik u al gezegd,' antwoordde Zeiz hem. 'Hij is niet gearresteerd.'

'We moeten hem zoeken. Ik wil dat u me helpt. U bent van de politie, u moet me helpen.'

'Waarom denkt u dat er iets gebeurd is?' vroeg Zeiz.

Ahmed schudde zijn hoofd. 'Misschien is het al te laat. Maar we moeten iets doen. Ik vraag het u als moslim, alstublieft help ons.'

Het stoorde Zeiz dat zijn uiterlijk hem meteen de titel van moslim opleverde, maar hij liet het passeren. Het bleef voor hem een gevoelige kwestie. Telkens als het woord viel, hoorde hij daardoorheen het verwijt van zijn moeder dat hij de tradities verwaarloosde.

Ze liepen met hun tweetjes de weg die Tarik gevolgd moest hebben toen hij vertrok naar zijn neefje Jisa, die twee huizenblokken verder woonde, in de Elleboogstraat. De kortste weg ernaartoe was volgens vader Ahmed Kanli langs het paadje dat over de geluidswal liep.

Hij wees. 'Zo lopen we altijd naar het huis van Mustafa.'

Zeiz ging ervan uit dat Mustafa de vader van Jisa was. Was Jisa zo'n goede vriend dat Tarik hem meteen na zijn vrijlating ging opzoeken? Wat hadden de twee neven zo dringend te bespreken? Maakte Jisa ook deel uit van de bende van Yusuf en Tarik? Zeiz besloot om die Jisa later ook eens aan de tand te voelen.

Ahmed trippelde zenuwachtig voor hem uit. Ze klommen naar het hoger gelegen pad. In de tuintjes waar ze op uitkeken, werd krampachtig gepoogd uitheemse gewassen te telen onder grote stukken opwaaiend plastic. Maar het waren vooral de brandnetels en de distels die er floreerden. Daartussen slingerden oude keukenapparaten en afgedankte meubelen rond, alsof de bewoners solidair beslist hadden hun afgedankte huisraad naar buiten te gooien. Het voetpad was op sommige plaatsen opgebroken, hoewel niets erop wees dat er werkzaamheden aan de gang waren. Van een door betonrot aangetast flatgebouw, deels onbewoond, was een aantal ruiten gesneuveld. Overal stonden auto's geparkeerd. Maar de buurt leek uitgestorven. Af en toe dook in de verte een vage gestalte op, die zich snel uit de voeten maakte.

Zeiz had het gevoel in een spookstad rond te dwalen. Hij vroeg zich af waarom de mensen die hier leefden hun omgeving nog lelijker maakten dan die oorspronkelijk al was. Niemand dwong hen daartoe. Maar hij wist dat het een zinloze bedenking was. In de Schaarbeekse wijk waar hij jaren had gewoond, was het al even troosteloos geweest. Die buurt, een 'bidonville' voor arme buitenlanders en illegalen, had een injectie van gezelligheid gekregen toen jonge Vlaamse koppels de goedkoop geworden krotten begonnen op te kopen en te renoveren. Jammer genoeg was toen dat typische multiculturele sfeertje ontstaan waaraan hij misschien een nog grotere hekel had. Hoogopgeleide en weldoorvoede jongens en meisjes die T-shirts droegen met het opschrift 'L'ETRANGER C'EST MON AMI' startten het project 'KLEUR IN DE STRAAT', een initiatief om allochtone en autochtone bewoners dichter bij elkaar te brengen. Ze hingen plaatjes voor hun vensters waarop 'ZONDER HAATSTRAAT' stond. Maar de arme allochtone bewoners konden de stijgende woningprijzen niet meer betalen en waren gedoemd te verdwijnen. Na een tijdje had Zeiz terug verlangd naar vroeger, toen het er nog eerlijk stonk naar goedkope levensmiddelen en de straten getiranniseerd werden door mannelijke Noord-Afrikaanse nietsnutten.

Maar Cathy had zich niet thuis gevoeld in Schaarbeek. Ze was er bang geweest. De exotische geuren hadden haar misselijk gemaakt. Was het dat wat hen uit elkaar had gedreven? De angst en de stank? En zijn onvermogen om dat te begrijpen? Even hoorde hij haar fluisterende stem bij zijn oor: 'Ik hou van je'. Toen was het al te laat geweest. Hun verhuis naar Hasselt was een wanhoopspoging.

'Bent u er zeker van dat Tarik te voet is gegaan?' vroeg hij aan Ahmed. Hij had spijt dat hij zich door hem had laten meeslepen. Wat hij nu deed was niet zonder risico, besefte hij. Enkele dagen geleden waren hij en Sterckx hier nog aangevallen door jongeren, die de dood van Yusuf hadden aangegrepen om hun woede te koelen op de politie.

'Misschien heeft hij de scooter genomen,' opperde Zeiz.

'Nee, hij was te voet,' zei Ahmed. 'Zijn scooter staat naast het huis.' Plots bleef hij staan en wees beschuldigend naar Zeiz. 'Waarom laten jullie ons niet met rust? Mijn zoon heeft niets gedaan, hij is een goede jongen. Het is de fout van de racisten. U zou dat moeten begrijpen, u bent zelf een buitenlander, u bent een van ons. Waarom helpt u ons niet?'

'Ik ben geen buitenlander en al heel zeker niet één van jullie,' snauwde Zeiz terug.

Hij zag Ahmeds geschrokken gezicht en herpakte zich: 'Maar ik ben toch hier om u te helpen.'

Hij had geen zin om met hem te beginnen discussiëren. Ahmed wist heel goed dat zijn zoon een crimineeltje was, dat hij mensen lastigviel en drugs dealde. Als Zeiz met allochtonen te maken kreeg, had hij vaak het gevoel in de doolhof van een soek te zitten, met sjacheraars en venters, in achterafstraatjes waar stiekem alles mogelijk was. Hij haatte dat spel van loven en bieden, gemaakte woede en onschuld, de opgeklopte verhalen over tegenslag, armoede, schulden die dringend moesten worden betaald, zieke kinderen, hulpbehoevende ouders, kortom de pantomime van de verkoper om een paar duiten meer in zijn zak te steken. Als Zeiz in Tunesië op familiebezoek was, kon hij die mentaliteit nog enigszins verdragen, maar er was geen reden vond hij om die naar Europa te exporteren. Zelf hield hij van correcte prijzen en duidelijke afspraken.

In het struikgewas langs de weg vond Ahmed een zwarte muts. Hij bestudeerde het natte met modder besmeurde stuk stof en zei: 'Dat is de muts van Tarik.'

'Bent u daar zeker van?' vroeg Zeiz argwanend. Veel Marokkaanse en Turkse jongens droegen een zwarte muts als onderdeel van hun dresscode.

'Tarik was hier,' mompelde Ahmed terwijl hij verder rende. 'Daar is het huis van Mustafa.'

Blijkbaar werden ze verwacht, want de deur ging open en een grote man met een baard en een magere tienerjongen verschenen in de deuropening. Toen de man Zeiz in het oog kreeg, joeg hij de jongen meteen terug naar binnen. Beide vaders praatten met elkaar in het Arabisch. Zeiz kon maar hier en daar een woord verstaan. De toon van het gesprek was bepaald vijandig.

'Waarom hadden ze afgesproken?' riep Zeiz in gebroken Arabisch.

Mustafa keek hem vernietigend aan. 'Ze hebben helemaal niets afgesproken.' Waarna hij terug naar binnen ging en de deur met een klap achter zich dichtsloeg.

Toen ze weer in de Trekschurenstraat kwamen, had zich voor het huis van de Kanli's een kleurrijk groepje mensen verzameld. De vrouwen droegen lange jurken en hoofddoeken, sommige mannen droegen djellaba's. Zeiz vermoedde dat het familieleden en vrienden waren. Ahmed toonde de muts en deed opgewonden zijn verhaal.

'En wat doet de politie?' riep een omvangrijke dame in een lange glimmende beige djellaba naar Zeiz, waarna ze in het Arabisch een lange litanie afstak over de onkunde van de Belgische politie, die zich bezighield met het pesten van haar kinderen in plaats van hen te beschermen.

Zeiz negeerde haar. 'Ik wil de kamer van Tarik zien,' zei hij tegen Ahmed. 'Misschien vind ik daar een aanwijzing.'

In het kleine, kale kamertje met afgesleten bloemetjesbehang vond hij na enig zoeken achter de gammele kast in een verborgen nis een schoenendoos. Daarin zaten een flink pak weed, minstens honderd gram schatte hij, een zakje XTC-tabletten en een dertigtal roze pillen waarin het logo van Mercedes was geperst. Wat het vermoeden alleen maar bevestigde dat Tarik een dealertje was. Maar het was ook een element dat hen zou toelaten hem opnieuw te arresteren.

Plotseling bekroop hem de gedachte dat Ahmed gelijk had gehad. Er was iets verschrikkelijks gebeurd. Ze hadden Tarik nooit mogen vrijlaten. De jongen was doodsbang geweest, hij had op het punt gestaan te praten. En nu was het misschien te laat. Zeiz troostte zich met de bedenking dat Tarik alleen maar even spoorloos was. Hij was een gemaakte afspraak niet nagekomen, dat zou heus niet de eerste keer zijn.

Maar Zeiz slaagde er niet in het donkere voorgevoel van zich af te zetten. Toen hij met de doos onder de arm terugging naar beneden, leek het alsof de handelingen die hij verrichtte louter mechanisch waren. Het was alsof hij een stroomschema volgde dat hij als politieagent nu eenmaal diende te volgen, maar dat geen enkele invloed meer had op de werkelijkheid. Dat gevoel werd bevestigd toen hij beneden kwam, waar nog meer volk was toegestroomd om Ahmed en zijn gezin te steunen.

Het belgeluid van zijn telefoon haalde hem terug naar de werkelijkheid. De gesprekken om hem heen verstomden langzaam. Het was Johan Neefs. Zeiz luisterde naar wat zijn collega te vertellen had, zich goed bewust van de gespannen blikken die op hem waren gericht. Het waren de vastberaden blikken van mensen die wisten dat er iets vreselijks op hen af kwam en die de dreiging samen het hoofd wilden bieden.

Toen Zeiz de telefoon uitschakelde en zich tot Ahmed richtte, was het helemaal stil geworden.

'Ik heb slecht nieuws, mijnheer Kanli,' zei hij.

Hij voelde de hand van Ahmed naar zijn hand grijpen. Het was een ijskoude hand, die wanhopig steun zocht. Zeiz dwong zich te kijken naar de man, naar de pijnlijke grijns, de vochtige ogen en de schouders die zich bogen, almaar dieper, onder een onzichtbare last die zwaarder werd naarmate de seconden verstreken.

'Ik vrees dat er iets ergs is gebeurd,' zei Zeiz. 'Iets heel ergs.' Hij kon niet verhinderen dat ook in zijn ogen tranen sprongen en hij haalde diep adem.

'We hebben uw zoon Tarik gevonden,' zei hij. 'Het spijt me... hij is dood.'

Woensdag 15u03

Achteraf, toen hij naar huis reed, schoot hem te binnen dat hij het lichaam aan het hek had vastgebonden met een prusikknoop, in plaats van met een gewone zaksteek, die minder opvallend was. Dat was een foutje. Iemand zou de knoop kunnen herkennen. Maar dan nog was het geen spoor dat naar hem zou leiden.

Nu hij thuis was en de kilte van de muren bezit liet nemen van zijn lichaam, bedacht hij dat het allemaal snel was gegaan. Bijna te snel naar zijn zin. In het midden van de hal lag een grote plas bloed. Het monster was leeggelopen als een zak kippenvoer waar je een gat in snijdt.

Hij pompte het water omhoog en sloot de waterslang aan. Terwijl hij opruimde, voelde hij de spanning in zijn lichaam afnemen. Het water wiste het lijden weg.

Daarna zette hij een kopje thee van de kruiden die hij vanmorgen had geplukt voor hij op pad was gegaan. Daar had hij zich al de hele dag op verheugd, op dat ene kopje thee van groene kruiden. Een mens heeft niet veel nodig om zich goed te voelen. Dat moet je een jongen leren, als je wilt dat hij een man wordt. Dat eenvoud het wapen is tegen onverschilligheid.

Hij nam zijn gsm en stuurde een sms'je: 'De uil is naar zijn nest teruggekeerd.' Hij moest glimlachen om de formulering die voor hem een bijzondere betekenis had. De uren daarvoor hadden veel van hem geëist. Hij kroop in zijn slaapzak en liet de vermoeidheid bezit van hem nemen.

8

Het was op donderdag 14 april, om halfvier 's middags, dat het lichaam van Tarik Kanli werd aangetroffen in een grafkapel van het oude kerkhof. Zijn armen en benen zaten vastgeketend aan een ijzeren kruis. Hij ademde niet meer. Bovendien waren zijn ogen uitgestoken, zijn geslachtsdelen afgesneden en vertoonde zijn lichaam brandvlekken en nog een paar andere verwondingen, die overeenstemming vertoonden met wat zijn vroegere kompaan Yusuf Hallil was aangedaan. Maar de moordenaar of moordenaars waren ditmaal wel minder grondig te werk gegaan, zo bleek. Het kon ook niet anders: Tarik had amper vijf uren voordien het politiekantoor van de federale politie aan de Thonissenlaan verlaten, na een kort verhoor door Vannuffel en Zeiz, in aanwezigheid van zijn advocaat.

Was Abdul El Moodi er niet geweest, dan had de zaak er mogelijk anders uitgezien, bedacht Zeiz.

Diezelfde dag nog, enkele uren na de ontdekking van Tarik Kanli's dode lichaam, besliste een haastig bijeengeroepen kerngroep bestaande uit coördinerend commissaris Lambrusco, commissaris Vannuffel, onderzoeksrechter Engelen, commissaris Vonck van de Tactische Interventiegroep en hoofdcommissaris Vanderweyden tot een politionele actie die ze om de ene of andere duistere reden de naam 'Sweet Marina' gaven. Alsof het om een orkaan ging, wat gezien het machtsvertoon misschien wel toepasselijk was. Een orkaan is onhandelbaar en verplaatst lucht. De verantwoordelijkheid voor het goede verloop van de actie rustte dan ook op de zware schouders van Vannuffel.

De eigenlijke reden van actie 'Sweet Marina' was een nieuw element in het onderzoek naar de moord op Yusuf Hallil. Rechercheur-informaticus Roger Daniëls had kunnen achterhalen wie de e-mail, waarin de moord werd opgeëist, naar de krant Het Belang van Limburg had gestuurd. De man heette Danny Swerts. Hij was boekhouder bij accountingbureau Steppers en was getrouwd met ene Hanne Knuts. Samen hadden ze drie kinderen. Ze woonden in de Langveldstraat 27 in Hasselt. Het e-mailadres was onlangs aangemaakt via Hotmail.

Commissaris Vonck had een schematische plattegrond van het appartement en zijn omgeving geprojecteerd en zijn modus operandi uit de doeken gedaan. Vannuffel gaf nog wat meer informatie over wat hij zijn target noemde: 'Danny Swerts. Blanco strafregister. Zelfs geen parkeerboetes de laatste twee jaren. Maar...' Hij keek de anderen taxerend aan. 'Hij was in zijn studententijd lid van het ERF, het Extreemrechtse Front, een verboden organisatie.'

'Je vergeet iets,' zei Vonck scherp.

'Wat dan?'

'Zijn schoenmaat.'

Vannuffel keek Vonck argwanend aan.

'Heren, alstublieft,' pareerde onderzoeksrechter Engelen de dreigende woordentwist. 'Dit is niet het moment voor grapjes.'

'Verder nog iets?' vroeg Vanderweyden snel.

Vannuffel knikte. 'Ja, hij is sinds 2003 actief en stichtend lid van de Virga-Jessestuurgroep Het Zevende Jaar...'

Vonck zuchtte diep. Hij mompelde iets dat niemand verstond.

'Ik heb als meisje nog in de Virga-Jessestoet meegelopen,' riep Engelen enthousiast uit, 'verkleed als de heilige maagd Maria.'

'Jezus,' zuchtte Vonck.

Vanderweyden schudde ongelovig het hoofd. 'Lid van de Virga-Jessestuurgroep? Geef toe, niet bepaald het type dat buitenlanders op zo'n sadistische wijze om het leven brengt.'

Vannuffel grijnsde. 'Tja. Een schijnbaar brave familievader in een verzorgde Hasseltse straat. Typisch.'

'Wat is typisch?' vroeg Engelen.

'Iemand die boven alle verdenking staat en met de perfecte camouflage zijn donkere zaakjes regelt,' doceerde Lambrusco.

'Iemand zoals u dus?' mompelde Vanderweyden schijnbaar verbaasd.

Lambrusco keek hem geschrokken aan.

Vanderweyden knipoogde. 'Ik denk alleen dat we geen voorbarige conclusies mogen trekken. Omdat die e-mail via zijn pc is verstuurd, is hij nog niet de moordenaar.'

Vannuffel haalde zijn schouders op. 'We zullen zien.'

'Denk je dat hij gevaarlijk is?' vroeg Engelen.

'Alleen als hij aan het moorden is,' zei Vonck.

Vonck was niet gelukkig met de gang van zaken. Zijn voorstel was het om met twee mannen van zijn team de verdachte rustig op te pakken. Maar Vannuffel zag dat anders. Die wilde de grote middelen inzetten en kreeg hiervoor de steun van de coördinerend commissaris.

Lambrusco loerde over zijn leesbril. 'Accountingbureau Steppers is een kleine speler op de markt en Swerts is maar een gewone boekhouder,' zei hij. Hij spreidde zijn handen en grijnsde schamper.

'Je bedoelt dat we hem hard mogen aanpakken?' sneerde Vonck al even geringschattend.

'Nee, dat bedoel ik niet,' kreunde Lambrusco. Maar hij maakte geen aanstalten om duidelijk te maken wat hij dan wel bedoelde.

'We moeten ernstig blijven,' zei Vanderweyden. 'Swerts is op het eerste gezicht een respectabele familievader en hij heeft een blanco strafblad. We moeten voorzichtig tewerkgaan.'

'Wat Willy bedoelt,' zei Lambrusco op ongeduldige toon, 'is dat niet alle criminelen recidivisten en sociale gevallen zijn met een verleden van achterstelling en verwaarlozing. Dat klopt toch, hè, mevrouw Engelen?'

'Absoluut,' zei Engelen met haar neusje in de lucht, alsof ze plots een verdacht geurtje had opgevangen. Engelen had criminologie gestudeerd. 'Maar het is wel zo dat een meerderheid van de gewelddelicten wordt gepleegd door mensen uit een bepaalde onderklasse, als u begrijpt wat ik bedoel.'

'Ongeveer negenennegentig komma negen procent, om precies te zijn,' knikte Vonck. 'De overige nul komma een procent zijn stichtend lid van de Virga-Jessestuurgroep.'

'Met statistiek bereiken we hier niets,' zei Lambrusco. Hij knikte samenzweerderig naar Vannuffel. 'Belangrijk is dat er eindelijk een doorbraak is. En dat is dankzij geduldig en zorgvuldig speurwerk. Vaak liggen de belangrijkste sporen vlak onder je neus. Het is de kunst er niet aan voorbij te gaan.'

Vanderweyden bloosde. 'Wel vreemd dat die White Revenge ondertussen ook niet de moord op Tarik Kanli heeft opgeëist.'

'Misschien wil hij dat nu gaan doen,' zei Vannuffel. 'Maar wij zullen hem die kans niet geven.' Hij leunde glimlachend achterover in zijn stoel.

'Als hij gewacht had tot na de tweede moord, had hij maar één e-mail hoeven te versturen,' zei Vanderweyden, die bekendstond om zijn zuinigheid.

'We kunnen voorlopig natuurlijk alleen maar vermoeden dat het om dezelfde dader gaat,' zei Vannuffel. 'Want daar mogen we wel van uitgaan: de tweede moord toont opvallende gelijkenissen met de eerste, dat weten we nu al.' Hij draaide in zijn stoel, die gevaarlijk kraakte onder zijn gewicht. 'Kijk, voor mij is het duidelijk. Er is iemand die de moord op Yusuf Hallil opeist via een e-mail. Die email is verstuurd via de pc van Danny Swerts uit de Langveldstraat 27. Waar wachten we nog op?'

Vanderweyden knikte bedachtzaam. 'Dat klopt. Maar vergeet niet dat pas enkele uren geleden een tweede moord is gepleegd. Ook daar moet onze aandacht naartoe gaan. De sporen moeten gezekerd worden. De omgeving moet worden onderzocht en mogelijke getuigen...'

Lambrusco onderbrak hem: 'Ja, ja. Maar dat hebben we toch allemaal geregeld. Neefs en Zeiz zorgen daarvoor. Die moeten ook maar eens tonen dat ze iets in hun mars hebben. We staan eindelijk op het punt de vermoedelijke dader van twee moorden te vatten. Met een beetje geluk is straks alles achter de rug. '

'We weten dat het hele gezin nu thuis is,' zei Vonck. 'Mijn mannen hebben hun observatieve stellingen al ingenomen.'

'Is dat niet vreemd?' vroeg Engelen. 'Moeten die kinderen niet naar school?'

'Waarom ze daar niet zijn, zullen we straks te weten komen,' zei Vonck ongeduldig. Van hem was bekend dat hij niet hoog opliep met zijn collega's die niet in actieve dienst waren. Hun mening achtte hij verwaarloosbaar, zo niet overbodig. Hij was een kleine magere man van middelbare leeftijd die de reputatie had een harde te zijn. Hij droeg dezelfde afgeborstelde snor als Lambrusco, maar daar hield elke verdere vergelijking op. Vonck was een ervaren politieman.

'Als iedereen ter plaatse is, kunnen we naar binnen gaan,' zei hij.

'Willy, jij bepaalt de timing,' zei Lambrusco tegen Vannuffel. 'Maar uiteraard laten we de praktische uitvoering over aan het interventieteam.'

'Hoeveel mensen heb je?' vroeg Vanderweyden aan Vonck.

'Twee wachten buiten en drie gaan naar binnen. Daar ben ik mee inbegrepen.'

Vanderweyden knikte. 'Dat klinkt goed.'

'Is dat niet wat weinig?' riep Engelen uit. 'We hebben te maken met een brutale moordenaar.'

'Dat is mijn volledige team,' zei Vonck. 'Maar misschien wilt u vlug nog een paar aanwervingen doen.'

'Wij zijn er ook nog,' zei Vannuffel gewichtig.

'Lopen de kinderen geen gevaar als jullie daar zo binnenstormen?' vroeg Engelen.

Vonck haalde zijn schouders op. 'We bellen gewoon aan.'

Lambrusco zwaaide ongeduldig met zijn hand, stond op en zei: 'Oké, nu actie! "Sweet Marina" kan van start gaan. Meteen erna geven we een persconferentie. Waarvan ik de tekst eigenlijk nu al zou kunnen schrijven. Als iedereen zijn werk doet tenminste. Hopelijk kunnen we daarmee de onrust in Ter Hilst in de kiem smoren.' Hij glimlachte fijntjes en besloot: 'Dit is wat wij in mediatermen de gouden driehoek noemen: communicatie naar binnen, actie, communicatie naar buiten.'

Lambrusco keek op zijn horloge en zuchtte, zwaar onder de indruk van wat hij had gezien. Met een air van gewichtigheid verliet hij de kamer.

Bij het flatgebouw in de Langveldstraat was alles rustig. Vonck had erop aangedrongen terughoudend te werk te gaan. Eigenlijk bedoelde hij daarmee dat iedereen die niet tot zijn interventieteam behoorde in de weg liep. Die subtiele hint ging jammer genoeg voorbij aan Vannuffel, die zich als verantwoordelijke voor de actie in de voorste linies wilde presenteren. Sterckx vertrouwde op de stevige reputatie van Vonck en hield zich op de achtergrond, klaar om bij te springen als dat nodig mocht zijn. Inspecteur Daniëls liep niet in de weg, hij was zich ergens verdekt gaan opstellen. Niemand wist waar hij zich precies ophield. Daniëls was geen man van de actie, dat was bekend. Ooit kreeg hij een reprimande omdat hij zijn dienstwapen in de politiekantine naast de espressoautomaat had achtergelaten.

Danny Swerts en zijn gezin woonden op de tweede verdieping van een verzorgd flatgebouw. Het trappenhuis was verlaten. Vonck belde aan terwijl twee van zijn mannen postvatten buiten zichtbereik van de deurspion. Alle politieagenten waren in burger. Vonck droeg voor de gelegenheid zijn geruite vest en brilletje met ronde glazen, die hem het air gaven van een onderwijzer met vervroegd pensioen. Op zijn gezicht rustte een onnozele glimlach. Hij zou een buurman kunnen zijn, die verstrooid op de verkeerde bel had gedrukt. Of een stichtend lid van de Virga-Jessestuurgroep, bedacht hij tot zijn eigen voldoening. Hij was niet bang of zenuwachtig, daarvoor had hij tijdens zijn loopbaan te veel dergelijke acties meegemaakt. Bovendien zei zijn gevoel hem dat als ze hier al iets zouden ontdekken, dan zeker geen moordenaar. Er was gewoon iets niet in orde met die e-mail.

Danny Swerts deed persoonlijk de deur open. Hij stak een kop boven Vonck uit en woog zeker veertig kilo meer.

'Mijnheer Danny Swerts?' vroeg Vonck. En hij stak zijn hand uit.

Nietsvermoedend gaf Swerts hem een hand. Het volgende ogenblik stond hij met zijn dikke buik tegen de muur gedrukt en zijn arm op zijn rug gedraaid, niet meer in staat één centimeter te bewegen.

'Ai,' kreunde hij kort, alsof praten alleen al pijn deed.

'Niet schrikken, mijnheer Swerts,' fluisterde Vonck, die op zijn tenen moest gaan staan om bij het oor van Swerts te geraken. 'Wij zijn van de politie, we komen gewoon even een kijkje nemen.' Snel fouilleerde hij Swerts.

Zijn twee collega's stapten de flat binnen. Ze hadden afgesproken om dat niet te doen met het wapen in de aanslag, en meteen bleek ook dat dat een goede beslissing was. De ene agent duwde voorzichtig de deur naar de woonkamer open, de andere maakte zich op om de rest van de flat te controleren. Beleefd klopte hij op een deur. In de woonkamer troffen ze een vrouw aan die in de divan naar de televisie lag te kijken met een slapende baby in de armen. Ze schrok niet toen ze de vreemde man in de deuropening zag staan. Misschien dacht ze dat een collega van haar man op bezoek was. Het interieur was gezellig rommelig, zoals je dat vaker ziet bij gezinnen met kleine kinderen, maar met één opvallend detail: naast het televisietoestel stond een grote kom waarin een enorme goudvis zwom. Ook hij staarde de bezoeker onbevreesd aan.

Dat gebeurde tijdens de eerste vijftien seconden van de actie, die daarmee volstrekt onder controle was. De zestiende seconde stormde Vannuffel binnen, zijn dienstwapen in de aanslag. 'Niet bewegen,' riep hij naar de vrouw en de baby.

'Let op,' zei een van de agenten nog tegen Vannuffel. Hij bedoelde eigenlijk dat het gevaarlijk is je wapen op mensen te richten.

Op dat moment sprong een gedaante achter de divan vandaan en stelde zich in schiethouding voor Vannuffel op. Het was een gemaskerde jongen in een zwart Batmanpak. Hij richtte een bibigun op de dikke man en drukte af. Vannuffel schoot terug. Eigenlijk schrok hij en haalde daarom, zonder op iemand bepaald te mikken, de trekker over. De kogel vloog rakelings langs het hoofd van de Batmanjongen en trof de kom met de goudvis, die uiteenspatte met een knal die het geluid van het schot nog overtrof. Het volgende ogenblik werd hij ontwapend door Vonck. Pas toen Sterckx en de andere politieagenten de flat binnenstormden werd de baby in de armen van zijn moeder wakker en begon te huilen.

Zeiz was officieel niet op de hoogte gebracht van operatie 'Sweet Marina'. Dat kwam omdat sommigen er niet aan hadden gedacht hem in te lichten en anderen hem met opzet links hadden laten liggen. Hij zou overigens toch geen tijd hebben gehad zich daarover druk te maken. Samen met Johan Neefs leidde hij het onderzoek op het oude kerkhof, waar het lichaam van Tarik Kanli was gevonden. Ze kregen hierbij de hulp van hoofdinspecteur Louis Das van de lokale politie en een handvol agenten, die het terrein bewaakten en journalisten en andere nieuwsgierigen op afstand hielden.

Louis Das was een ervaren agent, slechts enkele jaren van zijn pensioen verwijderd. 'Dat is de tweede op één week tijd,' zei hij. 'Bij de derde wil ik er niet meer bij zijn.'

Zeiz en Das hadden samen de plaatsbeschrijving opgemaakt en het was Zeiz opgevallen hoe minutieus de oude politieman de omgeving observeerde. Diens vermoeden dat de dader of daders het kerkhof via de hoofdingang waren binnengekomen en daarna over de oude stenen muur waren geklommen, werd door het sporenonderzoek van Neefs bevestigd. Het hek, dat van een antiek slot was voorzien, was met een loper geopend. Daarna had de dader het lichaam van Tarik in een zwarte plastic zak op een kruiwagen naar de grafkapel gevoerd en tegen het ijzeren kruis gehangen. Tarik was volgens de dokter naar alle waarschijnlijkheid al dood toen hij hierheen werd gebracht. Kruiwagen en plastic zak had de dader achtergelaten. Ten slotte had hij het kerkhof verlaten door over de stenen omwalling te klimmen. Aan de overkant waren voetsporen gevonden.

Ze waren het erover eens dat de dader snel had moeten werken en een berekend risico had genomen. Het oude kerkhof was wegens renovatiewerken tijdelijk gesloten, maar je kon nooit weten of niet iemand stiekem naar binnen glipte. Het was geen echte begraafplaats meer, maar een gezellig park met oude grafmonumenten en sinds enkele jaren zelfs een beschermd historisch monument. Er hing een melancholische sfeer van vergane glorie, die bij toeristen en ook bij verliefde koppeltjes erg in trek was.

Ze zagen vanaf een afstand hoe de dode jongen door de patholoog en zijn assistenten van het kruis werd gehaald.

'Ik word hier te oud voor,' zei Das. 'Vannacht kan ik weer niet slapen.'

'Dan ga je toch een nachtje stappen,' zei Zeiz.

'Mijn vrouw kan alleen slapen als ik naast haar lig,' antwoordde Das.

Zeiz keek Das aan en glimlachte. Wat zijn collega net had gezegd, ontroerde hem. Hij zei: 'Naast zo'n vrouw zou ik graag wakker liggen.'

'Een hele nacht lang?' vroeg Das. Hij trok een pruillip. 'Mijn vrouw snurkt.'

Zeiz lachte, maar de woorden van de oude politieman hadden bij hem ongewild een zenuw blootgelegd. De vrouw naast wie hij wakker had willen liggen, had hem verlaten. Misschien net omdat hij bij de politie was? Er waren tekenen geweest dat ze de druk niet meer aankon, de vele eenzame avonden hadden haar van hem vervreemd. Had ze daarom ook geen kind gewild?

De dokter en zijn assistenten, die het lijk net in een kist wilden leggen, stopten hun beweging, keken verbaasd hun richting uit en lachten ook, hoewel ze onmogelijk konden hebben verstaan wat er was gezegd. Misschien luchtte het gewoon op om even te lachen, ondanks de situatie.

De uren daarna besteedden Zeiz en zijn medewerkers aan het ondervragen van buurtbewoners en toevallige voorbijgangers. Eefje Smeets bleef bij Zeiz en noteerde ijverig alles wat werd gezegd. Het oude kerkhof lag net buiten het stadscentrum, tussen schoolterreinen en enkele bedrijven in. In een aangrenzend straatje stonden enkele huizen, maar niemand van de bewoners had iets gezien. De enorme beuken, die hun weelderige takken over het fietspad wierpen, maakten de kerkhofmuur zo goed als onzichtbaar. Een oude man, die met zijn blaffende foxterriër voorbij wandelde, kwam spontaan vertellen dat hij achter de kerkhofmuur een gesmoorde kreet had gehoord, als van iemand die de keel werd overgesneden. 'Of zoiets,' zei hij er ook nog bij. Maar zijn getuigenis was weinig overtuigend, want hij hoorde zo slecht dat hij amper de vragen van de agenten verstond.

Zeiz wees naar de foxterriër, die de hele tijd stond te blaffen, en vroeg: 'Stoort dat u niet?'

'Wat zegt u?' riep de oude man voor de zoveelste maal.

Zeiz en Eefje Smeets ondervroegen de bewoners van een flatgebouw waarvan de achterkant uitgaf op het kerkhof. Het gebouw, dat vijf verdiepingen telde, was verdeeld in ontelbare kamertjes, waar blijkbaar alleen buitenlanders woonden. In de gangen hing de zure geur van schimmel en verbruikte lucht. Een paar bewoners waren thuis. De kamertjes zagen er allemaal eender uit: rechthoekige blokjes, waar net een eenpersoonsbed en een kast in pasten. Een Afghaanse jongeman maakte hen in een mengelmoes van Engels en Nederlands duidelijk dat hij altijd sliep. Door zijn raam viel niet veel te zien. Het was zo grijs van het vuil dat zelfs een stralende evenaarszon geen kans maakte hier binnen te dringen. Verder was er een Chinese jongen die onverstaanbaar Engels sprak en die de hele tijd lachte en zijn hoofd schudde, ook als ze niets vroegen. Een jonge vrouw uit Tibet, die Pema heette, woonde op de derde verdieping. Ze sprak Nederlands en luisterde naar Zeiz met grote intelligente ogen. Ze nodigde hem uit binnen te komen. Haar kamertje was fris en gezellig ingericht. Opgewekte kleuren deden het ruimer lijken dan het was. In een hoek prijkte een schattig altaartje, een boeddha met potjes en kaarsjes en daarboven de foto van de Dalai Lama. Vanuit haar raam had Pema een mooi zicht op het kerkhof. Ze vertelde dat ze vaak bij het raam zat en genoot van het mooie zicht op het park, zoals ze het kerkhof noemde. Ook vanmiddag, maar ze had niemand gezien. Het bladerdek hing als een deken over het kerkhof en onttrok alles, ook de graven, aan het zicht. Pema vertelde dat ze twee jaar in België woonde. Net vandaag had ze een brief van het Commissariaat-Generaal voor de Vluchtelingen gekregen in verband met haar asielaanvraag. Ze liet de brief aan Zeiz lezen. Er stond in dat haar asielaanvraag was afgewezen en dat ze binnen de drie dagen het koninkrijk België moest verlaten.

'Maar je kunt ook nog in beroep gaan,' zei Zeiz.

'Misschien doe ik dat wel,' zei ze. Ze leek niet onder de indruk van het bericht.

Zeiz wist zich even geen houding te geven. Hij had met haar te doen. Als haar asielaanvraag was afgewezen, zou ook de financiële en materiële steun wegvallen. Dan moest ze op eigen kracht proberen te overleven. Uit ervaring wist hij dat Aziaten zelden het achterste van hun tong lieten zien. Vanuit de diepste krochten van hun wanhoop lieten ze je weten dat alles oké was.

Heel even vroeg hij zich af wat er zou gebeuren als hij haar zijn hulp aanbood en haar bij hem thuis zou opnemen. Hij keek naar haar, ze keek terug. Ze was jong en aantrekkelijk. Ze zou heel zeker in zijn bed belanden.

Terug op de gang, zag hij een bordje hangen: 'STUDIO TE HUUR'. Hij liep naar de deur, ze was niet op slot. Binnen was het een chaos van oude kleren, lege kartonnen dozen, een verzakt bed en een gescheurde divan. Helemaal achteraan in de ruimte was een piepklein keukentje, met een roestige ijskast, waarvan de deur openstond. In de deur lag een ei. De studio bevond zich op het einde van de gang en was lang en smal, met aan weerszijden een venster. In het midden van de ruimte was een blok gemaakt met twee deuren, die toegang gaven tot een toilet en een douche. Het venster van de keuken zag uit op het oude kerkhof. Zeiz was meteen verliefd op deze studio. Hij noteerde het telefoonnummer dat op het bord stond.

'Wil je de eigenaar ook interviewen?' vroeg Eefje Smeets.

'Nee, ik wil verhuizen,' zei Zeiz.

Ze trok haar neus op. 'Hierheen? Je meent het.'

'Ik zal vlug moeten zijn,' zei hij, 'dit is een buitenkansje.'

Toen ze het flatgebouw verlieten, stond bij de voordeur een groepje Afrikaanse jongemannen, die Zeiz ostentatief negeerden en Eefje Smeets spontaan toelachten. Een van hen riep iets naar haar in het Arabisch.

'Je weet nooit of ze je uitschelden of niet,' zei Smeets geïrriteerd.

'Hij maakte je een compliment,' zei Zeiz.

'Wat zei hij dan?'

'Hij zei: lekker kutje.'

Smeets kreeg een kleurtje en glimlachte. Zeiz draaide zich om naar de jongens. Ze bogen het hoofd, één van hen mompelde een verontschuldiging. Toen ze terugliepen naar de auto, kreeg Smeets een sms'je. 'Het is Adam,' zei ze en ze lachte een beetje verlegen. 'Het is een beetje vreemd wat hij schrijft.' Ze las voor: 'Zit in meeting. Operatie was flop. Verdachte is niet onze killer. Iedereen oké, alleen goudvis dood. Kus.'

'Kus?'

'Oh, sorry.' Ze bloosde nu volop. 'Wat zou hij bedoelen met die goudvis?' vroeg ze toen.

'Laten we hopen dat hij Vannuffel bedoelt,' gromde Zeiz.

Terug in het commissariaat sloot Zeiz zich op in zijn kantoor en schreef zijn verslag. Zoals gebruikelijk voegde hij er het voorlopige autopsieverslag bij, de getuigenverklaringen, het fotografisch verslag en een nauwkeurige beschrijving van de plaats en de situatie waarin de vermoorde Tarik Kanli was aangetroffen. Daarbij vermeldde hij ook dat Tariks linkerhand was vastgemaakt met een prusikknoop, een snelle knoop die door bergbeklimmers werd gebruikt als extra beveiliging. De voetsporen bij de omwalling van het oude kerkhof waren afkomstig van iemand met schoenmaat 45, zoals ook op de plaats delict van Yusuf Hallil het geval was geweest.

In zijn synthese ging hij dieper in op de overeenkomsten met de moord op Yusuf Hallil. Er waren voldoende aanwijzingen om het onderzoek verder toe te spitsen op de entourage van Yusuf en Tarik. Hij lag het verslag te herlezen met zijn voeten op het bureau toen Monica Desutter belde.

'Je wilde toch weten wie de ayatollah is?' vroeg ze. Ze klonk opgewekt. 'Ik heb de naam hier. Hij heet Moussa Malik. Geboortedatum: 31 december 1989. Zo staat het hier.'

'Een eindejaarskindje dus,' sprak Zeiz.

'Die moeten er ook zijn,' antwoordde Desutter.

Zeiz wist wat het betekende. Moussa was een asielzoeker die bij gebrek aan een officiële geboortedatum op 31 december was geregistreerd.

'En zijn adres?' vroeg hij.

'Dat is onleesbaar. Er is een soort vloeistof over uitgelopen. Olie of zoiets. Maar Walter denkt dat hij uit Genk komt. Ik spreek nu wel van drie jaar geleden. Momentje, ik heb het papier hier voor me liggen. Inschrijvingsdatum: 5 november 2007. Moussa is een tijdje regelmatig komen trainen in de club, maar volgens Walter niet langer dan een half jaar.'

'Meer informatie heb je niet?' vroeg Zeiz.

'Het spijt me, nee. Verdere informatie zul je zelf wel snel vinden, neem ik aan. Jij bent tenslotte een politieagent en naar het schijnt zelfs een hele speciale.'

'Is dat een grapje?'

'Ik heb je gegoogeld. Kan ik je nog ergens mee helpen?' vroeg ze.

'Ik zou je moeten spreken,' zei Zeiz.

'Aha,' zei ze. 'Beroepshalve of privé?'

Na enige aarzeling zei hij. 'Beide.'

Ze lachte. 'Ah zo. Is het dringend?'

'Ja, eigenlijk wel.'

Ze lachte weer. 'Oké. Morgen, om vijf uur bij de bank.'

'Moet ik handschoenen aandoen?' vroeg hij.

'Nee, we zoeken een warm plaatsje.' Daarna hing ze op.

Toen hij zijn kantoor verliet, was het al acht uur. Eefje Smeets zat op een stoel in de gang met haar tas op haar schoot. Ze wachtte op Adam Sterckx, zei ze, die nog altijd in vergadering was. Zeiz liep langs de deur van de ovale kamer, hij hoorde een wirwar van stemmen waar de stem van Alexander Lambrusco bovenuit galmde.

Hij gooide zijn verslag in het busje van Vanderweyden. Daarna volgde hij het voorbeeld van Johan Neefs en ging naar huis. In de auto had hij moeite om zijn ogen open te houden.

Thuisgekomen deed hij meteen zijn kleren uit. Hij had sinds vanmorgen niets gegeten, maar honger had hij niet. Liggend op zijn bed nam hij zijn correspondentie door. Er was een envelop van de administratie van de federale politie. Zijn donkere vermoeden werd bevestigd toen hij de brief las: hij moest op 12 mei in het federale hoofdkwartier in Brussel voor de tuchtcommissie verschijnen. Dat was over vier weken.

Er was ook een briefje van Cathy. Ze schreef: 'Ben je thuis vanavond? Ik kom de televisie halen.'

Ze bedoelde de enorme flatscreen die in de woonkamer tegen de muur was gemonteerd. Hij had er sinds ze hem had verlaten niet meer naar gekeken.

Een plotselinge woede deed zijn maag samenkrimpen. Hoe durfde ze? Alsof het de normaalste zaak van de wereld was om nog eens langs te komen en en passant de tv mee te nemen. Had ze niet genoeg aan haar nieuwe minnaar? Hij trilde inwendig als hij aan de hufter dacht met wie ze nu haar nachten deelde, en met wie ze nu die dingen deed waarop hij ooit de exclusieve rechten had. Nee, hij wilde haar niet meer zien, het was te pijnlijk.

Hij stond op en ging naar de voordeur. Hij maakte het kastje van de bel open, vouwde de brief van de tuchtcommissie tot een prop en blokkeerde daarmee het mechanisme.

Er was een prentbriefkaart tussen de stapel post uit gegleden. Hij herkende de minaret van het dorp waar zijn moeder woonde. In haar onhandige schrift, ze had het alfabet nooit echt goed leren hanteren, had ze geschreven: 'Weer vergeet de ongelovige. Ik bid alle dagen tot de almachtige dat hij zich over mijn zoon zou ontfermen.' Deze keer stond er niets bij van zijn zus. Bij zijn laatste bezoek was hij na een hoogoplopende discussie met haar man haar huis uitgelopen. Het ergerde hem dat ze niet van de oude tiran hield en toch zijn onderdanige vrouw bleef.

Hij zuchtte. Uit de prentbriefkaart bleek dat hij iets was vergeten. Maar wat? Het had iets met zijn familie te maken. Hij lag weer op zijn bed toen de telefoon ging.

Het was Sterckx. 'Eindelijk heb ik tijd om je te bellen,' zei hij. 'Het was een rotdag. We hebben als afsluiting meer dan twee uren vergaderd, kun je je dat voorstellen? En eigenlijk over niets, maar dat hoef ik je niet te vertellen. Hoe gaat het met jou? En met de dode Tarik Kanli?'

'Die is nog altijd dood,' zei Zeiz. 'En jullie killer?'

'Die killer is geen killer, maar echt wel een stichtend lid van de Virga-Jessestuurgroep.'

'Aha. En de goudvis?'

'Wil je dat verhaal horen?'

Zeiz geeuwde. 'Vertel het me morgen.'

'Goed idee,' zei Sterckx, 'ik wil je nachtrust niet bederven.'

Dat kan niemand, bedacht Zeiz. Hij sloot zijn ogen. Plots viel hem te binnen dat hij vergeten was zijn vader te gaan bezoeken in het ziekenhuis. Een gevoel van spijt ging door hem heen. Ook al was het een drukke dag geweest, dan nog had hij de oude man tenminste kunnen bellen om te vragen hoe het met hem was. De laatste aan wie hij dacht voor hij in slaap viel was Louis Das, die met zijn ogen wijd open in het duister gruwelde van het beeld van de afgemaakte Tarik Kanli, terwijl zijn vrouw vredig naast hem lag te snurken.

9

Zeiz loerde door het beslagen venster van het stationsbuffet naar de slagregen die het stationsplein teisterde. Hij had een plaatsje aan de tapkast kunnen bemachtigen, naast de dikke ambtenaar die hij herkende van enkele dagen voordien. Als kind al hield hij van het gevoel veilig warm binnen te zitten terwijl buiten de elementen tekeergingen. Zijn zintuigen registreerden met genoegen de nerveuze drukte en de geur van natte lichamen in het lokaal. Een binnenkomende trein op spoor 1 deed de aarde onder zijn voeten rommelen. Boven het geroezemoes uit riep de patron zijn bestellingen, de espressomachine blies venijnig. En door dat alles heen speelde de radio een zwoele melodie, met slepende violen en een zachte, ritselende beat. Zeiz beet in zijn croissant en maakte in gedachten de planning van de dag op. Voor hij naar zijn kantoor ging, moest hij zijn vader in het ziekenhuis een bezoek brengen. De oude man had hem vanmorgen gebeld, met de vraag om een extra pyjama en wat ondergoed te brengen. Het medisch onderzoek zou een paar dagen langer duren dan verwacht.

Zeiz had de hele nacht doorgeslapen en voelde zich weer fit. Terwijl hij het met chocoladeschilfers bestrooide schuim van zijn koffie lepelde, probeerde hij chronologisch op een rijtje te zetten wat hem verder te doen stond. Spontaan moest hij denken aan de oude commissaris Omer Lesage, met wie hij in zijn beginjaren bij de politie in Brussel had samengewerkt. Lesage placht bij een moeilijke zaak aan zijn agenten een strak werkschema op te leggen, om zich vervolgens onzichtbaar te maken en zijn eigen schijnbaar slordige privéonderzoekje te voeren. 'Iemand moet het hoofd koel houden,' zei hij dan. Wat zou Lesage nu in zijn plaats hebben gedaan, vroeg Zeiz zich af. Het probleem was, zo besefte hij, dat hij er alleen voor stond. En het was maar de vraag of hij van zijn superieuren nog lang de ruimte zou krijgen om zijn eigen privé-onderzoekje te blijven voeren. Zijn collega's volgden ondertussen het spoor van White Revenge.

De dikke ambtenaar naast hem schoot in een hikkende lach. Hij stak de krant omhoog en riep naar niemand in het bijzonder: 'Een goudvis. Ze hebben een goudvis neergeschoten.'

De patron achter de tapkast haalde zijn schouders op. 'Ja, dat kunnen ze, bij onschuldige mensen binnenvallen en in het rond schieten.' Hij wees naar het plein. 'Maar hier zie je ze niet. En als ze al een keer komen, is het 's morgens, als het crapuul nog in bed ligt.'

De ambtenaar maakte een verachtelijk gebaar, dronk zijn glas bier in één teug leeg en verliet het stationsbuffet.

'Misschien was de goudvis gewapend,' riep iemand hem na.

Zeiz nam de krant die de man op de tapkast had laten liggen. De ene helft van de voorpagina was gewijd aan de inval bij Danny Swerts, de andere helft aan de moord op Tarik Kanli. Er was een foto, gemaakt op het oude kerkhof, met een close-up van hem aan de zijde van Louis Das in uniform, die een gekweld gezicht trok alsof hij volledig het noorden kwijt was. Het onderschrift luidde: 'Zijn Hasseltse agenten gekwalificeerd genoeg om het hoofd te bieden aan dit soort van geweld?'

Zeiz vloekte binnensmonds. Als rechercheur had hij er geen enkel voordeel bij om een publiek figuur te worden. Bovendien werd door de foto de indruk gewekt dat Zeiz en Das de ongekwalificeerde schutters waren die een goudvis op hun geweten hadden. Maar de dikke ambtenaar had hem blijkbaar niet herkend, als dat een troost kon zijn. Morgen zou er trouwens een andere foto op de voorpagina staan en waren de mensen zijn gezicht alweer vergeten. Maar helemaal gerust was hij er niet in.

Hij bestelde nog een cappuccino. Eerst moest hij een bezoek brengen aan advocaat El Moodi en proberen uit te vinden wie de opdracht had gegeven om Tarik Kanli te verdedigen. Er waren nog andere details in het onderzoek die te denken gaven. Voor de eerste moord had de dader ruimschoots de tijd genomen, hij had zijn slachtoffer uitgebreid gemarteld voor hij hem tentoonstelde op de vijfde verdieping van het nieuwe gerechtsgebouw. Deze keer had de dader sneller moeten werken. Was er iets gebeurd dat hem van zijn normale patroon had doen afwijken? Ze moesten het autopsieverslag nog afwachten, maar het vermoeden bestond dat de verminkingen, die de dader zijn slachtoffer had toegebracht, snel tot diens dood hadden geleid. In beide gevallen had de dader zijn actie perfect georganiseerd: hij liet geen sporen na en er waren geen getuigen. En van wie kreeg hij hulp? Zeiz had het onbestemde gevoel dat hij niet alleen opereerde.

Maar wat hem nog het meest verontrustte, was de demonstratieve wreedheid. Niet de argeloze wreedheid van een kat die een stuiptrekkend vogeltje in huis haalt om het trots aan zijn huisgenoten te laten zien. Nee, de moordenaar van Yusuf en Tarik wilde aan iedereen laten zien wie hij had gedood én hoe hij dat had gedaan. Hij ging tewerk met een koelbloedigheid die het ergste deed vermoeden. Welke zieke geest stak hierachter?

Het had opgehouden met regenen. Het plein glinsterde in een waterig zonnetje. Een eenzame, donkere man stond bij de ingang van het station voor zich uit te staren. Zeiz dronk zijn kopje leeg en liet de laatste slok koffie nog even op zijn tong rusten. In gedachten verzonken verliet hij het stationsbuffet. Toen hij in zijn auto stapte, belde hij naar Adam Sterckx.

'Dat is gek,' zei Sterckx, 'ik wilde je net bellen om te vragen of je vandaag komt werken.'

Zeiz antwoordde niet. Hij voelde zijn maag samenkrimpen en zocht automatisch in zijn zakken naar de Rennietabletten.

'Het gerucht doet hier de ronde dat je van plan was ziekteverlof te nemen,' ging Sterckx verder. 'Klopt dat?'

'Wie zegt zoiets?'

'Het wordt verteld, je weet hoe dat gaat.'

'Nee, dat weet ik niet. Waarom zou ik ziekteverlof nemen?'

'Ik zeg maar wat ik hoor. Is alles oké met jou?'

'Ik voel me prima. Natuurlijk kom ik werken. Maar ik zal iets later zijn. Ik ga eerst advocaat El Moodi een bezoekje brengen.'

Over het bezoek aan zijn vader in het ziekenhuis besloot hij niets te zeggen. Hij voelde zich in het defensief gedrongen, alsof hij zich moest verantwoorden voor wat hij deed.

'Wil je iets voor me doen?' vroeg hij. 'Wil je uitzoeken wie Moussa Malik is? Ik weet dat hij een jonge kerel is, die afkomstig is uit Genk, maar misschien woont hij ondertussen in Hasselt. Hij heeft iets met Yusuf en Tarik te maken.'

'Is genoteerd,' zei Sterckx. 'Gisteren was overigens echt een klotedag. We hebben ons grandioos belachelijk gemaakt, maar dat heb je misschien al in de krant gelezen. Vannuffel heeft een goudvis neergeknald.'

'En Danny Swerts is niet White Revenge,' voegde Zeiz toe.

'Danny Swerts maakte gebruik van een onbeveiligd netwerk, blijkt nu.

Iemand heeft via dat netwerk zijn computer overgenomen, een account op naam van White Revenge gemaakt en een bericht naar de krant gestuurd. Vanmorgen is bij de krant een tweede mail van White Revenge toegekomen, waarin de moord op Tarik wordt opgeëist. We hebben de verzender al gelokaliseerd. Ook weer iemand met een onbeveiligd netwerk, die zo goed als zeker niets met de moord te maken heeft.'

'Jullie zoeken nu dus allemaal samen naar White Revenge?'

'Lijkt me logisch, ja. Zelfs jij hebt dat dus door?'

Zeiz voelde zich gepikeerd. 'We moeten er altijd rekening mee houden dat de e-mailer een grapjas is. Of dat de moordenaar ons op een verkeerd spoor wil zetten.'

'Dat klopt,' zei Sterckx, zonder veel overtuiging. Hij leek te aarzelen. 'We moeten praten. Ik bedoel onder vier ogen. Heb je vanavond tijd? Na de dienst, rond een uur of vijf, zes?'

'Dan heb ik al een afspraak. Is morgen ook goed? Is het dringend? Mis je mij?'

'Ja, ik mis jou wel,' zei Sterckx. Hij zuchtte. 'Luister, er is hier iets vreemds aan de hand. Vannuffel heeft het onderzoek naar zich toe getrokken, ondanks die flater met de goudvis. Voortaan gaan alle initiatieven via hem en we mogen alleen nog in zijn opdracht handelen. Het spoor van White Revenge is prioritair. Instructies van Lambrusco, gisteren op de vergadering. En Vanderweyden hield zijn mond. Het gekke is dat jouw naam niet eens is gevallen. En dan hoor ik vanmorgen dat je ziek zou zijn. Maar misschien zie ik ook alleen maar spoken.'

Zeiz wist niet wat hij moest zeggen. Hij had het gevoel vast te zitten in een carrousel, waarvan hij vaag vermoedde dat het slechts een droom was, maar waar hij niet uit kon geraken.

Hij beëindigde het gesprek en zat een tijdje voor zich uit te staren, met zijn handen op het stuur. Een zwaargebouwde zwarte man stak de straat over. Hij hield een klein blond meisje bij de hand. Plotseling schoot hem te binnen waar de Rennietabletten waren. Hij had ze op de keukentafel gelegd voor hij vertrok. Hij wachtte tot de krampen in zijn maag een beetje waren weggeëbd, startte de auto en reed toen naar het huis van zijn vader.

Terwijl hij voor het huis stopte, zag hij de gordijnen bij de overburen bewegen. Emma en haar man André woonden daar al bijna een halve eeuw, net zoals zijn vader. Als kind kwam Zeiz bij hen over de vloer. Ze hadden een zoon, Harry, die twee jaar ouder was dan hij. Hij herinnerde zich het ouwelijke, naar schoonmaakproducten ruikende huis.

De twee oude mensen vroegen zich vast af wat er met zijn vader aan de hand was en waarom zijn zoon de laatste tijd zo vaak over de vloer kwam. Zeiz nam zich voor om Emma aan te spreken als hij haar zag.

Bij het uitstappen zag hij op de achterbank de schoenendoos met de drugs liggen die hij in het huis van Tarik in beslag had genomen en waar hij helemaal niet meer aan had gedacht. Hij twijfelde even wat hij zou doen. Eerst moest hij naar het ziekenhuis en daarna wilde hij een bezoek brengen aan El Moodi. Het was eigenlijk onverantwoord de drugs de hele tijd in de auto te laten liggen. Hij besloot de doos voorlopig hier te laten en ze later op weg naar kantoor op te komen halen.

Hij zocht de spullen voor zijn vader bij elkaar en ging de schoenendoos in de kast van zijn vroegere jongenskamer leggen. Het was jaren geleden dat hij hier nog was geweest en hoewel er op het eerste gezicht niets was veranderd, had hij het gevoel dat hij binnendrong in een vreemde plaats. Aan de muur prijkte nog altijd de enorme zwart-witposter van Bob Marley die een joint opstak. De drugs van Tarik vonden hier een waardig onderkomen, bedacht hij. Op de vensterbank stond een rij lege flessen die onder gestold kaarsvet zaten. Twee groene jeneverflessen Extra Smeets waren met elkaar verbonden door een spinnenweb. Het gevoel dat hij zich in een vermolmd museum bevond, deed Zeiz naar adem happen. Er hing een muffe geur, alsof er al die jaren niet meer was verlucht. De muren van het kamertje kwamen op hem af. Hij vluchtte naar buiten.

Toen hij uit de lift stapte op de vijfde verdieping van het Virga-Jessezie-kenhuis waaide de gierende lach van zijn vader hem al tegemoet. De oude man had een eenpersoonskamer genomen, omdat hij, zo had hij gezegd, de aanblik van andere, door ouderdom en kanker aangetaste lichamen moeilijk kon verdragen. Hij lag met bloot bovenlichaam in bed en keek naar een curlingwedstrijd op de televisie. Zeiz vroeg zich af of ze deze vreemdsoortige sport tegenwoordig de hele dag uitzonden.

'Je komt net op tijd,' riep zijn vader, nog nahikkend van het lachen. 'Mico heeft zijn sliding recht in de dolly gemikt, met een effectworp, dat is ongezien. Kijk maar naar de herhaling.' Hij begon weer te lachen.

Zeiz volgde de bizarre bewegingen op het scherm. Hij begreep niets van dit spel. Het was ook niet grappig. Maar hij zag ervan af zijn vader om uitleg te vragen.

'Met mij gaat het goed,' zei zijn vader, voor Zeiz een vraag kon stellen. 'Enfin, ze hebben me doorgelicht en vastgesteld wat ik al wist. Het evolueert redelijk goed, zoals je van gezonde kankercellen zou mogen verwachten. Nu willen ze me nog een paar dagen hier houden voor een NMR, een CT, een LA en nog een paar andere tomografieën en spectroscopieën.'

Zeiz keek zijn vader verbaasd aan.

Die zwaaide afwerend met zijn hand. 'Te ingewikkeld voor een onder-gekwalificeerde politieman als jij. Maar het klinkt goed, niet? En hoe gaat het met jou?' Hij knipoogde. 'Heb jij die goudvis doodgeschoten?'

Zeiz antwoordde niet en legde de kleren van zijn vader in de kast naast het bed. Op de onderste lade lag een boek. De titel luidde: Verder leven met kanker. Zeiz nam het boek vast en bladerde er even in. Ergens halverwege het boek stak een bladwijzer bij een interview met een zeventigjarige man bij wie vijf jaar voordien darmkanker was vastgesteld. Een zin was met pot-lood onderlijnd: 'Ik weet nu wat komt en maak me er niet meer druk om. Ik wil niet verbitteren.' Zeiz loerde opzij naar zijn vader, die met een haast versteende grijns naar de televisie lag te kijken. Hij zag er eigenlijk opmer-kelijk fit uit, met nog bijna hetzelfde pezige figuur als vijftien jaar geleden, toen ze met hun tweetjes waren gaan rotsklimmen in Les Calanques bij Marseille. Dat was een nieuw begin geweest in hun relatie, nadat ze elkaar jaren niet hadden gezien. Om te vieren dat Kareem was afgestudeerd aan de politieschool waren ze met de tent naar Zuid-Frankrijk getrokken. Kareem had goede herinneringen overgehouden aan die vakantie, hoewel hun relatie ook niet meteen wat je noemt hartelijk was geworden. Het lukte hen niet een echte vertrouwensband op te bouwen. Ze hielden elkaar emotioneel op afstand.

'Nee, nee, dat kan toch niet,' riep zijn vader kwaad uit, wijzend naar het televisiescherm, dat plots grijs was geworden en waarop de tekstregel 'NO SIGNAL INPUT' was verschenen. Hij greep het alarmkastje dat boven zijn bed hing en drukte op de rode knop.

Met zorgelijke ernst keek hij Zeiz aan. 'Het is niet de eerste keer hoor, dat dit gebeurt. Gisteravond was het ook al zover, bij de match China-Italië, gelukkig. Die Italianen zijn lafaards, dat waren ze in de oorlog ook al. Ze spelen veel te defensief, daar krijg ik het vliegend schijt van.' Hij richtte zijn vinger bezwerend op het dode scherm. 'Maar dit is de achtste finale, Canada tegen Denemarken. Als de Denen eruit vliegen, ligt de competitie helemaal open.' Zenuwachtig drukte hij weer op de rode knop.

Zeiz voelde ergernis opkomen. Hij begreep niet waar zijn vader zich over opwond. Hij ging naar het televisietoestel en controleerde of alle kabels goed verbonden waren.

Zijn vader schudde heftig met het hoofd. 'Doe geen moeite. Het is een storing in de digitale verbinding of zoiets. Enfin, dat is wat ze gisteren als uitvlucht verzonnen.'

De deur ging open en een jonge, donkere verpleegster kwam glimlachend binnen. Zeiz vermoedde dat ze van Indische afkomst was. Zijn vader schonk haar een pseudoglimlach en maakte een veelzeggend gebaar naar de televisie.

'Ik zal eens vragen wat er aan de hand is, mijnheer Zeiz,' zei ze. Ze draaide zich om en verliet de kamer.

'Bedankt, Simran,' riep zijn vader haar na, met een gezicht dat geen spatje hoop uitstraalde.

Hij wendde zich tot Zeiz. 'Weet je hoeveel ik voor deze kloteluxekamer betaal? Vijfenzestig euro per dag bovenop mijn hospitalisatieverzekering! Maar wacht even...' Hij nam zijn gsm en drukte zenuwachtig een nummer in.

'Shit, de Rat neemt niet op. Hij had gisteravond wel beeld.'

'Wie is de Rat?' vroeg Zeiz.

'Mijn maat op de psychiatrie. Hij zit op een luizige driepersoonskamer en heeft wel altijd beeld.' Hij legde de gsm met een gebaar van verachting op het bedkastje, alsof het apparaatje hem ook in de steek had gelaten. Misnoegd staarde hij door het raam naar buiten. Hij deed Zeiz denken aan een verwend jongetje.

Plots klaarde zijn gezicht op. Hij zei: 'We kunnen naar de Rat gaan en bij hem kijken. Dat is een idee, wat vind je daarvan?'

'Dat kun je doen,' zei Zeiz. 'Maar ik moet zo meteen weg.'

'Nu al? Je hebt weer een dringende afspraak zeker?'

Zeiz knikte. 'Ik moet werken. Ken je Tarik Kanli?'

Zijn vader schudde het hoofd. 'Die niet, nee. Maar Yusuf Hallil heb ik in het kader van mijn werk wel gekend. Dat wilde ik je eigenlijk gisteren al zeggen, maar toen heb je niets van je laten horen.' Die laatste zin klonk als een verwijt. 'Een ettertje, dat was hij. Ik spreek nu van vijf jaar geleden of nog langer. Yusuf was toen nog maar een jongetje van een jaar of twaalf of dertien, maar hij had de streken van een echt boefje. Pesten, vechten, vernielen. En dealen, we hebben hem toen betrapt in de Sadaka, die jeugdclub in Ter Hilst. We hebben serieuze problemen gehad met die gast.'

'En Moussa Malik?'

'Ik heb wel een paar Moussa's gekend, maar Malik zegt me niets. Ik kan mijn licht wel eens opsteken bij Lies, als je dat wilt. Zal ik haar straks bellen?'

Zeiz knikte. Lies Vangastel was de vrouw die de baan van zijn vader had overgenomen toen hij met pensioen ging.

Ze liepen samen naar de gelijkvloerse verdieping, waar de psychiatrische afdeling was. Zijn vader had een verschoten kamerjas over zijn blote bovenlijf aangetrokken. Zijn bleke oude voeten zaten in kleurige strandslippers. Vroeger zou Zeiz zich geschaamd hebben voor de gespeelde nonchalance waarmee hij zich kleedde.

Zijn vader vertelde over zijn nieuwe vriend, de Rat. 'We hebben elkaar leren kennen in het rookpark.' Hij wees naar een bloemenperkje tegenover de ingang, waar een paar banken en wat asbakken stonden. 'De Rat is hier voor een depressie, maar sinds hij naar curling kijkt, voelt hij zich al wat beter.'

'Rook je weer?' vroeg Zeiz.

'Af en toe een sigaretje. Om de kanker te voeden,' zei hij. 'Hier is het.' Hij wees naar een deur waarboven 'PSYCHIATRIE' stond.

Zeiz aarzelde en zei toen: 'Ik heb een kaart van oem gekregen.' Zeiz noemde zijn moeder steeds oem, met het Arabische woord. 'Ze verweet me dat ik weer iets was vergeten. Wat zou dat kunnen zijn?'

Zijn vader keek hem afkeurend aan. 'Weet je dat niet? Jij denkt gewoon nooit aan iemand, dat is het probleem. Maar ginder is er iemand die jouw naam draagt en voor wie je verantwoordelijk bent als het fout loopt.'

'De verjaardag van Kareem?'

Zijn vader knikte. 'Je petekind was vorige week jarig. Maar dat ben je natuurlijk vergeten. Je hebt het ook altijd zo druk.'

Zeiz voelde een steek in zijn maag. Hij had niet aan Kareem gedacht. Hoe oud was zijn neefje eigenlijk geworden? Hij wist het niet eens. Tot nu toe had hij hem ieder jaar een cadeautje gestuurd. Of beter gezegd: Cathy had dat altijd geregeld. Wat moest hij dat joch nu weer sturen? Hij had het peterschap nooit mogen aanvaarden, besefte hij nu. Die hele familietoestand in Tunesië maakte hem iedere keer weer neerslachtig. En hij hield er alleen maar schuldgevoelens aan over. Maar daar kon dat joch natuurlijk niets aan doen. Hij ontweek zijn vaders blik.

Ze namen afscheid. Zeiz liep op de stoep aan de overkant van de straat toen hij een tikkend geluid hoorde. Hij keek opzij en zag zijn vader bij een raam van het ziekenhuis staan wenken. Het was een treurig beeld uit een omgekeerde wereld, van een vader die wordt achtergelaten en naar zijn kind wenkt.

Opeens moest hij weer denken aan dat hartverscheurende moment toen hij de deur had opengetrokken en Cathy daar stond, met twee koffers naast zich. Het was elf uur 's avonds. Hij was uitgeput. Ze hadden net een bajesklant met een enkelband uit een café moeten halen, nadat die het boeltje kort en klein had geslagen en de cafébaas met een pistool had bedreigd. 'Ik ga weg,' zei ze. Hij wist dat er iets mis was. Hun relatie was een beetje rommelig geworden. Maar rommel kun je opruimen, althans dat had hij zichzelf wijsgemaakt. Alles zou weer goed komen. Maar daar stond ze dan met die verdomde koffers. Hij had haar bij de schouders gegrepen. Ze had zich losgewurmd, dat had ze veel makkelijker gedaan gekregen dan die klootzak in het café. En ze was vertrokken. Gewoon zo. Terwijl hij niet zonder haar kon leven. Dat had hij haar nog nageroepen. Wat was er mis met hem? Waarom keerde iedereen zich van hem af? De mensen van wie hij hield, zijn familie, zijn collega's. Wat maakte hem zo afzichtelijk?

Zeiz wenkte terug naar zijn vader. Vlak achter de oude man bewoog een donkere figuur, van wie alleen de contouren herkenbaar waren.

El Moodi betrok een kantoortje achter het oude gerechtsgebouw, op de eerste verdieping van een groezelig appartementsblok. Een groot bord aan de gevel gaf aan dat een 'AANVRAAG TOT STEDEBOUWKUNDIGE VERGUNNING' was ingediend en dat het gebouw gesloopt en heropgebouwd zou worden. Maar voorlopig was het dus nog bewoond. Behalve El Moodi had een bedrijf in chemische bestrijdingsmiddelen tegen ongedierte hier haar stek.

'Om half tien pas komen mijn eerste cliënten, dus we hebben even de tijd,' zei El Moodi, die Zeiz ontving in zijn kantoor. 'Maar voor de politie zou ik natuurlijk altijd tijd vrijmaken.' Zijn stem klonk hol in de ouderwetse ruime kamer met het hoge plafond. De karige meubels die er stonden, leken belachelijk klein. Boven het bureau hing tegen de muur een goudmetalen plaat, waarin de volgende tekst was gegraveerd: 'EEN ADVOCAAT, BETER VROEG DAN LAAT'.

El Moodi knikte. 'Grappig, niet? Dat is de leuze van meester Nolens, mijn voorganger in dit pand. De arme man is vier jaar geleden gestorven aan kanker.'

Hij gebaarde Zeiz dat hij mocht plaatsnemen. 'Excuseert u mij voor de ongezelligheid, maar we gaan tijdelijk verhuizen. Het gebouw wordt afgebroken. Alles moet weg, vanwege het asbest.'

Zeiz nam met tegenzin plaats. Vol afgrijzen keek hij naar de gebarsten panelen die het plafond omzoomden. Hier en daar op de vloer lag een grijsachtige stof. Enkele brokstukken die naar beneden waren gekomen, waren in een hoek geveegd.

'We stofzuigen elke dag, maar het blijft komen.' El Moodi lachte terwijl hij aan zijn vlinderdasje prutste. 'Alle eigenaren, onder wie ikzelf, krijgen van de stad, die ons het gebouw destijds te goeder trouw verkocht, een schadevergoeding. Eigenlijk hebben we geluk, het is hier oud en versleten en nu krijgen we geld om te vernieuwen.' Hij ademde diep in alvorens verder te spreken. 'En daarna krijgen we allemaal kanker.'

'Ik pas daarvoor,' zei Zeiz, 'mijn vader heeft het al.'

'Asbest of geen asbest, ik maak me geen illusies,' sprak El Moodi. 'Mijn ouders zijn aan kanker gestorven, allebei maagkanker, mijn zus heeft borstkanker en mijn beste vriend is vorige week aan longkanker gestorven. Ik noem er maar een paar uit mijn naaste omgeving.' Hij keek Zeiz ernstig aan. 'Het is een epidemie. Het is besmettelijk.'

El Moodi haalde uit een lade een dossier, dat hij ongeopend voor zich neerlegde, bovenop de andere papieren en dossiers waarmee zijn bureau was bedekt. Tussen de rommel ontdekte Zeiz een doosje met Rennie-tabletten.

De advocaat nam zijn hoornen bril af en bestudeerde het montuur met bedachtzame ernst. 'Ik weet waarom u hier bent. Tarik Kanli. Dat klopt, ja? Als u niet was gekomen, mijnheer Zeiz, had ik zelf contact met u gezocht. Een vreemde zaak, moet ik zeggen. Ik geef u de chronologie. Op dinsdag 12 april rond negentien uur krijg ik een e-mail van een zekere Jaouad Ben Jahoul, zakenman uit Brussel, die me de opdracht geeft Tarik Kanli uit Hasselt te verdedigen.' Met een wat overdreven zwier zette El Moodi zijn bril weer op, opende het dossier en nam er een document uit. 'Dit is de print van de mail. Ik lees voor: Tarik Kanli bevindt zich op dit ogenblik in hechtenis in het bureau van de politie van Hasselt, voor een verhoor als getuige in verband met de moord op Yusuf Hallil. Hij zal deze nacht in hechtenis blijven en morgenvroeg aan een tweede verhoor worden onderworpen. Ik ben een goede vriend van de familie. Aangezien ik momenteel voor zakelijke belangen in het buitenland ben, wil ik u langs deze weg verzoeken hem morgenvroeg bij te staan en de nodige stappen te ondernemen om hem zo snel mogelijk vrij te krijgen. Ik heb het honorarium op uw rekening gestort.' El Moodi keek Zeiz indringend aan. 'Zo staat het hier.' Hij overhandigde het papier aan Zeiz. 'U mag de kopie houden.'

'En hebt u het geld gekregen?'

'Het stond vanmorgen op mijn rekening.'

'U zei net dat u het een vreemde zaak vond. Waarom?'

'Duizend euro. Dat is het bedrag dat hij op mijn rekening heeft gestort. Voor een eenmalige interventie is duizend euro erg veel.' Hij lachte. 'Maar ja, ik moet al gek zijn om zoiets af te slaan. Het is ook de eerste keer in mijn carrière dat ik een zaak op deze manier krijg toegespeeld, via e-mail, met zo'n riante en spontane betaling en zonder dat ik de opdrachtgever in levenden lijve heb ontmoet. Bovendien wist mijn cliënt, Tarik Kanli, niet dat er een verdediger op het verhoor aanwezig zou zijn. En blijkbaar wist zijn vader hier ook niets van.'

'Hoe weet u dat?'

'Omdat Tarik Kanli meteen met zijn vader heeft gebeld toen we het politiekantoor verlieten. Zijn vader wist niet dat ik zijn zoon bij zou staan. Ze hadden geen van beiden ooit van de zakenman Jaouad Ben Jahoul gehoord. Ik ook niet trouwens.'

'U hebt Tarik naar huis gebracht?'

'Na het verhoor, ja. Hij vroeg of ik hem naar de Sint-Truidersteenweg wilde brengen. En dat heb ik gedaan.'

'Waar precies?'

'Ongeveer honderd meter voorbij de verkeerslichten. Vlak voor dat grote magazijn, waar ze goedkope spullen verkopen.'

'Het Kringloopcentrum?'

'Precies. Hij woonde niet ver daarvandaan, zei hij. En nu wilt u weten of ik iets verdachts heb opgemerkt?'

'Hebt u dan iets verdachts opgemerkt?'

'Nee.' El Moodi keek Zeiz ondeugend aan. 'Grapje hoor, sorry. Maar politieagenten stellen altijd van die voorspelbare vragen.'

Zeiz negeerde die opmerking. 'Hoe is de betaling van Ben Jahoul gebeurd?'

'Op mijn rekening gestort, bij het loket van de Dexiabank in de Koningsstraat in Brussel. Dat heb ik meteen uitgezocht toen ik vanmorgen las dat Tarik was omgebracht.'

'Welke indruk maakte Tarik gisteren op u?'

'Hij had angst. Achteraf herinnerde ik me dat hij voortdurend om zich heen keek.'

'U hebt met hem gepraat voor het verhoor en ook erna. Heeft hij nog iets gezegd wat ons van nut zou kunnen zijn?'

El Moodi haalde zijn schouders op. 'Hij was niet erg spraakzaam. Hij vroeg me waarom ik hem had geholpen en wat hem dat zou kosten. Toen heb ik hem verteld hoe een en ander was geregeld.'

'En hoe reageerde hij?'

'Volgens mij schrok hij. Ik denk dat hij nog meer angst kreeg dan voorheen. En ik moet toegeven dat zijn houding me aan het denken zette.

Ik voelde me ook niet meer op mijn gemak. Ik was blij toen hij uit mijn auto stapte. En vanmorgen las ik dan in de krant dat hij was vermoord.'

'Enkele uren nadat u hem naar de Sint-Truidersteenweg had gebracht.'

'Blijkbaar.'

'U bent een van de laatste personen die hem heeft gezien, weet u dat?'

'Ik weet wat u nu gaat vragen, mijnheer Zeiz.'

'Ja? Wat dan?'

El Moodi lachte. 'Waar ik was op het tijdstip van de moord?'

Zeiz schudde zijn hoofd en wees naar de Rennietabletten op het bureau van de advocaat. 'Nee, ik wou u vragen of ik er zo eentje mag hebben. Ik ben mijn tabletten thuis vergeten.'

10

Om kwart voor tien in de ochtend van de veertiende april, een dag na de moord op Tarik Kanli, werd Zeiz bevangen door wat in medische termen een syncope wordt genoemd. Hij was alleen in zijn bureau, zoals gewoonlijk met de deur gesloten, en hij maakte een verslag van zijn gesprek met advocaat El Moodi en de impact van de nieuwe gegevens op het lopende onderzoek naar de moorden op Yusuf Hallil en Tarik Kanli. Het definitieve autopsieverslag was binnen. Om halfelf was een dienstvergadering voorzien en Zeiz wilde zijn visie op de zaak bepleiten, namelijk dat volgens hem niet racisme maar vergelding voor een fout gelopen deal of drugsdiefstal het motief was voor de moorden op Yusuf Hallil en Tarik Kanli. Dit was zijn laatste kans om iets te bewegen. Vanmorgen had een humeurige Vanderweyden hem bij zich geroepen en gevraagd waarom hij zo laat op de dienst was verschenen. Zijn collega's waren al om zeven uur present geweest, zoals afgesproken. Zeiz voelde het bloed uit zijn hoofd wegtrekken. Hij had Sterckx gezegd dat hij later zou zijn, maar toen was het al lang na zevenen geweest. Waarom had niemand hem eerder op de hoogte gebracht? Hij had zich echter beheerst en over zijn bezoek aan El Moodi verteld. Maar het wantrouwen was blijven hangen.

Terwijl hij overlas wat hij had geschreven, voelde hij plots een lichte misselijkheid naar zijn keel stijgen en de voorwerpen om hem heen werden schimmen, die zich eerst ijlings van hem verwijderden om vervolgens met angstaanjagende snelheid weer op hem af te komen. Hij sloot zijn ogen en legde zijn hoofd op het toetsenbord van zijn laptop, die tweemaal biep zei. Het laatste dat hij hoorde voor hij het bewustzijn verloor, was het indringende geluid van een sirene, gevolgd door een schreeuw, de ijselijke kreet van iemand die de dood in de ogen kijkt. Maar dat moest inbeelding zijn geweest, bedacht hij toen hij enkele seconden later weer tot zichzelf kwam, want behalve het eeuwige geruis van het stadsverkeer in de verte was het rustig om hem heen. Voorzichtig hief hij het hoofd op. Hij had gekwijld. Hij nam een zakdoek en veegde zijn kin en het toetsenbord droog.

Met een licht gevoel in zijn hoofd verliet hij zijn kantoor. Tot zijn opluchting was de gang verlaten. Het was tien uur, koffiepauze, waarschijnlijk was iedereen snel nog even naar de kantine voor de vergadering begon. In de toiletruimte stond hij lang voorovergebogen over de wastafel en gooide water in zijn gezicht. Hij voelde zich uitgedroogd. Hij dronk van de kraan. Het droge gevoel in zijn mond bleef, maar hij durfde niet meer te drinken uit angst weer misselijk te worden.

Het gesprek met El Moodi kwam in hem op. Googelen had niets opgeleverd, de naam Jaouad Ben Jahoul bestond op het internet niet. Ook in de databank van de politie had hij niets gevonden. Het lag voor de hand dat de naam vals was. Maar waarom, zo vroeg hij zich af, gaf iemand onder een valse naam de opdracht aan El Moodi om Tarik te verdedigen. Het antwoord was simpel: de moordenaar of moordenaars hadden angst dat die zijn mond voorbij zou praten en wilden hem zo snel mogelijk vrij krijgen. Dat was gelukt. Ze hadden hem opgewacht, ontvoerd en uit de weg geruimd.

Zeiz droogde zijn gezicht af met een paar papieren handdoekjes. Het beeld dat hij van zichzelf in de spiegel zag, was niet fraai: zijn ogen waren donker omrand en zijn wangen leken ingevallen. Om zijn mond lag een verbeten trek. Zijn verschijning zou het gerucht dat hij ziek was alleen maar versterken. Maar hoe wist de moordenaar dat Tarik door de politie op de rooster werd gelegd? Ook hier lag het antwoord voor de hand. De moordenaar kende hem en wist dat hij was gearresteerd. Hij was iemand uit zijn entourage. Iemand die in het drugsmilieu actief was? Misschien hadden ze te maken met een grote dealer die door de boefjes was getild, iemand die zonder aarzelen duizend euro neertelde voor een klusje. Zeiz nam zich voor om zo vlug mogelijk Jisa Kanli, de neef van Tarik, te ondervragen. Vanderweyden had niet gezegd dat hij zijn handen van de zaak moest afhouden. Maar hij zou wel alleen moeten handelen. Er was niemand van zijn collega's op wie hij kon rekenen.

Misschien was het inbeelding, maar toen hij vanmorgen op kantoor arriveerde, had hij het gevoel dat ze hem links lieten liggen. Sterckx en Neefs luisterden wel naar zijn verslag van het gesprek met El Moodi, tenslotte was hij officieel nog altijd de onderzoeksleider. Of was dat inbeelding en luisterden ze enkel uit beleefdheid? Toen hij zijn denkpiste formuleerde, namelijk die van een wraakactie tegen de drugsbende van Yusuf Hallil, kreeg hij de indruk dat ze hem niet helemaal au sérieux namen. Ze knikten en verdwenen vervolgens in hun bureaus, om de opdrachten uit te voeren die ze van Vannuffel hadden gekregen. Blijkbaar werd er veel verwacht van het onderzoek van Daniëls, die sinds vanmorgen versterking had gekregen van twee computerspecialisten uit Brussel. Toen Zeiz hem daarover aansprak, lachte hij alleen maar geheimzinnig en maakte een afwerend gebaar. Zeiz had zin om hem een klap te geven.

Hoe dan ook, het onderzoek was volledig vastgepind op White Revenge.

Over het levensgevaarlijke en volstrekt overbodige schot dat Vannuffel de dag voordien op een lid van het gezin Swerts had afgevuurd, werd met geen woord meer gerept. Alsof iemand dat onderwerp taboe had verklaard. Elke andere politieagent zou voor zo'n flater een tijdelijke schorsing hebben gekregen, in afwachting van een intern onderzoek.

Het viel Zeiz op dat, toen hij de toiletruimte verliet, alle andere kantoren waren gesloten. Normaal gesproken stonden de deuren altijd open, liep iedereen zonder te kloppen bij elkaar binnen en werd er op luide toon gecommuniceerd. Alleen hij vormde een uitzondering op de regel door zich regelmatig terug te trekken om rustig te kunnen nadenken en te werken. Hij ging naar zijn kantoor en zocht op zijn bureau naar de Rennietabletten die El Moodi hem in een genereus gebaar had meegegeven. 'Met mijn maag gaat het beter sinds ik ontbijt,' had de advocaat gezegd, 'dat zou u misschien ook moeten doen.'

Uiteindelijk vond Zeiz het doosje op de grond, waarschijnlijk had hij het per ongeluk van de tafel gestoten toen hij onpasselijk werd. Hij keek naar de tabletten en besloot er geen te nemen. Misschien moest hij de raad van El Moodi opvolgen en iets aan zijn eetgewoonten doen. Had hij vanmorgen ontbeten? Hij kon zich in elk geval niet meer herinneren of hij gisteren wel iets had gegeten.

In een lade van zijn bureau vond hij een oude reep chocolade. Hij dwong zichzelf er een stukje van te bijten. Terwijl hij de zoete brij kauwde en met tegenzin doorslikte, hoorde hij een stem die van buiten kwam en die hem een rilling bezorgde. Hij ging naar het raam en keek. Het had opgehouden met regenen en een waterig zonnetje scheen over het binnenplein, dat tot Zeiz' verbazing autovrij was gemaakt. Alleen zijn oude Citroën stond er nog. Toen ontdekte hij zijn collega's, die mooi op een rij stonden, aan de overkant van het plein. Iedereen was verzameld, niet alleen de rechercheurs, maar ook de administratieve medewerkers en het onderhoudspersoneel. Een schoonmaakster had zelfs haar emmer en borstel mee naar buiten genomen en stond kaarsrecht als een soldaat voor de parade. Lambrusco sprak hen toe, geflankeerd door Vanderweyden en het diensthoofd van de administratie, wiens naam Zeiz altijd vergat en die een bord in de hoogte hield waarnaar de coördinerend commissaris af en toe wees. Plots hief iemand zijn arm op. Het was Vannuffel die naar boven wees, naar het raam waar Zeiz stond. Snel trok Zeiz zich terug, maar het was te laat, ze hadden hem gezien. Zijn maag kromp ineen. Toen realiseerde hij zich wat ze daar deden. Het was een brandoefening.

'Niemand had mij gewaarschuwd,' zei Zeiz tegen Vanderweyden, die hem meteen na de brandoefening bij zich riep en vroeg waarom hij niet samen met de anderen het gebouw had verlaten.

'Het principe van een brandoefening is dat ze onaangekondigd komt,' had Vanderweyden geantwoord. 'Van een brand weet je ook niet dat hij gaat uitbreken.'

'Maar de anderen wisten het wel. Waarom ik dan niet?'

'Jij was er vanmorgen niet, bij de briefing.'

'Sinds wanneer houden wij hier 's morgens een briefing over het brand-alarm?'

Vanderweyden liep rood aan. 'Sinds wanneer bepaal jij hier waar wij een briefing over moeten houden?'

Daar had Zeiz niets op weten te zeggen. Door de woede die door hem heenging, slaagde hij er niet in zijn argumenten op een rijtje te zetten.

'Bovendien is het alarm afgegaan,' ging Vanderweyden verder. 'Heel eventjes tenminste, er scheelde iets met de installatie. Daar moet nog naar worden gekeken.' Hij keek Zeiz streng aan. 'En er heeft iemand aan jouw deur staan roepen, maar je hebt niet gereageerd.'

'Ik voelde me even niet goed,' zei Zeiz. Hij wist dat het als een belachelijke uitvlucht klonk, ook al was het de waarheid.

'Het is een drukke tijd geweest,' zei Vanderweyden. 'We zitten allemaal op ons tandvlees.' Hij aarzelde. 'Misschien moet je er even uit, Kareem. Soms is het beter gas terug te nemen, om er daarna weer met volle kracht tegenaan te gaan.'

Zeiz staarde hem onthutst aan. 'Wat bedoel je daarmee?'

'Ik bedoel het zoals ik het zeg.'

'Mijn aanwezigheid is hier niet meer vereist?'

'Dat heb ik niet gezegd. Ik bedoel dat we meer aan jou hebben als je fit bent. Nu zie je eruit alsof je elk moment kan omvallen. Ga naar huis en kruip in bed.'

'Ik onderzoek twee moorden,' zei Zeiz. 'Ik kan nu geen verlof nemen. Als het waar is wat ik vermoed, sluipt hier in deze stad ergens een waanzinnige dealer rond die een rekening te vereffenen heeft met een Marokkaanse jongerenbende. Yusuf en Tarik waren vrienden, ze maakten deel uit van die bende. Ze zaten tot over hun oren in de drugs. Tarik had schrik en stond op het punt ons iets op te biechten...' Met een schok dacht hij aan de schoenendoos die hij in het huis van zijn vader had verborgen. Ook die was hij vergeten. Het zou een krachtig argument zijn geweest. Maar nu zweeg hij om het allemaal niet nog erger te maken.

'Jij bent niet de enige die op zoek is naar die waanzinnige dealer, zoals jij hem noemt,' onderbrak Vanderweyden hem. 'Heel de rechercheploeg zit daarop. En voor het eerst hebben we ook een aanwijzing.'

'Je bedoelt White Revenge? Dat is één van de sporen die we hebben.'

'Maar op dit ogenblik wel het meest relevante.'

'En als het een dood spoor blijkt te zijn?'

'Dan hebben we pech. Politiewerk is geen wiskunde. Ben jij honderd procent zeker dat jouw spoor wel het juiste is? We moeten deze kans grijpen en hopen dat het iets oplevert.'

'Je bedoelt dat er druk van bovenaf is?'

'We moeten niet hypocriet doen. Als ervaren politieagent weet je dat er bij dergelijke delicate onderzoeken altijd druk van bovenaf is. Het zou goed zijn als er een doorbraak kwam, vóór de betoging van zaterdag. Ik hoef je er niet op te wijzen hoe belangrijk het is dat we samenwerken en niet als lonesome cowboys verschillende sporen volgen.'

Zeiz knikte. Het ergerde hem dat Vanderweyden deze Engelse uitdrukking gebruikte. Had hij die van Lambrusco geleend? 'Ik heb hier het verslag van mijn onderhoud met de advocaat van Tarik Kanli, El Moodi. Het ziet ernaaruit dat iemand, onder een valse naam, hem heeft ingehuurd om Tarik te verdedigen en vrij te krijgen. Hij kreeg de opdracht via mail, van een zekere Jaouad Ben Jahoul. Ik zoek het verder nog uit, maar ik denk dat die naam verzonnen is.' Hij legde de map op het bureau.

'Aha. We zullen het daar straks op de dienstvergadering zeker over hebben.'

'Wat eens te meer aantoont dat we de dader moeten zoeken in de entourage van Yusuf en Tarik. Hoe kon hij anders weten dat Tarik was gearresteerd? We kunnen zelfs een lek bij de politie niet volledig uitsluiten.'

Vanderweyden trok zijn wenkbrauwen op. 'Ho maar. Ben je er zeker van dat het niet in de krant stond? We moeten voorzichtig zijn met dergelijke speculaties.'

Zeiz zuchtte, deze zuinige reactie was typisch voor de recherchecultuur in Hasselt. In Brussel was het de gewoonte geweest ongehinderd te brainstormen en mogelijke denkpistes op tafel te gooien. Wat stond hij hier eigenlijk te doen? Voor hem was het duidelijk: als White Revenge echt niets met de moorden te maken had, dan moesten ze de dader zoeken in de entourage van Yusuf. Waarom vond hij voor deze denkpiste geen gehoor?

Moedeloosheid overviel hem. Had het met zijn persoon te maken? Moesten ze hem hier niet, was dat het? Het voelde bijna aan als een complot. Hij besefte vaag dat de breuk met Cathy hem parten speelde. Zij had hem overgehaald terug naar Hasselt te komen, om hem vervolgens te dumpen. De overtuiging groeide bij hem dat het een vergissing was geweest in Hasselt te komen werken.

'Maar ik stel voor dat je dat met de anderen bespreekt,' verbrak Vanderweyden de stilte. 'Misschien vinden Daniëls en zijn helpers een link met White Revenge.' Hij nam de map, glimlachte verlegen en gaf hem terug aan Zeiz. 'Voortaan gaat alle informatie rechtstreeks naar Vannuffel.'

Zeiz staarde zijn chef aan. 'Is het niet efficiënter als iedereen zijn informatie aan mij bezorgt?' zei hij. 'Dat was toch zo afgesproken? We moeten alle sporen van het onderzoek aan elkaar kunnen koppelen.'

'We concentreren ons nu op één spoor, dat heb ik je toch al uitgelegd, en dat is het spoor van Vannuffel. Later kunnen we eventueel onze strategie herzien.'

'Eventueel?' zei Zeiz.

Vanderweyden maakte een wanhopig gebaar. 'Ik denk dat het beter is dat we dit gesprek beëindigen.'

'Wie leidt nu het onderzoek?' vroeg Zeiz scherp.

Vanderweyden ontweek zijn blik. 'Voorlopig ligt het zwaartepunt elders.'
Zeiz had niets meer te zeggen. Met een klap gooide hij de map terug op
Vanderweydens bureau en verliet het kantoor.

Zijn besluit stond vast. Vandaag nog zou hij contact opnemen met de
personeelsdienst van de federale politie en vragen om zijn overplaatsing
ongedaan te maken. Volgens hem moest dat mogelijk zijn. Hij was naar
Hasselt gedetacheerd in afwachting van een vaste aanstelling. Die regeling
was zo getroffen omdat hij op het punt stond gepromoveerd te worden tot
commissaris. Tot die functie in Hasselt vrijkwam, hadden ze hem aangesteld
als hoofdinspecteur.

Hij ging zijn jas halen in zijn bureau en verliet het gebouw.

'Klootzakken,' riep hij, toen hij over het binnenplein liep. Hij wist niet
waar hij heen ging, maar de buitenlucht deed hem goed. Het was beginnen
te regenen en een kille wind snelde hem tegemoet.

Het voornemen zijn werkplaats voorgoed achter te laten gaf hem een
zweverig gevoel. Wat ze ook beslisten, hier kwam hij nooit meer terug. Desnoods nam hij ontslag. Hij was nog geen veertig. Net niet. Het moest mogelijk zijn iets anders te vinden. Een baan waar zijn visie en inzicht gerespecteerd zouden worden.

Er liep hier in de stad een sadist rond, of meerdere gevaarlijke gekken,
die in amper een week tijd twee jongens, al waren het dan schoften, hadden
gemarteld en vermoord en mogelijk op het punt stonden nog meer onheil
aan te richten. Er mocht geen tijd meer verloren gaan. Maar zijn collega's
van de recherche vonden er niets beter op dan een brandoefening te houden.

Hij schudde zijn hoofd terwijl hij verder stapte. Niemand kon van hem
verwachten dat hij de rest van zijn leven met een stelletje idioten bleef
samenwerken.

Eigenlijk was het allemaal Cathy's schuld, bedacht hij. Hij trapte met
opzet in de plassen, liet het water hoog opspatten. Waarom had hij naar haar
geluisterd? Hield hij nog wel van haar toen hij de beslissing nam terug te
keren naar Limburg? Nu was hij daar niet meer zo zeker van.

Hij had in elk geval getwijfeld, herinnerde hij zich nu. De laatste maanden in Brussel had hij zich aan haar geërgerd. Toen het vaststond dat ze gingen verhuizen, was ze humeurig geworden. Het duurde allemaal te lang naar haar zin. Ze kon de mensen in de buurt niet meer verdragen. Alles was slecht. De stad stonk naar de uitlaatgassen. De straat stonk naar de buitenlanders. Hun appartementje stonk naar de schimmel. Zijn kleren stonken naar zijn werk. Ze rook de gore straten, de vunzige bars, de zondige lichamen die hij arresteerde. Als hij thuiskwam, eiste ze van hem dat hij zijn kleren in de wasmachine gooide en een douche nam.

Hij had alles gedaan wat ze vroeg. Hij had de belachelijke droom gekoesterd dat ze een gezin zouden stichten.

Toen ze vorig jaar in Tunesië waren, had hij dat zelfs aan zijn moeder beloofd.

'En, wanneer word jij vader?' had die gevraagd.

Voor Zeiz had haar vraag als een beschuldiging geklonken.

'Ik beloof je dat het binnenkort is,' had hij tot zijn eigen verbazing geantwoord. Terwijl Cathy de boot afhield, met het argument dat hij een luizige vader zou zijn, die toch zijn werk boven zijn gezin zou plaatsen. Hij had niet alleen zijn moeder, maar ook zichzelf zand in de ogen gestrooid.

Ze zaten voor zijn moeders huis, in de schaduw, hij op een stoel die hij van binnen had meegebracht, zij hurkte tegen de muur, als een aapje. De blauwgeverfde poort stond open en ze keken naar de buurtkinderen die in het stof speelden.

'Ik ben benieuwd,' had zijn moeder gezegd. Daarna had ze hem argwanend aangekeken. 'Je moet mij niets beloven als je het toch niet doet.'

Maar hij had niet getwijfeld. Dat was wat hij wilde. Toen wist hij nog niet dat Cathy iemand anders had. Waarom had ze hem bedrogen? Waarom had ze zijn dromen kapotgeslagen? Wilde ze naar Hasselt in de hoop dat hun relatie weer in de plooi zou vallen? Was het een wanhoopspoging geweest? Had ze pas beseft dat het te laat was toen de verhuizing al achter de rug was?

Kletsnat kwam Zeiz thuis. Hij liet zijn natte kleren in de gang achter en ging naakt op het bed liggen. Plotseling overviel hem de twijfel. Hij had er spijt van dat hij van zijn werk was weggelopen. Alsof hij was gevlucht. Alsof hij zijn ongelijk en onvermogen had toegegeven. Hij deed zijn ogen dicht en viel in slaap.

Hij schoot wakker van een geluid. Het duurde even voor hij begreep dat hij een berichtje op zijn gsm had ontvangen. Het was Monica Desutter. Ze schreef: 'Vergeet me niet, vijf uur! In Het Magazijn.'

Hij sprong uit bed. Dat was hij inderdaad bijna vergeten. Hij keek op de klok, het was kwart over vier. Hij had de hele middag geslapen.

Hij nam een lange hete douche en zocht uit het hoopje kleren in de hoek van de slaapkamer de meest gekreukte. Hij trok maar iets aan, zonder op de stijl of de kleuren te letten. Daarna kamde hij met zijn vingers door zijn haren en bekeek zichzelf in de spiegel. Hij zag er vreselijk nonchalant uit.

Dit was belachelijk. Hij moest de afspraak afzeggen, hij was niet in de stemming voor een paringsdans. Uit zijn lichaam steeg een onheilspellend geknor op. Het was zijn lege maag.

De telefoon ging. Hij zag op de display dat het Adam Sterckx was. Na enige aarzeling besloot hij op te nemen. Hij had geen zin nog langer te vluchten. Vanaf nu zou hij zijn mening zeggen, ongeacht wie hij voor zich had.

'Ik heb het gehoord,' viel Sterckx met de deur in huis. 'Ik bel je om te zeggen dat we achter je staan. Ik bedoel, Johan en ik. En eigenlijk Vanderweyden ook, vergis je niet in hem. Het heeft hier gestoven op de vergadering, dat kan ik je wel zeggen. Engelen is tussenbeide moeten komen. Uiteindelijk hebben Lambrusco en Vannuffel een beetje gas moeten terugnemen. Maar dat vertel ik je later. Waar ben je nu?'

'Ik ben thuis.' Zeiz besefte dat waarschijnlijk iedereen op kantoor zijn dispuut met Vanderweyden had kunnen afluisteren. De deur stond open en ze hadden op luide toon gepraat.

'Ik zit hier voor mijn computer,' ging Sterckx verder, 'en probeer die Moussa Malik te vinden.' Er zitten wel dertig Moussa's in ons archief, allemaal schurken, maar geen Malik. Ben je er zeker van dat de naam juist is? Hier vind ik niets.'

'Het is de naam die Walter Vaes mij heeft doorgegeven.'

'Ik zoek nog even verder. Waar ben jij nu mee bezig?'

'Ik denk na.'

'Doe jezelf geen pijn. En geef me een seintje als je me nodig hebt.'

Ze beëindigden het gesprek.

Zeiz had nog niet besloten wat hij ging doen, toen de telefoon weer ging.

Het was zijn vader. 'Stoor ik je?' vroeg hij.

'Ik was net de volgende stap aan het overleggen,' antwoordde Zeiz.

Even bleef het stil. Toen begon zijn vader te lachen. 'A la bonheur!' riep hij. 'Je hebt dan toch iets geleerd op de politieschool. Denken is in elk geval beter dan schieten. Waarvoor ik bel... Je vroeg me vanmorgen naar Moussa Malik. Het toeval wil dat ik iets heb gevonden.'

'Toeval?' herhaalde Zeiz mechanisch.

'Nu ja, jij bent mijn zoon, mijn enige zoon, ik zag dat je het niet makkelijk had, dus ik heb het toeval een beetje geforceerd en naar Lies gebeld. Er was een tijd geleden ene Moussa Malik uit Genk die in de Sadakaclub voor problemen zorgde. Ze hadden het vermoeden dat hij dealde en hebben hem toen de toegang verboden. Zijn echte naam is Moussa Jawad. Malik is zijn bijnaam, het betekent... iets met...'

'Baas of chef.'

'Klopt. Dus je wist het al?'

'Nee, ik wist het niet, maar nu je het zegt. Het verklaart waarom we hem niet vonden. Je hebt me heel goed geholpen.'

Zijn vader lachte. 'Ik zie het al in de krant staan. Oude terminale patiënt vangt moordenaar. Voor ik het vergeet, je krijgt de groetjes van de Rat, hij staat hier naast me. Mijn depressieve maat hier in het ziekenhuis, weet je nog? We hebben het net over jou gehad. Hij vindt het wel grappig, een politieagent die zijn zieke vader inschakelt voor de recherche. Hij wenst jou veel geluk met de jacht.'

11

Het was bijna middernacht en het regende. Zeiz liep zingend door de straten naar huis en liet zich voor de tweede maal die dag nat worden. Onder zijn arm droeg hij een plastic zak met daarin een tweedehands gameboy. Het toestel had te koop gelegen in Het Magazijn, het gezellige eethuisje in het centrum van de stad waar hij met Monica Desutter was geweest. De gameboy leek hem het gepaste cadeau voor zijn neefje in Tunesië. Het was de superbeste stemming waarin hij verkeerde die hem tot de aankoop had gedreven.

Hij had Monica naar haar auto gebracht. Die stond achter het station, aan de overkant van de spoorweg, op een verlaten parkeerterrein dat binnenkort zou verdwijnen als de parkeergarage onder het nieuwe gerechtsgebouw klaar was. Het aantal beschadigingen en diefstallen van auto's was de laatste jaren spectaculair gestegen, de meeste gebeurden op openbare parkeerplaatsen. Zeiz betwijfelde of dat zou verbeteren als de parkeergarage met haar veiligheidscamera's in gebruik was. Waarschijnlijk zouden de boefjes hun werkterrein verleggen, mogelijk naar de binnenstad, waar dan ook overal veiligheidscamera's zouden worden opgesteld. Maar wat voor zin had het om gemaskerde overvallers te filmen? Of geweldplegers die het geen reet kon schelen dat ze gefilmd werden, omdat de kans dat ze gestraft werden quasi nihil was?

Ze troffen Monica's auto onbeschadigd op het parkeerterrein aan, wat Zeiz deed verzuchten dat wonderen nog bestaan. Monica lachte. Even stonden ze daar nog en wisten niet wat zeggen. Voor ze instapte, legde Monica haar hand op zijn schouder en kuste hem vluchtig op de wang.

Die kus was het sluitstuk geweest van een romantische avond. In Het Magazijn speelde een band die De RitmeZone heette. De drummer was een ongeschoren jongeman met een onwezenlijk kapsel dat in grillige pieken de zwaartekracht trotseerde. Monica was af en toe naar buiten gegaan om een sigaretje te roken.

Ze had hem gevraagd of het hem stoorde dat ze rookte. En hij was verbaasd zichzelf te horen zeggen dat het hem helemaal niet stoorde. Sinds hijzelf gestopt was, was hij een hevige antiroker geworden.

Hij had zich laten verleiden om wijn te drinken. Het was meer dan twee jaar geleden dat hij nog alcohol had gedronken en hij was al na één glaasje aangeschoten geweest. Natuurlijk hadden ze het eerst gehad over de moorden op Yusuf en Tarik, de twee jongens die haar een jaar geleden hadden aangerand.

'Het lijkt wel alsof ze gestraft zijn voor wat ze mij hebben aangedaan,' zei ze toen ze buiten stonden voor een van haar rookpauzes. Ze liet de rook langs een van haar mondhoeken ontsnappen, een jongensachtig gebaar dat Zeiz had doen glimlachen.

'Ze hadden nog veel meer op hun kerfstok,' zei hij.

'Toch,' zei ze.

'Wat voel je nu ze dood zijn?' vroeg Zeiz.

Na enige aarzeling zei ze: 'Ik voel me goed.'

Het was een eerlijk antwoord geweest. Maar hij merkte dat het onderwerp nog altijd zeer gevoelig lag bij haar. Wel had hij de indruk gekregen dat ze hem een beetje meer vertrouwde. Ze was nog altijd in therapie, vertelde ze hem. Haar jarenlange relatie met een jeugdvriend was na de aanranding verbroken. Daarna was ze in de armen van Walter Vaes gevlucht. Maar die relatie was na enkele maanden ook uitgedoofd.

Voor de rest herinnerde hij zich maar vaag waarover ze hadden gesproken. Wat grotendeels aan de wijn had gelegen. Ze hadden naar elkaar gekeken en gelachen. De band had een nummer van Mouss Taforalt gespeeld. Zeiz was een grote fan van de Frans-Arabische zanger en hij was in een romantische roes geraakt.

De problemen op het werk hadden hem plotseling futiel geleken. Tegenover hem zat de mooiste vrouw van de wereld.

Ze schrok heftig toen hij haar hand aanraakte, alsof hij haar een elektrische schok gaf.

Ze lachte en verontschuldigde zich. Ze was het niet meer gewend door een man te worden aangeraakt, zei ze. Maar ze had haar hand niet teruggetrokken.

'Monica,' zei hij.

Eigenlijk had ze liever dat hij Moni zei.

'Moni,' fluisterde hij.

De stad was verlaten toen hij terug naar huis liep. Hij stapte door de stationstunnel en zong een lied van Taforalt. Zijn stem galmde door de tunnel: '*On peut entendre chanter les cigales, chi chi chi chi.*'

Op de trap naar de uitgang troepten jongemannen samen. Zeiz rook de weed toen hij dichterbij kwam. Het waren vier jongens van Noord-Afrikaanse herkomst, hij schatte ze niet ouder dan vijftien of zestien jaar. Wat deden ze daar in het midden van de nacht? Waren hun ouders niet ongerust? Het waren vragen die Zeiz zich al zo vaak had gesteld. Wat viel hier te beleven, in deze verlaten, tochtige tunnel onder het station? Hadden ze echt niets beters te doen? Of wachtten ze op een weerloos slachtoffer? Hij liep recht op hen af. Ze maakten plaats voor hem en lieten hem in stilte voorbijlopen. Wisten ze dat hij had gedronken en dat ze hem beter met rust konden laten?

Maar Zeiz was niet uit op een confrontatie. Hij liep zingend door de natte stad. Er was een zachte kracht in hem gegroeid, waarvan hij vergeten was dat hij die bezat.

Kareem Zeiz was verliefd.

In zijn droom waadde hij door een roestige mistbank, op zoek naar de pruik van zijn vader. Toen de mist langzaam optrok, bleek hij zich op een ijsbaan te bevinden. In de verte doemden figuren op. Het waren schaatsers. Zijn vader schaatste voorop, zijn kale schedel glom als het ijs onder hem. Hij duwde een enorme steen voor zich uit, aangemoedigd door de anderen. De steen nam de vorm aan van een strijkijzer. Zijn vader lanceerde het strijkijzer, liet het los. Uit het groepje volgers maakte zich een schaatser los. Het bleek Emma te zijn, de overbuurvrouw van zijn vader. Ze droeg een bloemetjesschort. Zwierig schoot ze vooruit, haar bezem paraat. Toen ze zijn vader had ingehaald, draaide ze een halve slag. Nu schaatste ze achteruit verder, haar omvangrijke achterste hield ze naar Zeiz gericht, terwijl ze met haar bezem het ijs voor het glijdende strijkijzer uit veegde, met supersnelle bewegingen van haar armen en heupen. Zeiz zat vast in het ijs en zag haar bloemetjesachterste op zich afstevenen. Daarachter kwam het strijkijzer, dat buiten alle proporties groeide. Hij schreeuwde.

Toen werd hij gewekt door de telefoon. Het was kwart over één 's nachts. Hij lag nog geen uur in bed. Met een ruk ging hij rechtop zitten. Zijn eerste gedachte ging naar Moni. Was haar iets overkomen onderweg? Maar op zijn display zag hij dat het opnieuw Sterckx was. In een reflex nam hij op.

'Kareem, ben je daar?' vroeg Sterckx.

Zeiz realiseerde zich dat hij de gsm aan zijn oor had gehouden zonder iets te zeggen. 'Ja. Aha, ben jij het?' Hij was bezweet en het laken voelde klam aan. De droom lag nog vers in zijn geheugen.

'Sorry dat ik nu nog bel. Heb ik je wakker gemaakt?'

'Geeft niet,' zei Zeiz. Hem was net te binnen gevallen dat in al zijn dromen van de laatste dagen zijn vader opdook. En dat zijn eigen rol eerder passief was.

'Eefje en ik zitten hier op kantoor. We zijn al de hele avond druk bezig.'

'Daar kan ik me iets bij voorstellen, ja,' mompelde Zeiz.

'Niet wat jij denkt. De rapporten die jij had opgevraagd bij de jeugdrechter zijn binnengekomen. Interessante lectuur, moet ik zeggen.'

'Vooral 's nachts blijkbaar.'

'Ja, als je veilig binnen zit, met de deur stevig op slot. In grote lijnen wisten we natuurlijk al wat die Marokkaanse lieverdjes, onder andere die uit Ter Hilst, allemaal uitspoken. Geregeld duiken daarbij de namen van Yusuf en Tarik op. Maar ik heb nog een derde naam gevonden. Luister: hier voor me ligt een verhoor met Jisa Kanli, de neef van Tarik Kanli. Hij werd vorig jaar opgepakt samen met Tarik, hij had een portie weed bij zich. De zaak werd geseponeerd, maar het betekent toch dat die twee meer gemeen hadden dan een familieband.'

Sterckx zweeg en Zeiz hoorde een onbestemd geluid. Hij vroeg zich af of Eefje Smeets Sterckx' aandacht opeiste. Kusten ze elkaar? Wat zijn collega ontdekt had, was niet onbelangrijk. Jisa haalde zijn weed dus bij zijn neef. Ging Tarik hem daarom meteen na het verhoor thuis opzoeken? Om te dealen? Zeiz twijfelde er niet meer aan: hij moest dringend Jisa Kanli aan de tand gaan voelen.

'Wat wel vreemd is,' ging Sterckx verder, 'is dat we geen spoor vinden van Moussa Malik of een andere Moussa die aan jouw beschrijving beantwoordt.'

Zeiz voelde zich schuldig dat hij Sterckx de avond voordien niet meteen had teruggebeld na het telefoongesprek met zijn vader.

'Probeer het eens met Moussa Jawad,' zei hij.

Sterckx had maar een paar seconden nodig. 'Hier heb ik hem, Moussa

Jawad, bijgenaamd Malik. Tweeëntwintig jaar oud. Hij heeft een strafblad van anderhalve meter lang, vechtpartijen en dealen, zwaar spul.' Adam mompelde een poos aan de telefoon en Kareem begreep dat zijn partner het dossier overliep op zoek naar belangrijke elementen. 'Een gladde jongen, geen gewoon dealertje, hij staat hoger op de criminele ladder. Woont in bij zijn verslaafde vriendin, Joke Naes. Het huis, de auto en een snelle motor staan op haar naam.'

'Schot in de roos, Adam,' riep Zeiz. 'Morgen pakken we hem op.'

'Toch niet. Hij is veroordeeld voor het dealen van heroïne en zit nu in de gevangenis van Hasselt. Hij was in het bezit van een halve kilo horse, komt binnenkort vrij. Hij kan dus niet de moordenaar zijn.'

Nee, natuurlijk niet, dacht Zeiz, dat zou te gemakkelijk zijn geweest.

Het was nog vroeg in de ochtend toen Zeiz naar Ter Hilst reed en in de Elleboogstraat aanbelde bij Jisa Kanli. Hij was vanmorgen wakker geworden met hoofdpijn, waarschijnlijk een gevolg van de wijn van gisteravond. Maar de herinnering aan Moni gaf hem vleugels. Ze hadden geen nieuwe afspraak gemaakt, maar hij wist dat hij haar vandaag nog zou bellen. Het liefst had hij dat meteen gedaan toen hij zijn ogen opendeed, maar dat zou belachelijk zijn geweest. De verliefdheid had de wereld om hem heen helemaal veranderd. Cathy was op een zijspoor beland. Van zijn frustratie over hun scheiding bleef alleen de ergernis sudderen. Plots leken ook de problemen op zijn werk niet meer zo uitzichtloos. Zijn voornemen om terug naar Brussel te gaan moest even worden uitgesteld. En het had opgehouden met regenen. Toen hij naar zijn auto liep, brak de zon door de wolken.

Het nachtelijke telefoontje met Sterckx steunde hem in zijn overtuiging dat hij op het goede spoor zat.

Yusuf en Tarik waren geen willekeurige slachtoffers. Er was iets in het verleden dat hen met hun moordenaar verbond. De aanranding van Moni was maar één van hun vele wapenfeiten geweest. Toen waren ze blijkbaar maar met zijn tweeën. Zeiz' ervaring was echter dat Noord-Afrikaanse en ook Turkse jongens meestal in een grotere groep opereerden.

Voorlopig hadden ze vier namen. Vier Marokkaantjes, die een geheim verbond hadden. Twee waren dood, er bleven er nog twee over: Moussa en Jisa. Als dat klopte, was de moordenaar nog niet aan het einde van zijn missie aanbeland.

Een akelig gevoel bekroop Zeiz toen hij voor de tweede keer op de bel duwde. Stond hij voor de deur van het derde slachtoffer?

Mustafa Kanli deed open. Hij speurde de omgeving af. Hij kwam recht uit zijn bed, dat rook Zeiz haast. 'Wat is er?' snauwde hij naar Zeiz.

Zeiz voelde de woede in zich opwellen. 'Ik moet Jisa spreken,' zei hij rustig.

'Moet?' herhaalde Mustafa. Hij schonk Zeiz een blik van verachting. 'Jisa is niet hier. Hij is naar school.'

Zeiz was er zeker van dat de man loog. Naast het huis had hij drie scooters zien staan, onder een geïmproviseerd afdakje van rotte planken.

'Ik kan ook een patrouille laten komen om hem naar het commissariaat te brengen,' zei Zeiz afgemeten.

'Waarom? Heeft hij iets verkeerds gedaan? Onschuldige mensen lastig-vallen, is dat normaal hier in België?'

Zeiz haalde zijn schouders op. 'Het is uw keuze. Ofwel laat u me nu even met hem praten ofwel komen we hem halen.'

Mustafa vloekte in het Arabisch. 'Waarom laat je Jisa niet met rust? Wat wil je van hem?'

'Ik wil hem een paar vragen stellen.'

'Over Yusuf en Tarik?' Mustafa maakte een wegwerpgebaar en spuwde door de open deur naar buiten. 'Daar heeft hij niets meer mee te maken, allang niet meer.'

Zeiz voelde het bloed naar zijn hoofd stijgen. 'Nu ben ik het beu,' zei hij met enige stemverheffing in het Arabisch. En hij vervolgde in het Nederlands: 'Haal je hem of niet?'

Mustafa was even uit het evenwicht gebracht. Zijn ogen schoten heen en weer van Zeiz naar de straat. Hij haalde een verfrommeld pakje siga-retten uit zijn zak, stak een sigaret op en inhaleerde diep. Een zucht van frustratie ontsnapte aan zijn mond, terwijl hij de rook uitblies. Ten slotte gebaarde hij Zeiz binnen te komen.

Zeiz wachtte in het halletje, dat op een overvolle kapstok na leeg was. Er hing een penetrante zure geur. Op het commissariaat had hij horen vertellen dat enkele bewoners van Ter Hilst een proces hadden aanges-pannen tegen de sociale huisvestingsmaatschappij omdat de muren van hun huizen aangetast waren door schimmels. Zeiz inspecteerde de muren van het enge halletje. Er lag een grauw waas over. Zeiz vermoedde dat iedereen in het huis rookte en dat bovendien om energie te sparen de kamers nooit werden verlucht.

Even later kwam Mustafa terug met zijn zoon. De jongen zag er bleek en moe uit. Zijn haren waren verward, alsof hij pas uit zijn bed kwam. Hij vermeed het Zeiz aan te kijken.

'Zeg tegen de politieman dat je met Yusuf en Tarik niets te maken hebt,' zei zijn vader. 'Vooruit, zeg dat je ze allang niet meer had gezien.'

Jisa knikte. 'Al bijna een jaar niet meer.'

'Sinds hij door hun schuld bij de jeugdrechter is moeten komen,' voegde zijn vader daaraan toe.

'Tarik heeft jou eergisteren nog gebeld,' zei Zeiz.

Jisa schudde zijn hoofd. 'Daar weet ik niets van.'

'Rond elf uur. Vlak voor hij is vermoord. Jullie hebben tien minuten met elkaar gesproken.'

Mustafa keek zijn zoon dreigend aan. 'Is dat waar?'

'We kunnen het bewijzen,' zei Zeiz. 'Het heeft geen zin dat te ontkennen.'

'Misschien,' zei Jisa aarzelend. 'Ja, oké, hij heeft gebeld, maar ik heb hem niet gezien.'

'Waarom belde hij?'

'Weet ik niet meer. Ik heb hem gezegd dat hij mij met rust moest laten.'

'Tarik was bang. Wat wilde hij van jou? Wilde hij dat je hem zou helpen?'

'Mijn zoon heeft met die gangsters niets te maken, dat heeft hij toch al gezegd,' zei Mustafa.

Zeiz negeerde hem. 'Maar hij was jouw neef, Jisa, en vroeger was hij ook jouw vriend. Hij belde naar jou, omdat hij angst had, hij wist dat iemand achter hem aan zat. Hij vroeg aan jou om hem te helpen, maar jij weigerde dat. En nu is hij dood.'

Jisa keek met een ruk op. De tranen schoten hem in de ogen. 'Ik kon toch niet weten wat er zou gebeuren!' riep hij uit.

'Nee?' Zeiz glimlachte fijntjes. 'Als je je neef had geholpen, leefde hij nu misschien nog.'

Jisa staarde hem aan met een blik waarin vertwijfeling en minachting lagen. Plots begon hij te snikken. Uit zijn broekzak haalde hij een beduimelde zakdoek waarin hij zijn neus snoot.

'Gedraag je als een man,' zei Zeiz, 'en vertel me wat je weet.'

'Ik weet niets,' snikte Jisa.

'Van wie had Tarik angst?'

'Ik weet het niet.'

'Yusuf en Tarik zijn vermoord, dat weet je toch?' Zeiz haalde uit zijn zak de foto's van de dode jongens zoals ze aangetroffen waren in het nieuwe gerechtsgebouw en op het oude kerkhof. Hij had speciaal voor dit gesprek twee haarscherpe beelden meegebracht, waarop alle bloederige details zichtbaar waren.

'Kijk eens goed, Jisa,' zei hij, terwijl hij naar de foto's wees. 'Dat is Yusuf en dat is jouw neef Tarik. Je herkent ze bijna niet meer, hè? Zo zagen ze eruit nadat de moordenaar hen onder handen had genomen. Wat denk je, wie doet zoiets?'

Jisa staarde vol afgrijzen naar de foto's. Zijn mond viel open. Toen keek hij naar zijn vader, bijna smekend, alsof hij van hem een verklaring verwachtte voor de onmenselijke wreedheid die hij net had moeten aanschouwen.

Mustafa Kanli slikte en wendde vlug zijn blik af. 'Een racist, alleen racisten doen zoiets,' fluisterde hij. Maar wat hij zei, klonk niet overtuigend.

'Wie heeft dat gedaan?' vroeg Zeiz.

'Ik weet het niet!' riep Jisa.

'Hoe moet mijn zoon dat weten?' vroeg Mustafa. 'Mijn zoon is een fatsoenlijke jongen. Hij heeft met die gangsters niets te maken.'

'Van wie had Tarik angst?' drong Zeiz aan.

Jisa wilde iets zeggen, maar bedacht zich en schudde zijn hoofd. Toen hij zijn vader een zoveelste sigaret zag opsteken, keek hij verlangend naar het pakje sigaretten, maar zijn vader stak het weer weg.

Zeiz bedacht dat de jongen tegenover hem eigenlijk nog een kind was. Yusuf Hallil en Tarik Kanli waren van een ander kaliber geweest. Zeiz vermoedde dat Jisa een meelopertje was.

'We weten dat jij, Yusuf en Tarik deel uitmaakten van de bende van Moussa Jawad.'

'Nee, daar was ik niet bij, daar weet ik niets van.'

'Je geeft dus toe dat er een bende was?'

'Er was helemaal geen bende. Moussa heb ik maar één keer of zo gezien.'

132

'Of zo? Dat zoeken we nog wel uit, daar kun je zeker van zijn.' Zeiz besloot te bluffen. 'Het is allemaal fout gegaan toen Yusuf zijn portefeuille verloor.'

Jisa verstarde. 'Ik weet niets van een portefeuille,' riep hij. De paniek stond duidelijk in zijn grote ogen te lezen.

Die reactie kwam snel, dacht Zeiz. Te snel. Ook Tarik had tijdens zijn verhoor nerveus gereageerd toen dat onderwerp ter sprake kwam.

'Ik denk dat het zo is gegaan' zei Zeiz. 'Yusuf verliest zijn portefeuille. Iemand vindt hem. In de portefeuille zit zijn identiteitskaart. Daarna wordt hij vermoord. Mijn vraag aan jou is: door wie?'

Jisa keek naar de vloer en schudde het hoofd. Hij gaf de indruk niet meer echt te luisteren.

'Laat mijn zoon met rust,' kwam zijn vader tussenbeide. 'U vraagt dingen waar wij niets van afweten. En wat heeft dat allemaal met Tarik te maken?'

'Je hebt gisteren tien minuten lang met Tarik gebeld. Waarover hebben jullie het gehad?'

'Ik weet het niet meer,' zei Jisa.

'Heb je weed bij hem gekocht?'

Jisa antwoordde niet en keek geschrokken naar zijn vader.

'Mijn zoon neemt geen drugs meer,' blafte Mustafa. 'Dat heb ik u toch al gezegd. Ik wil dat u ons met rust laat. Ga achter die moordenaars aan, die racisten die onze kinderen kapot maken.'

Zeiz liet zich niet van de wijs brengen. 'Tarik was een dealer. Hij had een grote hoeveelheid drugs in huis. We weten dat hij jou eergisteren heeft gebeld. Heeft hij jou drugs aangeboden in ruil voor jouw hulp?'

Zeiz was nog maar net uitgesproken of Mustafa Kanli vloog op zijn zoon af en gaf hem een klap tegen zijn hoofd. De jongen verloor het evenwicht, maar kon zich nog net staande houden tegen de muur. 'Heb je die vuiligheid weer gerookt?' brulde de man zijn zoon in het gezicht. 'Je had me beloofd om het niet meer te doen.'

Jisa schrok, hief als bescherming de handen boven zijn hoofd, maar deed verder geen poging om zijn vader te ontwijken. Er was iets in zijn blik dat Zeiz trof. Er was iets gebeurd dat zijn houding had doen veranderen, van het ene moment op het andere. Net zoals tijdens het verhoor van Tarik Kanli, toen ze over de inhoud van Yusufs portefeuille waren begonnen, was ook dit gesprek om een of andere reden gekanteld. Had hij iets fouts gezegd?

'Het was niet voor mij!' riep Jisa. 'Ik heb er zelf niets van gerookt, echt waar niet. Tarik vroeg of ik het voor hem naar de school wilde brengen. Hij had geld nodig.'

'En dat heb je gedaan?'

'Ja, tien gram of zoiets, hij had het aan iemand beloofd.'

'Waar ga je naar school?'

'Het Heilig-Kruiscollege.'

'Je hebt de weed dus mee naar school genomen. Aan wie heb je hem verkocht?'

Jisa schudde zijn hoofd. 'Ik heb niets verkocht, ik heb de weed alleen maar afgegeven. Maar ik zeg niet aan wie, dat doe ik niet. Ik verraad toch niemand.'

'Ik geloof je niet. Waar is het geld?'

'Ik zweer het, *wallah*, ik heb de weed afgegeven. De betaling zou Tarik zelf achteraf regelen.'

'Je liegt. Zonet zei je dat je hem al bijna een jaar niet meer had gezien. Waarom zou je dan zoiets doen voor hem?'

'Hij bleef maar aandringen. Zo was hij, hij kon echt vervelend zijn. Hij zei, ik kom naar jou toe. Maar ik wilde niet dat mijn vader hem zag. Ik dacht, ik doe het, dan ben ik van hem af. Dat heb ik hem ook gezegd, dat het de laatste keer was en dat ik daarna niets meer met hem te maken wilde hebben.'

'Dus Tarik heeft de drugs hierheen gebracht. Hoe laat?'

Jisa haalde zijn schouders op. 'Weet ik niet meer precies.'

'Je liegt weer. Eerst zei je dat je Tarik niet had gezien, maar alleen had gesproken, aan de telefoon. Nu zeg je dat hij weed heeft gebracht. Je hebt hem dus wel gezien.'

'Nee, ik heb hem niet gezien,' zei Jisa snel. 'Hij heeft de weed ergens gelegd.' Zijn ogen schoten zenuwachtig heen en weer. 'Op mijn scooter, hier naast het huis. Ik bedoel, in de zadelbox van mijn scooter.'

Zeiz dacht koortsachtig na. De jongen loog, daar was hij zeker van. Waarom loog hij? Waarom verzon hij een verhaaltje over een drugstransactie, terwijl hij goed wist dat hij zich daarmee de woede van zijn vader op de hals haalde? Van één ding was Zeiz zeker: het gesprek had een andere wending genomen toen hij over de drugs was begonnen. Hij had ook het gevoel dat de houding van Mustafa Kanli was veranderd. Na die ene agressieve uitval naar zijn zoon was zijn woede plotseling bekoeld en bleek hij de interesse in het gesprek te hebben verloren. Zoon en vader verzwegen iets. Wat was hier aan de hand?

Zeiz voelde plots een hevige antipathie tegenover Mustafa Kanli. Dat de man zijn zoon in bescherming nam, viel nog te begrijpen. Maar hij had op geen enkel moment de wil getoond om het onderzoek verder te helpen. Veel erger nog was dat hij zijn ogen sloot voor de betrokkenheid van zijn zoon en het mogelijke gevaar dat de jongen liep. Zeiz achtte het weinig waarschijnlijk dat hij op de hoogte was van alles wat zijn zoon vroeger had uitgespookt, maar een vaag vermoeden moest hij zeker hebben. Zijn enige reactie was dat hij zijn kop in het zand stak. Bovendien was de manier waarop hij Zeiz had ontvangen niet bepaald vriendelijk geweest, om niet te zeggen onbeleefd. Bezoekers zo koudweg in de hal laten staan zonder hen iets aan te bieden werd in de Arabische wereld eigenlijk als een belediging beschouwd.

Zeiz brak het gesprek dan ook af en verzekerde hen dat hij een van de volgende dagen weer contact zou opnemen.

'Dat is niet nodig,' antwoordde Mustafa Kanli daarop. 'Wij hebben niets meer te zeggen. Wij hebben daar allemaal niets mee te maken.'

Het was kwart voor negen toen Zeiz in zijn auto stapte. Zijn gedachten sprongen spontaan naar Tunesië. In zijn verbeelding wandelde hij onder een bloedhete zon door de poort van het huis van zijn moeder, hand in hand met een vrouw. Die vrouw was Moni.

Voor hij de auto startte, nam hij zijn gsm en toetste haar nummer in. Zijn hart klopte in zijn keel bij het vooruitzicht haar stem te horen. Hoe zou ze reageren? Zou ze hem te opdringerig vinden als hij voor vanavond al een nieuwe afspraak voorstelde? Hij wachtte gespannen terwijl hij naar de kiestoon luisterde. Maar ze nam niet op. Hij weerstond de neiging om meteen een tweede keer te bellen. Waarschijnlijk was ze net in gesprek met een klant en kon ze niet opnemen. Of misschien nam ze principieel niet op tijdens haar werkuren. Toen realiseerde hij zich dat het zaterdag was en dat ze dus vrij had. Hij voelde een diepe teleurstelling. Hij wilde haar zo snel mogelijk terugzien, maar nu twijfelde hij of zijn gevoelens voor haar wel wederzijds waren. Hij verwierp de twijfels, hij moest zich niet aanstellen als een puber. Later zou hij haar opnieuw proberen te bereiken.

Hij startte de auto, verliet Ter Hilst en reed de stad in. Hij overdacht zijn gesprek met Jisa Kanli. Dat had op het eerste zicht niets concreets opgeleverd. Maar net zoals bij het verhoor van Tarik Kanli had hij ook nu het gevoel dicht bij een doorbraak te zijn geweest. Door over de portefeuille te beginnen had hij bij Jisa een gevoelig punt geraakt. En net zoals toen was na dat ene moment het interview gekanteld en was de kans in rook opgegaan. Hij probeerde zich weer voor de geest te halen wat er precies was gezegd en realiseerde zich dat hij zelf van gespreksthema was veranderd door over drugs te beginnen. Jisa was daar gretig op ingegaan, met een doorzichtige leugen. Het risico dat zijn vader woedend zou worden, had hij op de koop toe genomen.

Jisa had vroeger drugs gebruikt, misschien blowde hij nu nog. Maar Yusuf Hallil en Tarik Kanli waren dealers geweest, daarover bestond geen twijfel en dat werd ook door de verslagen van de jeugdrechtbank bevestigd. Moussa Jawad zat een gevangenisstraf uit wegens dealen van heroïne. Waren de jongens een stap te ver gegaan? Was de handel in heroïne en mogelijk andere harddrugs een maat te groot voor hen geweest? Zeiz ging ervan uit dat Yusuf door zijn portefeuille te verliezen zijn identiteit had prijsgegeven en de moordenaar op zijn spoor en dat van Tarik had gezet. Maar waarom moesten de jongens sterven en dan nog op zo'n gruwelijke manier? Wat was er gebeurd?

Hij stopte langs de weg, nam zijn gsm en toetste het nummer van Moni in. Maar ze nam weer niet op. Hij luisterde naar de ingesproken tekst op haar voice mail: 'Monica Desutter kan uw oproep momenteel niet beantwoorden.' Hij ademde diep in. Ze had dus geen tijd voor hem, niet eens een minuutje om een kort sms'je te sturen. Het leek hem overduidelijk: ze hield de boot af, ze wilde geen contact met hem. Hij vloekte hardop en schakelde met een woedend gebaar zijn gsm uit. Wie dacht ze eigenlijk dat ze was? Was ze een spelletje met hem aan het spelen? Hem het hoofd op hol brengen en hem vervolgens negeren? Maar hij was niet van plan haar achterna te lopen. Nooit meer in zijn leven zou hij een vrouw achterna lopen.

Zeiz had om halftien met Sterckx afgesproken bij de gevangenis. Hij parkeerde zijn auto op het parkeerterrein en keek naar het hypermoderne sfinxachtige gebouw, dat hem deed denken aan een fabriek waar een mysterieuze productie plaatsvond. Hij kwam hier met tegenzin. Alleen al de gedachte om binnen te gaan, bezorgde hem een gevoel van claustrofobie.

Toen Sterckx na een kwartier nog altijd niet was komen opdagen, nam Zeiz zijn gsm en herinnerde zich dat hij die had uitgeschakeld. Dat was hij helemaal vergeten. Nadat hij hem weer had aangezet, zag hij dat Sterckx hem had proberen te bereiken. Hij belde meteen terug.

'Ik probeer je al de hele tijd te bellen,' zei Sterckx. 'Sliep je?'

Zeiz voelde het bloed naar zijn hoofd stijgen. Hij had een scherp antwoord willen geven, maar slikte zijn woorden in. Op tijd bedacht hij dat zijn jonge collega het niet kwaad had bedoeld. Eigenlijk apprecieerde hij de directe manier waarop Sterckx met mensen omging. Maar waarom reageerde hij dan nu zo geprikkeld? Blijkbaar had Sterckx met zijn plaagstootje een gevoelige plek geraakt.

'Ze hebben gebeld van de gevangenis,' ging Sterckx verder. 'Moussa Jawad is ziek. De arme jongen voelt zich niet goed, hij heeft krampjes in zijn buikje en is niet in staat een verhoor te ondergaan.'

Zeiz kreeg plots zelf een kramp in zijn maag. Alles leek fout te lopen. Niet alleen zijn maag, ook het onderzoek zat in een knoop. Zijn hele leven zat in een knoop. Hij had het gevoel dat hij ter plaatse trappelde, zoals in een droom waarin je wordt achtervolgd maar er niet in slaagt om vooruit te komen.

'Heb je een nieuwe afspraak kunnen regelen?' vroeg hij.

'Euh, nee...' zei Sterckx.

'Doe dat dan nu,' zei Zeiz. 'Zeg dat het dringend is en dat we maandag langskomen. En we laten ons niet afschepen met een doktersattestje.'

12

Toen Zeiz op het commissariaat aankwam, had Sterckx al een nieuwe af-spraak kunnen regelen met de gevangenis. De volgende maandag om tien uur mochten ze Moussa Jawad een verhoor afnemen. Ze moesten zich bij aankomst melden bij Pamela Ooms, de trajectbegeleidingcoördinator. Zeiz hoorde die naam voor het eerst en de functie was ook nieuw voor hem. Waarschijnlijk was het één van die zogenaamde 'omkaderingsjobs' waarmee gerecht en politie tegenwoordig werden overspoeld. Het ging daarbij om jonge psychologen en sociale werkers die een of andere vorm van ondersteuning of therapie aanboden.

Zeiz' mening hierover was ongenuanceerd ouderwets: het was verbaal tijdverlies. Volgens hem moesten er meer politieagenten in actieve dienst komen. De gewone agenten werden bedolven onder het werk en klopten overuren die ze niet konden terugnemen. In plaats van dat acute probleem aan te pakken, werden zogenaamde begeleiders het veld in gestuurd om getraumatiseerde criminelen een hart onder de riem te steken. Een te sim-pele voorstelling van zaken, dat besefte Zeiz ook wel. Maar vele collega's dachten er net zo over.

Om elf uur kwam de voltallige rechercheploeg samen in de ovale kamer om op het plasmascherm tegen de muur naar de persconferentie te kijken. 'Persconferentie' was eigenlijk een voorbijgestreefde term. Op initiatief van coördinerend commissaris Lambrusco, die zelf niet aanwe-zig kon zijn, gebeurden de 'real life contacten' met de pers voortaan via Jolanda Steukers, het woordmeisje.

Ook dat was een nieuwe ontwikkeling waar Zeiz bedenkingen bij had. In navolging van andere overheidsdiensten en bedrijven had nu ook de Hasseltse politie een aantrekkelijke, welbespraakte jongedame van stal gehaald om voor de televisiecamera's in een uitgebalanceerd communiqué de stand van het onderzoek toe te lichten. De verantwoordelijken zelf bleven onzichtbaar. Het beeld dat de burger van de politie kreeg was dat van een eerlijke, lichtjes blozende jonge vrouw.

Het woordmeisje kweet zich uitstekend van haar taak, daar was iedereen het over eens. Met een ontwapenende flair tekende ze een chronologische schets van het onderzoek, ze somde een paar feiten op en suggereerde een mogelijke onderzoekspiste. Ze liet de naam White Revenge vallen. 'Een bijzonder ernstig spoor waar we onze meest bekwame speurders op hebben gezet.' Er werden nauwe contacten onderhouden met vertegenwoordigers van de allochtone gemeenschap om de betoging van volgende zaterdag vredig te doen verlopen.

Haar boodschap was simpel, meesmuilde Zeiz. Een gevaarlijke sadist vermoordde mensen en allochtone jongeren belaagden de stad, maar alles was onder controle, de toekomst zag er fris en veelbelovend uit.

In stilte verlieten ze de ovale kamer. Zeiz trok zich terug in zijn kantoor. Blijkbaar had niemand hem nodig. Voordat hij de kans kreeg iemand aan te spreken, had Vannuffel zijn ploeg om zich heen verzameld. 'De meest bekwame speurders', zoals het woordmeisje had gezegd. Zeiz hoorde daar blijkbaar niet bij.

Sterckx had vragend zijn richting uitgekeken, maar Zeiz had niet gereageerd. Zijn besluit stond vast: hij weigerde onder leiding van Vannuffel te werken. Ook als hij daardoor weer in conflict kwam met Vanderweyden. Die had alvast elk oogcontact met hem vermeden.

Zeiz was achter zijn laptop gaan zitten en maakte een verslag van zijn gesprek met Mustafa Kanli en diens zoon Jisa. Terwijl hij het interview uitschreef, ontdekte hij wat het was in het gedrag van Jisa's vader dat zijn wantrouwen had gewekt. De man was woedend geworden toen hij hoorde dat zijn zoon nog altijd met drugs te maken had. Maar nadat Jisa het onwaarschijnlijke verhaal had opgedist over de drugs die hij voor zijn neef in de school had afgeleverd, was zijn woede verdwenen. Waarom was Mustafa plotseling gekalmeerd? Was dat omdat hij wist dat het verhaal van zijn zoon was verzonnen?

Zeiz kreeg een inval. Hij nam de telefoon en belde naar het Heilig-Kruiscollege. Hij werd doorverbonden met mevrouw Vandenhoudt van het leerlingensecretariaat. Die gaf hem meteen de informatie die hij wilde hebben: 'Jisa is al een week afwezig, ziek volgens zijn vader, die heeft gisteren gebeld.'

'Gisteren pas, is dat normaal?' vroeg Zeiz.

'Nee, natuurlijk niet,' zei ze. 'Afwezigheden moeten onmiddellijk gemeld en gewettigd worden. Maar Jisa heeft zich dit schooljaar herpakt, hij is nog maar zeven dagen ongewettigd afwezig geweest. Vorig schooljaar waren dat er veel meer.'

'Dus zijn vader is op de hoogte van zijn afwezigheid?'

Mevrouw Vandenhoudt lachte. 'Tja, wij hebben Mustafa Kanli al een paar keer over de vloer gehad. Hij wil geen kwaad woord over zijn zoontje horen. En hij is niet de gemakkelijkste man om mee om te gaan.'

Zeiz bedankte haar. Zijn vermoeden dat Jisa had gelogen, was dus juist geweest. Het kon natuurlijk altijd dat hij de drugs in de school was gaan afleveren. Maar dat was weinig waarschijnlijk. Als je wilt spijbelen, ga je niet eerst even naar school om vervolgens weer te verdwijnen. Hij maakte zijn verslag verder af en ging een kopie in het bakje van Vanderweyden leggen. Toen herinnerde hij zich de nieuwe administratieve richtlijn, ook een initiatief van Lambrusco, die bepaalde dat alle communicatie via het interne netwerk moest lopen. Hij stuurde een mail naar Vanderweyden met in de bijlage het verslag van zijn interview met Jisa Kanli. Hij stuurde meteen ook een kopie naar al zijn collega's die met het moordonderzoek waren belast, en na enige aarzeling ook naar Vannuffel. Hij moest voorzichtig zijn, hij mocht Lambrusco en co niet de kans geven hem op dergelijke details te pakken. Maar hij moest voor zichzelf ook toegeven dat het interne mailverkeer inderdaad veel handiger was.

Daarna belde hij Moni. Hij had niet verwacht dat ze zou opnemen. Hij schrok dan ook toen hij na de eerste beltoon haar stem hoorde.

'Hoi Kareem,' zei ze. 'Je hebt me al eerder proberen te bellen, zag ik. Is er iets gebeurd?'

'Dag Moni,' zei hij. 'Nee hoor, er is niets gebeurd. Ik wilde jouw hulp vragen.'

'Oh, voor je onderzoek...' Ze klonk teleurgesteld, maar er lag ook een beetje spot in haar stem. 'En ik hoopte nog dat het iets persoonlijks was,' ging ze verder.

'Het is ook persoonlijk.' Hij zocht naar de juiste woorden. 'Het zit zo. Ik ben van plan te verhuizen en heb een andere woning op het oog. Maar ik twijfel nog of het de juiste plaats is voor mij.'

'En ik moet jou over die twijfel heen helpen?'

'Het is een domme vraag, ik weet het ook wel.'

'Dus je dacht: ik stel die domme vraag aan een vrouw. Typisch voor een man.'

'Oké, het was maar een vraag,' zei hij.

'Doe nu niet zo gekrenkt,' zei ze lachend. 'Natuurlijk wil ik jou helpen. Vrouwen vallen voor mannen die domme vragen stellen. Wat spreken we af? Om vijf uur, in Het Magazijn? Dan kunnen we verder zien.'

Nadat hij had opgelegd, zat hij nog even voor zich uit te staren. Zijn hart klopte in zijn keel. Moni wilde hem terugzien. Dat had hij zich niet verbeeld. En ze had hem laten verstaan dat ze zich verheugde op het weerzien. Maar er was ook iets anders gebeurd in het gesprek, iets in haar stem had zijn verliefdheid even aan het wankelen gebracht. Was het haar sarcasme geweest? Soms wist hij niet of ze ernstig was of hem aan het lijntje hield. Maar hij schudde de twijfels van zich af. De warmte die hij voelde na het gesprek met haar was echt. Hij had die al te lang gemist.

Hij stond op, ging de deur op slot doen en trok de stekker van de vaste telefoon uit. De rest van de middag bracht hij door met het lezen van de rapporten van de onderzoeksrechter en de jeugdrechter over Yusuf en Tarik. Iemand die hem bezig zag, zou denken dat hij problemen met lezen had, zoals hij daar zat, gebogen over zijn tekst, terwijl hij iedere regel met zijn vinger onderlijnde. Hij had in de loop der jaren de gewoonte aangenomen om getuigenverslagen en andere rapporten heel nauwkeurig en met veel respect te lezen. De stapel die voor hem lag bestond gedeeltelijk uit prints van computerbestanden, maar er zaten ook handgeschreven verslagen bij. Eigenlijk had hij die laatste nog het liefst, en het stoorde hem niet als hij een haast onleesbaar handschrift moest ontcijferen. Iedere tekst, hoe krom geschreven ook, had zijn eigen toon. Alleen door minutieus te lezen kon je ontdekken wat er niet stond.

Terwijl hij daar zat, hing er een doodse stilte om hem heen, die heel het politiegebouw in zijn greep leek te houden.

Hij begon met de rapporten van drie jaar geleden. Sterckx had gelijk, Yusuf en Tarik hadden in de loop der jaren een aardige staat van dienst opgebouwd. Hun eerste kleine vergrijpen, vernielingen van privé- en openbaar bezit, bedreigingen en vechtpartijen waren geseponeerd. Zoals uit de processen-verbaal bleek, vormden ze in 2008 al een hecht duo. De omschrijvingen van de overtredingen waren summier. Zeiz begreep dit maar al te goed, politieagenten werden dagelijks geconfronteerd met dit soort van overlast en maakten er niet veel woorden meer aan vuil. Yusuf was een eerste keer door de onderzoeksrechter naar de jeugdrechter verwezen op 7 mei 2008. Hij was een praktijkleraar op een school in Genk met een stuk sanitaire buis te lijf gegaan. De man was als gevolg daarvan een maand werkonbekwaam geweest. Hallil was van die school weggestuurd en Tarik was hem gevolgd naar het Heilig-Kruiscollege in Hasselt, waar zich later die vreselijke zaak met Moni had afgespeeld. Ook Jisa Kanli ging daar naar school, nog altijd overigens. De jeugdrechter, Hilde Luydts, schreef: 'Yusuf geeft blijk van weinig empathisch vermogen. Zijn gevoelsarmoede is beklemmend. Hij toont geen enkele spijt over wat hij zijn slachtoffer heeft aangedaan. Een psychiatrisch onderzoek dringt zich op.' Zeiz bladerde verder. Er was blijkbaar geen gevolg gegeven aan dat advies. Yusuf was ervan afgekomen met een alternatieve straf in gemeenschapsdienst. In een verder verslag las Zeiz: 'Yusuf Hallil heeft geen gevolg gegeven aan de vordering van de alternatieve straf.' Daarmee was het dossier gesloten. Zeiz noteerde de naam van de praktijkleraar.

Op 5 februari 2009 werden zowel Yusuf als Tarik betrapt op het bezit en gebruik van cannabis en XTC. Maar verder dan een proces-verbaal kwam het ook deze keer niet. In augustus werden ze door de jeugdrechter onder begeleiding geplaatst, wat erop neerkwam dat ze onderworpen werden aan een regime van drugscontrole. Maar daar kwamen ze niet opdagen. Ook dit dossier werd gesloten. Yusuf raakte een maand later betrokken bij een vechtpartij in een café, waarbij hij een andere jongen ernstig verwondde. Twee maanden later werd Tarik aangehouden voor het verhandelen van drugs, bij hem thuis werd vijftig gram cannabis aangetroffen.

Zeiz stak de stekker van de vaste telefoon weer in en belde naar jeugdrechter Hilde Luydts. Ze nam meteen op, haar stem klonk luid en helder alsof ze naast hem zat.

'Aha, Kareem,' zei ze toen ze hoorde waarvoor hij belde. 'Ik dacht al: hoelang zal het duren voor de politie contact opneemt met ons?' Er lag een toon van spijt in haar stem. 'Ik moet zeggen dat het dit keer erg lang heeft geduurd.'

Hij voelde het schaamrood naar zijn wangen stijgen. 'Je weet hoe dat gaat bij zo'n onderzoek,' zei hij verontschuldigend. 'Ik heb de dossiers vandaag eerst kunnen lezen. Maar ik weet nu dus wat Yusuf Hallil en

Tarik Kanli op hun kerfstok hadden.'

'Je bedoelt, wat aan de oppervlakte is gekomen,' verbeterde ze hem. 'We vermoeden dat die jongens veel meer hebben uitgespookt dan wij weten. Nogal wat slachtoffers dienen geen klacht in. Bijvoorbeeld jongeren die onder bedreiging afgeperst worden. Die schamen zich vaak om daarmee naar buiten te komen. Of vrouwen die het slachtoffer zijn van seksueel geweld, dat is klassiek.'

Zeiz was even van zijn stuk gebracht. 'Dacht je aan een bepaalde zaak?' vroeg hij.

'Nee, waarom vraag je dat?' Ze lachte. 'Dacht jij misschien aan een bepaalde zaak?'

Hij aarzelde. Hij had een goede herinnering aan de keren dat hij met Hilde Luydts had samengewerkt. Ze was bovendien het type vrouw dat hij mocht: scherp van tong en open-minded. Hij besloot eerlijk te zijn.

'Ja, eigenlijk wel,' zei hij. 'Ik heb tijdens het onderzoek een vrouw ontmoet die door Yusuf en Tarik is aangerand. En ze heeft inderdaad geen klacht ingediend.'

'Dat kan ze nog altijd, ook al is het een jaar geleden.'

Zeiz schrok. Het leek wel of Luydts wist over wie hij het had. Maar toen besefte hij dat het alleen toeval kon zijn.

'Het is inderdaad een jaar geleden gebeurd,' zei hij. 'Maar heeft klacht indienen nog veel zin nu de jongens dood zijn?'

'Toch wel.' Luydts stem klonk beslist. 'Uit zelfrespect. En omdat het belangrijk is in kaart te brengen welke schade die jongens hebben aangericht. Wat jij nu vertelt, bevestigt ons vermoeden. Zeker Yusuf heeft veel meer uitgespookt dan in de officiële dossiers staat. We kennen alleen het topje van de ijsberg.'

Zeiz bladerde door het verslag dat voor hem lag. 'Je had het over afpersing en seksueel geweld. Ik neem aan dat dat niet toevallig was. Maar van Yusuf is slechts één geval van afpersing vermeld. Over seksueel geweld heb ik niets gevonden.'

'Zoals ik al zei, onze dossiers vermelden alleen officiële strafonderzoeken en rechtszaken. Als er geen klacht wordt ingediend, weten we het niet. Maar ook de geseponeerde klachten kennen we niet. En al zeker niet de klachten die achteraf zijn ingetrokken. Officieus weten we dat er over hem meerdere klachten van seksuele agressie bij de politie zijn binnengekomen. Klachten die achteraf weer werden ingetrokken voordat er een effectieve confrontatie plaatsvond. Yusuf werd voor zover wij weten nooit psychiatrisch onderzocht, maar volgens mij was hij een gevaarlijke sociopaat. Zijn naam duikt ook op in vele andere dossiers. Niemand was bereid tegen hem te getuigen, in geen enkele zaak. Dat zegt toch al iets.'

'Hij trok vaak op met Tarik Kanli. Wat ik probeer uit te zoeken is wie tot hun vaste entourage behoort.'

'Je bedoelt: was er een bende en wie zat erin?'

'Ik ga ervan uit dat er een bende is, of ten minste was.'

'Dat dachten wij ook. Toevallig hebben we daar ook zicht op. Enkele maanden geleden heeft een jonge stagiaire op onze begeleidingsdienst geprobeerd om van Yusuf en zijn kompanen een soort organigram op te stellen. Er waren een paar namen die telkens opnieuw opdoken, meestal jongens die al eerder met het gerecht in aanraking waren gekomen. Ze opereerden altijd in groep, maar een vaste bende schijnt er niet te zijn geweest. Ik zal je dat onderzoekje doormailen.'

'Jij kende Yusuf en Tarik. Graag had ik jouw mening over een theorie die ik heb. Beiden zijn gruwelijk verminkt, maar Yusuf is voor hij stierf zeker uitgebreid gemarteld. Het lijkt een wraakactie. Of misschien wilde de dader informatie uit hem loskrijgen. Het lijkt er volgens mij op dat ze ergens bij betrokken waren, een grote drugsdeal of zo. Mogelijk hebben ze geprobeerd om iemand te belazeren. Wat denk jij?'

'Hmm. Zou kunnen. Kijk, wij zijn twee van onze lastigste klanten kwijt. Maar grote lichten waren ze nu ook weer niet. Er zat geen systeem in wat ze uitspookten. Ze lieten een spoor van vernieling en ellende achter zich. Ze richtten schade aan, soms grote schade. En ze dealden. Maar voor het grotere misdaadwerk waren ze volgens mij te klein.'

'Misschien veranderde dat met Moussa Jawad?'

Luydts zuchtte. 'Ja, die kennen we ook, maar al te goed. Moussa Jawad is een kaliber groter. Maar hij is niet meer onze zorg sinds hij meerderjarig is.'

'Die jongens trokken met hem op. En hij zit momenteel voor een heroïnedeal.'

'Die jongens kijken op naar een idioot als Moussa Jawad. Hij is agressief, brutaal en rijdt in dure auto's rond. Die gevangenisstraf zal zijn prestige alleen maar groter maken, vrees ik. Waarschijnlijk gebruikt hij die jongens uit Ter Hilst als dealertjes, of voor kleinere klussen, zoals het hem uitkomt. Misschien heeft hij hen wel meegesleept in iets dat te groot voor hen was. Zou kunnen, maar ik heb mijn twijfels. Jawad is gevaarlijk, we zullen nog van hem horen, vrees ik. Maar ik dacht dat jullie achter een extreemrechtse racist aan zaten, hoe heet hij weer?'

'Hij noemt zichzelf of zijn organisatie White Revenge.'

'Je klinkt alsof je er zelf niet in gelooft.'

'Het is een van de sporen die we volgen.'

'Racisme lijkt me een plausibele verklaring. Als je ziet wat die gasten allemaal hebben uitgespookt. En nu heeft er blijkbaar iemand wraak genomen, één van hun vele slachtoffers.'

'Een combinatie van wraak en racisme dus?'

Luydts lachte luid. 'Ik heb er eerlijk gezegd geen idee van. Ik ben geen politieagent. Ik ken de feiten van het onderzoek niet, ik weet alleen wat er in de kranten staat.'

'En hoe past Jisa Kanli in dat plaatje?' vroeg Zeiz.

'Jisa Kanli is één van de uitzonderingen. Soms slaagt iemand er weer in het rechte pad terug te vinden. Jisa is zo iemand, althans dat hopen wij. Hij volgt braaf de drugscontrole, hij gaat regelmatig naar school. Voor zover wij weten heeft hij gebroken met zijn vroegere vrienden. Hij is één van de probleemjongeren die tekens van verbetering geven.'

'Met zijn neef Tarik had hij blijkbaar toch nog contact,' zei Zeiz.

'Daar weet ik niets van, maar ze zijn, of beter gezegd waren, nog altijd familie. De indruk die wij hebben, is dat de vader greep heeft gekregen op zijn zoon. De jongen aanvaardt zijn gezag weer. Het grote gevaar in de Marokkaanse en Turkse gezinnen is precies het wegvallen van die familiale controle. Ouders verliezen het contact met hun kinderen en dan heb ik het meer bepaald over de jongens.' Ze zuchtte diep. 'Ik hoop dat ik jou een beetje heb kunnen helpen.'

Zeiz bedankte haar en beëindigde het gesprek. Op zijn gsm was ondertussen een sms'je binnengekomen. Het was van Cathy. Ze schreef: 'Vanavond kom ik mijn televisie halen. Om negen uur!'

Hij antwoordde niet, legde zijn voeten op zijn bureau en leunde achterover in zijn stoel. Binnen de paar seconden viel hij in slaap. Toen hij een half uur later wakker schoot, herinnerde hij zich dat hij gedroomd had en dat het iets met zijn vader te maken had. Hij nam zijn gsm en belde de oude man op.

Zijn vader nam meteen op. 'Dat is telepathie,' zei hij. 'Ik stond net op het punt je te bellen. Ik mag vroeger naar huis dan verwacht. Kun je me komen halen?'

'Wanneer?'

'Nu meteen.'

Zeiz stond perplex. 'Ja, maar...'

Zijn vader onderbrak hem. 'Ik weet al wat je nu gaat zeggen. Je hebt geen tijd. Dat kan ik begrijpen. Je zit achter een sadistische moordenaar aan, dat is niet niets.'

'Het is twee uur in de namiddag en ik zit op kantoor.'

'Het was maar een vraag, hoor. Ik geraak ook zo thuis. Ik heb kanker, maar nog niet terminaal. Ik kan nog lopen.'

Zeiz voelde een steek in zijn maag. De gedachte dat zijn zieke vader almaar meer afhankelijk van hem zou worden, gaf hem een beklemmend gevoel. Zijn zus woonde in Tunesië, de zorg kwam volledig op zijn schouders te liggen. Hij twijfelde of hij dat aankon. En of hij dat wel wilde. Misschien was dat nog het ergste, het besef dat hij ertegenop zag al zijn vrije tijd in de verzorging van die moeilijke oude man te moeten steken.

'Maar om vier uur is ook goed,' zei zijn vader. Dan breng ik nog een bezoekje aan mijn depressieve vriend de Rat.'

Plots had Zeiz een idee. 'Cathy komt vanavond haar flatscreen ophalen, rond een uur of negen. Maar ik kan er niet zijn. Misschien kun jij haar in mijn plaats ontvangen? Dan kom ik je oppikken om vier uur.'

Het was even stil aan de andere kant van de lijn. 'Moet je vanavond werken of heb je een date?'

'Een date.'

'Aha. En wat eet ik terwijl jij gezellig op restaurant zit?'

'Er is een goede Chinees op de hoek. En in de ijskast staat een fles Boukha.' Boukha was Tunesische vijgenjenever. Zeiz had de fles bij zijn laatste bezoek uit Tunesië meegebracht. De oude man was gek op de vijgenjenever.

Hij hoorde zijn vader goedkeurend grommen. 'Afgesproken. Om zes uur spelen Canada en Noorwegen de finale in het curling. Dan kijk ik bij jou.'

Zeiz stuurde een sms'je naar Cathy met de boodschap dat ze haar televisietoestel om negen uur kon komen ophalen.

Tevreden met de regeling die hij had getroffen, verliet hij het politiegebouw. Op het parkeerterrein hoorde hij achter zich iemand zijn naam roepen. Het was Sterckx.

'Je kijkt zo bedrukt,' zei Zeiz. 'Volgens mij ga je te veel met Vannuffel om.'

'Dit is niet meer grappig, Kareem, echt niet. Ik moet met je praten. Maar niet hier...' Sterckx keek vluchtig over zijn schouder naar het donkere gebouw waarvan de ramen reflecteerden in de zon die even door de regenwolken brak. Hij nam Zeiz bij de arm en leidde hem door de ingangspoort naar de straat. Ze wandelden over het trottoir, terwijl een lange rij auto's met een slakkentempo door de straat bewoog.

'Is het waar dat je bij ons weggaat?' vroeg Sterckx.

'Wie zegt dat?'

'Het is een gerucht dat al een tijdje rondgaat.'

'Zoals het gerucht dat ik ziek zou zijn?'

'Doe niet alsof er niets aan de hand is.' Sterckx had moeite om zijn irritatie te verbergen. 'Je bent niet meer bij de dienstbesprekingen. Niemand weet wanneer je komt of gaat. Je overlegt niet meer met ons. Je zit in je eentje onderzoek te doen.'

'Wie zegt dat ik wegga? Vannuffel?'

'Vannuffel was razend toen hij hoorde dat je naar iedereen een mail had gestuurd behalve naar hem. Hij is nog altijd onze chef, officieel dan toch.'

'Ik heb die klootzak wel een verslag gestuurd!' viel Zeiz uit. 'Hij liegt.' Hij ademde diep in. 'Ik kan die vent onmogelijk als mijn chef beschouwen. Vannuffel heeft misschien kwaliteiten als politieagent, maar niet genoeg om een onderzoek als dit te leiden.' Hij haalde zijn schouders op. 'Maar blijkbaar sta ik met dit standpunt alleen.'

'Jij bent niet de enige die daar zo over denkt, maar wat wil je dat we doen? Moeten we uit protest het werk neerleggen?'

'Ik weet wat ik moet doen,' zei Zeiz, 'dat is voldoende.'

Sterckx keek naar de grond. 'Het ogenblik nadert dat je niets meer mag doen,' zei hij. 'Is het waar dat Vannuffel een klacht tegen je heeft ingediend en er een tuchtonderzoek is gestart?'

Zeiz aarzelde. Zijn interne problemen gingen niemand iets aan, maar blijkbaar had Vannuffel zitten opscheppen. De vete werd op de spits gedreven. 'Ja, Vannuffel sleurt mij voor de tuchtraad omdat ik zijn gezag niet aanvaard. En dat klopt ook. Ik weiger te werken onder een man die geen hoofdzaken van bijzaken weet te onderscheiden. En die een ernstig spoor niet au sérieux neemt.'

'White Revenge is een ernstig spoor, dat kun je toch niet ontkennen.'

'Ik heb nooit gezegd dat het een verkeerd spoor is. Ook als dat achteraf zal blijken, dan nog is dat geen schande. Maar we mogen de andere sporen niet verwaarlozen.'

Het was weer beginnen te regenen. Sterckx droeg alleen een hemd met korte mouwen, dat in enkele seconden doorweekt was, zodat zijn gespierde lichaam zichtbaar werd. Hij had een tatoeage op zijn rechterschouder, die echter vaag bleef onder het stof.

Zeiz bedacht dat hij in een goede ploeg terecht was gekomen. De agenten waren stuk voor stuk eigenzinnige karakters die er evenwel in slaagden hun sterke punten gezamenlijk in stelling te brengen. Alleen de leiding liet te wensen over. Vanderweyden had een goede reputatie als politieman, maar als baas ontbrak hem de kracht om tegen middelmatige strebers als Vannuffel en Lambrusco in te gaan.

Zeiz had het in zijn loopbaan vaak genoeg gezien: goede krachten die door een promotie op de verkeerde plaats terechtkwamen. Hij nam zich voor om die fout nooit te maken. Hij hoopte van zichzelf dat hij ooit een goede commissaris zou zijn. Verder wilde hij zelf niet geraken.

'Vannuffel eist iedereen op voor zijn onderzoek,' zei Sterckx. 'En Lambrusco heeft een nota verspreid waarin staat dat de jacht op White Revenge topprioriteit heeft.'

Zeiz knikte. 'En, hebben jullie al iets bereikt?' vroeg hij.

'We hebben in kaart gebracht wie in Hasselt en omstreken banden met extreemrechts heeft,' zei Sterckx. 'Die worden nu allemaal een voor een aan de tand gevoeld. En we schuimen het internet af op zoek naar verdachte personen en berichten.'

Zeiz zei niets. Dat was als zoeken naar een naald in een hooiberg. De kans was bovendien groot dat ze in de verkeerde hooiberg aan het zoeken waren.

'Ik weet wat je denkt,' zei Sterckx. 'Het is een vaag spoor. Maar Roger Daniëls had gisteren een goed idee. Zoals je weet, maakt White Revenge gebruik van onbeveiligde netwerken om zijn boodschappen te versturen. Roger wil nu een soort van internetval opstellen. We plaatsen in verscheidene politieauto's die door de stad patrouilleren een laptop met een onbeveiligd account.'

'En wachten dan tot hij ergens binnendringt.'

'Precies.'

'Dus jullie verwachten een derde moord?'

'We weten het niet. We houden er rekening mee dat de dader nog een keer toeslaat. Wat denk jij?'

'Ik denk dat ik vandaag nog een keer met Jisa Kanli ga praten. Die jongen heeft angst, net zoals zijn vermoorde neefje. Misschien heb ik geluk en is zijn vader niet thuis.'

'Ik zou graag met je meekomen,' zei Sterckx. Er klonk oprechte spijt door in zijn stem. 'Maar Lambrusco heeft bepaald dat iedereen stand-by moet zijn.'

Ze gaven elkaar een stevige handdruk. De regen viel in lange stralen over hen heen.

'Ik heb zo'n raar gevoel, Kareem,' zei Sterckx. 'Soms denk ik dat de moordenaar precies weet waarmee we bezig zijn en rustig zijn kans afwacht om weer toe te slaan.' Hij keek zijn collega bezorgd aan. 'Wees voorzichtig. Geef me een seintje als je me nodig hebt.'

Zeiz reed naar het ziekenhuis om zijn vader op te halen. Toen hij van het parkeerterrein naar de hoofdingang liep, zag hij tot zijn verbazing de oude man al buiten staan, op de plaats naast de hoofdingang, waar het rokershoekje was ingericht.

Zijn vader zei niets en weigerde zijn koffer door Zeiz te laten dragen. Ze liepen zwijgend naar de auto.

'Is er iets, pa?' vroeg hij. Maar de oude man antwoordde niet. Zeiz bekeek zijn vader van opzij. Was er iets gebeurd in het ziekenhuis? Had een van de dokters hem een onaangename boodschap gebracht? De waarheid was onaangenaam, zijn vader had kanker, dat was een feit. Maar die diagnose was al een tijd geleden gesteld.

Pas toen ze in de auto zaten en de stad inreden, begon hij te praten. Zijn stem trilde.

'Je laat me een uur wachten en je verontschuldigt je niet eens,' zei hij. Een scherpe nicotinegeur verspreidde zich in de wagen.

Zeiz keek zijn vader verbaasd aan. 'We hadden toch om vier uur afgesproken. Ik was zelfs vijf minuten te vroeg.'

'We hadden om drie uur afgesproken.'

'Om drie uur? Nee, om vier uur, daar ben ik zeker van.'

Zijn vader schudde het hoofd en zei schamper: 'Ik neem aan dat je het druk hebt met het opjagen van Marokkanen en het neerschieten van goudvissen. Maar dat geeft je nog niet het recht om mij daar een uur buiten te laten staan.'

'Niemand verplicht je om buiten te blijven staan,' zei Zeiz. 'Maar ik neem aan dat je daar hebt staan roken.'

'Ik heb je proberen te bellen, maar je nam niet op.'

Zeiz nam zijn gsm uit zijn zak en zag dat het toestel was uitgeschakeld. Dat gebeurde vaker de laatste tijd, hij vermoedde dat de batterij los zat.

'Mijn gsm is uitgevallen,' zei hij.

'Als uitvlucht kan dat tellen.'

Zeiz hapte naar adem. 'Ik zoek geen uitvlucht. Ik weet wat ik met jou had afgesproken. Ik zou je om vier uur afhalen. En ik heb me aan die afspraak gehouden.'

'Drie uur, hadden we gezegd. Ik ben wel ziek, maar nog niet seniel,' riep zijn vader plotseling met overslaande stem. 'Je hoeft geen rekening te houden met mij. Ik kan je ook niet verplichten om iets voor mij te doen, ik kan het alleen maar vragen. Maar als je dan ja zegt, reken ik er ook op dat je het doet.'

Zeiz stopte abrupt, zodat zijn vader vooroversloeg en met zijn hoofd bijna het dashboard raakte. Hij had natuurlijk weer zijn veiligheidsgordel niet omgedaan.

Zeiz nam zijn agenda uit zijn zak en bladerde erin. 'Hier, lees,' zei hij. 'Ik heb het meteen genoteerd toen we telefoneerden.'

Maar zijn vader weigerde te kijken en schudde koppig het hoofd. 'Wat in jouw rode boekje staat interesseert me niet.'

Ze reden verder. Zeiz vroeg zich af hoe het verder moest. De oude man was ernstig ziek, hij had van de dokters gehoord dat hij kanker had en dat zijn dagen waren geteld. Maar gaf hem dat het recht om zo te keer te gaan? Zeiz vond van niet. Zelfs al had zijn vader gelijk en hadden ze afgesproken om drie uur, dan nog was zijn reactie buiten proportie.

Zijn vader was altijd al een onredelijke man geweest, herinnerde Zeiz zich. En waarschijnlijk hadden de lange jaren van alleen leven die karaktertrek alleen maar scherper gemaakt. Zelf was Zeiz op achttienjarige leeftijd na een hevige ruzie definitief het huis uitgegaan. Toen had hij gezworen dat hij zijn vader nooit meer zou zien. Die woede kwam nu weer naar boven.

Zeiz besloot verder niets meer te zeggen. Zijn vader zei ook niets meer. Hij zat nukkig voor zich uit te staren, met de koffer op zijn schoot, als een verongelijkt kind. Maar precies daar knelde het schoentje, bedacht Zeiz. Naast hem zat geen kind, maar wel een humeurige oude man. Hij huiverde. De toekomst zag er donker uit. Het was wachten op de aftakeling met al haar fysieke en psychische complicaties. Dit was nog maar een voorproefje. Er kwam iets op hem af dat zijn krachten te boven ging.

Zeiz stopte bij de kade van de Blauwe Boulevard. Hij gaf zijn vader de sleutel van de flat. Zijn vader stapte uit zonder afscheid te nemen.

Toen Zeiz de straat uitreed, zag hij dat het Chinese restaurant op de hoek gesloten was. Er hing een bordje met 'TE HUUR' op een van de ramen.

13

De blauwe Mercedes Vito stond met twee wielen op het trottoir geparkeerd, onreglementair maar gebruikelijk in Ter Hilst, waar elk vrij plaatsje een potentiële parkeerplaats was. Volgens een stilzwijgende overeenkomst tussen de bewoners, nam Zeiz aan. Zo keek er ook niemand meer van op dat het grasperk rond het speelpleintje door de wielen van de geparkeerde personenwagens in een modderpoel was herschapen.

Zeiz reed stapvoets door de Elleboogstraat, op zoek naar een parkeerplaats. In het voorbijrijden zag hij dat de luiken van Mustafa Kanli's huis gesloten waren. Nog zo'n detail dat hem trof: de luiken waren fonkelnieuw, als veel te heldere vullingen in een oude gele kies.

Waarom, zo vroeg hij zich af, stond de wijk bomvol auto's, maar viel er geen levende ziel te bespeuren op straat? Dat lag natuurlijk gedeeltelijk aan het weer: de regen viel in lange zware stralen uit een grijze hemel. Het was nog maar halfvijf 's middags en hier en daar sprongen de straatlantaarns al aan.

Maar hij kon zich niet van de indruk ontdoen dat de mensen zich hier in hun huizen verscholen, alsof ze angst hadden.

De binnenstad was op dit moment het toneel van een 'antiracismebetoging', die om drie uur was begonnen. Volgens de organisatoren was het een demonstratie van nationale en mogelijk zelfs internationale omvang. De politie had bij de start zevenhonderdvijftig personen geteld. Voor één keer zat het weer dus mee, bedacht Zeiz. Hij wist uit zijn Brusselse periode dat regenweer de gemoederen van betogers temperde en hen afschrok. En voor de allochtone amokmakers was geen principe heilig genoeg om hun baseballpetjes en witte schoenen vuil te maken.

Zeiz vond enkele straten verder een plaatsje voor zijn auto. Voor hij uitstapte, wrong hij zich in zijn regenjas. Hij bevestigde zijn dienstwapen op de clip aan de achterkant van zijn broeksriem. Het gebeurde eigenlijk niet vaak dat hij zich in diensttijd gewapend op straat begaf. Ook nu was er niet echt een noodzaak, vond hij, hij wilde alleen met Jisa Kanli gaan praten en eventueel een korte verkenningswandeling door de buurt maken. Maar hij was op zoek naar een man die twee jongens op brutale wijze had vermoord. En hij was tenslotte alleen op pad. Hij moest denken aan wat Adam Sterckx had gezegd toen ze in de regen achter het commissariaat stonden te praten, namelijk dat hij dacht dat de moordenaar hun bewegingen nauwgezet observeerde en zijn eigen handelingen daarop afstelde.

Het tweede slachtoffer was op klaarlichte dag ontvoerd. Zeiz stapte uit zijn wagen en keek om zich heen. Het moest hier ergens in de buurt zijn gebeurd, daar was hij zeker van, ook al kon hij niet precies zeggen waarom hij dat dacht. Ze hadden te maken met een koelbloedige organisator, die er echter niet voor terugschrok risico's te nemen. Hij had Yusuf naar het centrum van de stad vervoerd en op de vijfde verdieping van het gerechtsgebouw te kijk gehangen.

Terwijl hij gebukt in de regen de straat overstak, redeneerde Zeiz verder. De moordenaar was bij Tarik snel tewerkgegaan. Hij had een advocaat ingehuurd om hem vrij te krijgen. Mogelijk was hij ervan uitgegaan dat de jongen rechtstreeks naar huis zou gaan en had hij hem hier in de wijk opgewacht. Hij had toegeslagen waar niemand het verwachtte. Dat laatste kon Zeiz uiteraard niet bewijzen, maar het paste bij het profiel dat hij zich van de dader had gevormd.

Zeiz maakte nog een andere bedenking: misschien ging achter de schimmige naam White Revenge inderdaad de dader schuil, en creëerde hij die identiteit alleen maar om de politie op een verkeerd spoor te brengen. Als dat zo was, dan was hij geslaagd in zijn opzet. Maar waarom zou hij zich bezighouden met zo'n kat-en-muisspelletje?

Zeiz belde aan bij Jisa Kanli, maar niemand kwam opendoen. Het huis gaf met zijn gesloten luiken de indruk dat het verlaten was. Onder het afdak stonden nog altijd de scooters. Op de zadels lag een dikke laag stof, wat betekende dat ze al een tijd niet meer waren gebruikt. Uit de metalen pijp op het dak steeg wel een nauwelijks zichtbare zilveren rookpluim op. Eigenlijk had hij kunnen verwachten dat Mustafa Kanli niet meer zou opendoen. Zeiz nam zich voor Jisa maandag in de school te gaan opzoeken, tenminste als hij daar kwam opdagen.

Zijn afspraak met Moni was om vijf uur, dus hij had nog een half uurtje de tijd. Hij liep tussen de geparkeerde auto's over de stoep in de richting van de snelweg. Het geruis van het verkeer achter de geluidsberm was nog duidelijk hoorbaar. Zijn gedachten gingen naar de woordenwisseling die hij zonet met zijn vader had gevoerd. Hij voelde een lichte spijt opkomen. Ze hadden zich beiden aangesteld als kinderen. De oude man had zijn ongelijk niet willen toegeven. En zelf had hij gereageerd alsof hem een groot onrecht werd aangedaan.

Maar ondanks de ruzie had zijn vader woord gehouden en was hij in het appartement van Zeiz op Cathy gaan wachten.

Misschien had hij alleen een aanleiding gezocht om zijn opgekropte emoties te ventileren. Met wie kon hij praten over zijn angst voor de kanker die in zijn lichaam woekerde? In elk geval niet met zijn zoon. Ze gingen met elkaar om zoals ze dat altijd hadden gedaan. Over gevoelens werd niet gepraat. Tranen waren taboe. Toen Zeiz na zijn laatste bezoek aan Tunesië terugkwam in België, had die afstandelijkheid hem wel verrast. Hij had zijn vader bij het weerzien in de armen willen sluiten, zoals dat gebruikelijk was in het land van zijn moeder, maar hij had ervan afgezien toen hij voelde hoe zijn vader verstarde. Bijna had hij een grens overschreden.

Zeiz volgde het zanderige pad dat over de berm voerde. Zijn voet gleed uit en hij raakte met zijn knie de modder. Hij vloekte en probeerde zijn broek schoon te wrijven. Hij keek naar de eindeloze stroom auto's die beneden voorbijraasde. Het had opgehouden met regenen. Tussen de lage regenwolken en de aarde hing een grijze walm van uitlaatgassen. Misschien had zijn vader met die onredelijke woede-uitval zelf een grens overschreden. De grens van de onverschilligheid. Hij had zijn woede en onmacht aan zijn zoon getoond.

Zeiz hoopte dat zijn vaders humeur een boost zou krijgen als hij op de megagrote flatscreen van Cathy de finale van het wereldkampioenschap curling kon volgen. Maar dan kwam het beeld van het gesloten Chinese restaurant hem voor de ogen zweven. Wat moest de oude man vanavond eten?

Hij draaide zich om en keek neer op de huizen van Ter Hilst, die volgens een wiskundig patroon als legoblokjes over het landschap beneden hem waren verdeeld. Meteen kwam een idee bij hem op. Onbewust had hij het hoogste punt opgezocht. Hij wilde een overzicht hebben, daarom stond hij hier. Hij zocht met zijn ogen de huizen van Yusuf, Tarik en Jisa. Ze vormden een driehoek in een cirkel van amper tweehonderd meter doorsnede. Verderop was het tunneltje onder de snelweg, waarlangs Tarik Kanli had willen ontsnappen toen Zeiz en Sterckx achter hem aan zaten. Achter het tunneltje lag het pad dat tussen de velden naar de stad voerde.

Plotseling begreep hij dat de moordenaar de twee jongens op die afgelegen plaats moest hebben opgewacht en ontvoerd. Een rilling ging door hem heen. Het was niet denkbeeldig dat de moordenaar, vooraleer hij tot de actie was overgegaan, op exact dezelfde plaats als Zeiz nu had gestaan en als een strateeg zijn strijdperk had ingeschat.

Als Jisa het volgende slachtoffer was, zou hij moeten overleggen hoe hij hem in handen kon krijgen. De jongen had zich van de buitenwereld afgesloten en verliet het huis alleen nog in het gezelschap van zijn vader. Hij was al een week niet naar school geweest.

De moordenaar kon er echter van uitgaan dat die bewaking niet perfect was en dat Jisa ooit aan het waakzame oog van zijn vader zou ontsnappen. Al was het maar om een pakje sigaretten te gaan kopen.

Halverwege de noordelijke invalsweg van de wijk ontdekte Zeiz het winkeltje dat hem was opgevallen toen hij hierheen kwam. Hij volgde met zijn ogen de weg die Jisa naar het winkeltje moest lopen. Overal stonden huizen. Behalve op de hoek van het parkje, waartegenover een appartementsgebouw in aanbouw was. Toen hij er tien minuten geleden was langsgelopen, had Zeiz uit de verroeste bewapening afgeleid dat de werken al een hele tijd stillagen. Die hoek in de schaduw van de enorme sparren was de enige plaats waar de moordenaar ongezien kon toeslaan.

Zeiz verstarde. Precies daar stond de blauwe bestelwagen met twee wielen op het trottoir geparkeerd.

Misschien moest hij eerst maar versterking roepen, bedacht hij. Maar hij zag daarvan af omdat nagenoeg het hele Hasseltse politiekorps stand-by was om mogelijke problemen tijdens de betoging het hoofd te bieden. Het zou niet makkelijk zijn een paar agenten op te eisen voor een actie die enkel gebaseerd was op een vaag vermoeden. Een verdachte bestelwagen? Waar was zijn verdenking op gebaseerd? Op die vraag wist hij ook geen antwoord.

Hij probeerde niet te rennen en rustig naar beneden te lopen. Op het pleintje kwam hij een groepje mannen tegen die op luide toon Turks praatten en hem vriendelijk groetten. Ze stapten in een oude Volkswagen, die, toen de motor werd gestart, een zwarte wolk uitspuwde.

Zeiz' hart klopte in zijn keel toen hij de bestelwagen naderde. Hij had zijn jas losgeknoopt zodat hij makkelijk in één beweging zijn pistool kon grijpen. Vanuit zijn ooghoeken las hij de nummerplaat. Hij nam zijn gsm en verzocht Sterckx in een sms'je de nummerplaat te identificeren.

De wagen had getinte ruiten, ook in het laadgedeelte, waardoor het niet mogelijk was naar binnen te kijken. De wagen was onlangs opgespoten en was oorspronkelijk wit geweest, wat duidelijk te zien was aan de rand van het chassis. Haastwerk was het geweest, al was het een vrij nieuw model. Ook dat deed bij hem een belletje rinkelen.

Hij was op zijn hoede. Hij liep om de wagen heen langs de trottoirzijde en stak zijn hand uit naar de klink. Hij had het glimmende metaal nauwelijks aangeraakt toen hij zich realiseerde dat dit misschien wel de domste beginnersfout was die hij kon maken.

Een herinnering schoot door zijn hoofd. Afgelopen maandag nog had hij terwijl hij in zijn wagen zat op het parkeerterrein van het commissariaat het portier in het gezicht van Vannuffel willen slaan.

Maar toen hij daaraan dacht, was het al te laat.

Het gebeurde in een fractie van een seconde. Hij zag het portier open-gaan en voelde de slag meteen. De pijn verblindde hem, tegelijkertijd gleed een warme vloeistof over zijn kin en hij proefde de ijzersmaak van zijn eigen bloed.

Een reeks van beelden gleed voor zijn ogen voorbij.

Hij zag zijn moeder voor de poort van haar huis, waar het vlees te drogen hing. Ze vroeg hem of hij ooit nog van plan was vader te worden.

Hij zag zijn eigen vader huilen omdat hij kanker had en misschien nooit zijn kleinkind zou zien.

Hij dacht aan zichzelf en aan alle gemiste kansen. Hij zag Cathy van hem weglopen en nog één keer omkijken. De manier waarop ze dat deed!

Toen hij zich in een reflex probeerde op te richten, besefte hij dat hij hier de kracht niet voor had. Toen deed iemand iets met zijn lichaam.

Het had volstrekt geen belang wat.

De pijn was enkel nog een doffe herinnering.

Heel in de verte hoorde hij ijs kraken.

Het was zaterdag 16 april. Een nieuwe colonne zware regenwolken die uit het westen kwam, liet zijn lading los boven de stad.

Hij verloor het bewustzijn.

Zaterdag, 19u

De scheepshoorn was de mist vooruitgesneld. Maar eerst kwam de regen. Hij hoorde de stralen op het golfplaten dak kletteren terwijl hij de bestelwagen een schuurbeurt gaf. Van de kleur bleef alleen nog een vage schijn over. Hij veegde met een doek het stof weg en overwoog ditmaal voor grijs te kiezen. Het maakte niet uit. Hij had alle fabriekskleuren van Mercedes in voorraad. Behalve zwart.

Zwart was de kleur van geronnen bloed.

'Verkondig de naam van uw Heer, de Schepper.

Die de mens uit geronnen bloed schiep.'

De eerste les van een soldaat: je moet je vijand eren, je mag hem niet misprijzen, ook niet als hij slecht is. Wat hij je ook heeft aangedaan, je moet hem met respect vernietigen. Hij is jouw reden van bestaan. Als hij is verdwenen, houd jij ook op te bestaan.

Daarna verliet hij de hangar en ging buiten in de regen staan.

Ook dat moet je een jongen leren die op het punt staat een man te worden. Dat het geweten ondergeschikt is aan de opdracht. Die jou wordt opgelegd door een hogere macht. God, of de Rechtvaardigheid. Die dan ook de verantwoording voor de wreedheid op zich neemt?

Nadat het opgehouden had met regenen, ging hij weer naar binnen en maakte met de tuinslang de betonnen bodem onder de bestelwagen vochtig. Hij sloot de spuitkop op de compressor aan. Hij werkte geconcentreerd, tot het donker werd. Opnieuw stelde hij met voldoening vast dat zijn timing perfect was. Dat alles liep zoals hij het had gepland. Hij nam zijn gsm, dacht lang na over de woorden, maar besloot toch geen bericht te sturen.

Toen hij de hangar verliet, was de mist zo dicht geworden dat hij de ingang van de grot niet meer zag. Hij sloot de poort met een extra ketting af en voelde zich alleen. Zo alleen dat het haast ondraaglijk was.

Er stond een limiet op het leven. Een houdbaarheidsdatum. Die datum was het einde van zijn opdracht.

14

Zeiz had alle voeling met de realiteit verloren. Hij lag al een tijdje met zijn ogen gesloten en in perfecte innerlijke harmonie naar een afbladderend plafond te staren toen iemand hem stoorde. Hij wilde niet naar de stem luisteren. Hij wilde blijven waar hij was.

'Word wakker, mijnheer Zeiz,' sprak de stem.

Slapen is een vorm van bewustzijn verliezen, dacht hij. En een mensenrecht.

Maar was de vaststelling dat hij deze waarneming kon hebben en ook geluiden kon opvangen niet een teken dat hij weer wakker was? Of droomde hij?

Uiteindelijk, dacht hij, is de reden voor de slaap dezelfde als de reden voor de dood.

En dat is de stilte.

De stilte staat haaks op het bewustzijn. We kunnen er alleen van dromen. En bidden dat niemand ons wakker maakt.

'Ja, ja,' wilde hij zeggen, maar hij kreeg zijn mond niet open. Hij dacht: alsjeblieft, laat me.

Er zou een wet moeten worden gemaakt die niet het menselijke bewustzijn maar de stilte heilig verklaart. Wie de stilte verbreekt, wordt voor het hooggerechtshof van de slaper gedaagd.

Toen gingen zijn ogen open en zag hij een afbladderend plafond. De zachtblauwe en roze schilfers dansten in de ruimte boven hem, als berkenbladeren in een vroege herfstwind.

In dat beeld verscheen een jonge vrouw met een hoofddoek.

Uiteraard, dacht hij, wordt de stilte verbroken door een vrouw.

'Hoort u mij, mijnheer Zeiz?' vroeg de vrouw.

Ze tikte tegen zijn wang. Ze moest over een enorme kracht in haar vingers beschikken, want haar aanrakingen voelden aan als mokerslagen. Maar ze deden geen pijn, nog niet. De pijn lag op de loer, hij zag hem zitten, op zijn hurken, als een inboorling, klaar om te springen.

Er was iets met zijn mond. Hij zei iets, maar verstond er zelf niets van.

Zijn eerste gedachte was dat de vrouw met de hoofddoek hem een prop in de mond had geduwd om hem het spreken te beletten.

Zo zijn vrouwen. Ze vragen je iets en snoeren je tegelijkertijd de mond.

'Hij is wakker, hij lacht,' zei de jonge vrouw met de hoofddoek tegen iemand anders. 'Heb je de 100 gebeld?'

'Ja,' zei iemand. 'Ze komen onmiddellijk.'

De diepe krakende stem kwam Zeiz bekend voor. Hij kwam uit het onderaardse en droeg een baard.

'Alles komt in orde, mijnheer Zeiz,' zei de vrouw met de hoofddoek. 'U moet zich geen zorgen maken.'

Ze probeerde hem gerust te stellen. Dat was geen geruststellende gedachte. Het zou in orde komen, had ze gezegd. Er was dus iets dat niet in orde was.

In een flits kwam de pijn. Onverwacht snel nam hij bezit van zijn hoofd en zijn nek. Het was alsof iemand zijn gezicht met een handpompje opblies en de ontstane zwellingen met ijzeren staven onderstutte. Uit zijn keel steeg een langgerekt gekreun op. Toen herinnerde hij zich de klap. Het ding dat tegen zijn hoofd had geslagen, wat voor ding was dat?

De pijn had de smaak van bloed en de geur van nicotine. Toen hij er met een grote krachtinspanning in slaagde zijn hoofd een beetje te draaien, zag Zeiz Ahmed Kanli staan, die een sigaret zonder filter had opgestoken.

Hij wist waar hij was. Hij herkende de megagrote flatscreentelevisie die tegen de muur hing en het koperen servies op het salontafeltje. Hij lag op een divan in de woonkamer van Ahmed Kanli. Het plafond bladderde niet meer af.

'Hij heeft pijn,' zei Ahmed.

'Maakt u zich geen zorgen, mijnheer Zeiz,' zei de vrouw met de hoofddoek, die nu buiten beeld was. 'Wij zijn bij u.'

Hij voelde hoe een andere hand zijn hand nam. Bismi Allaah Arrahman Arrahim. De tranen sprongen in zijn ogen. Hij was dus niet alleen, er waren mensen om hem heen die voor hem zorgden. Toen pas realiseerde hij zich dat ze de hele tijd Arabisch tegen hem hadden gesproken.

Een golf van misselijkheid gleed door hem heen. Terwijl hij overgaf, voelde hij hoe zijn lichaam werd omgedraaid. Met een vochtige, naar rozen geurende doek werd zijn mond afgeveegd.

Ze droegen hem als een prins naar buiten, door de grote poort van zijn moeder, waar het vlees te drogen hing. Het volk stroomde toe. Een stoet vormde zich achter hem, als bij een begrafenis. Of was het een geboorte? Iemand zong een lied, de anderen vielen in. Hij liet zich wiegen op de flarden Arabisch en Frans. 'De zon zal hem genezen, opa heeft een schaap geslacht, het vlees zal hem weer sterker maken.'

Hij liet zijn blik gaan over de mensen die rond hem stonden. Er stroomde een warmte door hem heen. Hij wilde hen bedanken, maar zijn kaken weigerden dienst. Weer vulden zijn ogen zich met tranen.

Met een schok herinnerde hij zich wat er was gebeurd. Het autoportier dat opensloeg, de klap, de duisternis. De moordenaar was hier geweest. Hij had in de bestelwagen zitten wachten terwijl Zeiz naderde. Wist hij wie Zeiz was? Waarschijnlijk wel. Maar hij had niet op een politieagent zitten wachten. Hij wachtte op zijn volgende slachtoffer. Op Jisa Kanli? Zeiz twijfelde er niet meer aan dat Jisa het volgende slachtoffer moest worden.

Hij had het monster op de staart getrapt. Hij had zijn hand maar hoeven uit te steken om het te pakken. Maar het was anders gelopen.

Misschien, schoot hem te binnen, was dat monster nog steeds in de buurt en keek het nu toe hoe Zeiz werd afgevoerd.

Misschien bevond het zich tussen het volk dat was toegestroomd. Was het die man van middelbare leeftijd met de treurige ogen en de dunne grijze haren daar? Of die bleke jonge vrouw met haar betoverende hidjab?

Plotseling kreeg Zeiz het gevoel dat de moordenaar van Hallil en Kanli geen monster was, maar een mens van vlees en bloed, een simpele jager die zijn prooi zocht. Iemand met treurige ogen die naar verlossing trachtte. Dat was de bedenking die hij maakte toen ze hem in de ziekenwagen schoven, als een gerezen brood in de oven.

Het beeld werd troebel. Hij hoorde iemand zeggen: 'Een kuis geklede vrouw is een parel in haar schelp.' Het was de stem van zijn grootvader.

De volgende morgen kreeg Zeiz bezoek van Moni. Zijn hart sprong op, maar hij voelde zich nog te suf en te slap om zijn blijdschap te laten zien.

'Ik spring maar even binnen,' zei ze. Er was iets aan haar dat hem opviel. Het duurde even voor hij zich realiseerde wat het was. Ze droeg de rode gebloemde jurk van de foto die hij op het internet had gevonden.

Ze had een gigantische bos bloemen meegebracht. 'Mannen mogen ook wel eens in de bloemen worden gezet,' zei ze plagerig.

In haar ogen dansten spotlichtjes, alsof ze leedvermaak had.

'Elk nadeel heeft zijn voordeel,' zei ze. 'Zo heb ik met dit alles je vader leren kennen.' Ze lachte weer. 'Je lijkt op hem. Nu ja, op dit ogenblik lijk je op niemand. Je ziet eruit alsof je een rendez-vous hebt gehad met een betonmixer.'

'Ik had een rendez-vous met jou,' probeerde hij te zeggen. Maar de klanken die hij produceerde waren onverstaanbaar.

Ze moesten allebei lachen. Ze vertelde hem dat ze gisteravond een uur op hem had gewacht in Het Magazijn. Ze had geprobeerd hem telefonisch te bereiken en toen dat niet lukte, was ze naar zijn appartement gereden. Zijn vader had opengedaan. En ze had samen met hem naar de laatste beelden van het wereldkampioenschap curling gekeken. Daarna had ze de politie gebeld.

'Ik heb ook je ex ontmoet,' zei ze.

Dat gaf hem een schok. Die ontmoeting had hij niet gewenst. Hij voelde zich alsof iemand hem op iets had betrapt. Een beeld uit Tunesië van lang geleden kwam naar boven: zijn moeder had de lakens op het binnenplein te drogen gehangen en aan de andere vrouwen verteld dat hij in bed had geplast. Cathy kende hem te goed, zijn kleine kantjes, die hij voor de buitenwereld verborgen hield. Wat had ze over hem verteld?

Moni was naast hem komen zitten. Droomde hij of gleed haar hand echt onder het laken en raakte ze zijn arm aan? 'We waren gisteravond al hier,' fluisterde ze in zijn oor, 'maar je sliep.'

Daar wist hij niets van. Hij sloot zijn ogen en probeerde de gebeurtenissen van de avond voordien te reconstrueren. Flarden van beelden schemerden voor zijn geest. Ergens stond een raam open. Hij mocht niet vergeten dat te sluiten voor hij in slaap viel. Buiten loerden de gevaren. Een witte bestelwagen zocht een parkeerplaats. Een Turkse man stak een sigaret op in de operatiekamer. Iemand deed het licht uit. Alleen het gloeiende puntje was nog zichtbaar. Een zware stem vulde de van ontsmettingsmiddelen doordrongen ruimte: Allaha Akhbar.

Toen hij wakker werd, zag Zeiz door het raam de hemel potdicht voorbij-schuiven. Aan een torenkraan bengelde een betonmolen. Die zag eruit als een terechtgestelde die voor heel Hasselt werd tentoongesteld. Het deed Zeiz denken aan het verminkte lichaam van Yusuf Hallil dat op de vijfde verdieping van het nieuwe gerechtsgebouw te kijk was gehangen. Hij rea-liseerde zich dat de moordenaar hiermee een statement had willen maken. Hij had het resultaat van zijn werk aan de wereld willen tonen. Dit is ge-rechtigheid, had hij willen zeggen. En iedereen moest zien op welke manier hij wraak had genomen.

Maar waarvoor had hij wraak genomen?

Zeiz had de hele dag geslapen. De avondschemering viel over de daken en de staketsels van de bouwwerven. Nu pas viel hem op dat hij naakt in bed lag, met het laken tot aan zijn middel. Voorzichtig betastte hij zijn ge-zicht, dat op de gezwollen plaatsen gevoelloos was, zodat het leek alsof hij een ander lichaam aanraakte. Er zat een verband over zijn neus dat reikte tot zijn voorhoofd en zijn jukbeenderen.

In de duister wordende stad sprongen hier en daar lichten aan. Een gevoel van verlatenheid bekroop hem. Was er iemand die om hem gaf, die zich zorgen maakte om hem? Wie zou zich zijn lot aantrekken, behalve zijn vader? Maar zijn vader was zelf ziek en had misschien niet lang meer te leven. Wie bleef er dan over? Misschien een paar goede vrienden, die hij had verwaarloosd. Zijn moeder en zijn zus zouden hem als een verloren zoon ontvangen, daar twijfelde hij niet aan, in hun land waren de fami-liebanden heilig. Maar dan zou hij zich moeten schikken naar hun harde wetten. En dat zou nooit lukken. Bovendien haatte hij de man van zijn zus, de gladjanus met zijn verzorgde baard en zijn lange witte kleed waarin zijn buik stond gebeiteld. Hij had zijn zus gekocht. Hun eigen moeder had het huwelijk gearrangeerd. Aise was toen zeventien geweest, Fahim twintig jaar ouder. Hij verdiende zijn geld met dubieuze praktijken waar Zeiz geen zicht op kon krijgen. Soms was hij dagenlang van huis, zonder een verklaring te geven waar hij was geweest. Aise was nu dertig, ze had vier kinderen, haar oudste zoon Kareem was Zeiz' petekind.

Zeiz herinnerde zich opeens het cadeau voor Kareem dat nog altijd op de tafel in zijn appartement lag. Misschien kon het daar beter blijven lig-gen. Een geschenk met vertraging zou hem in hun ogen alleen maar nog belachelijker maken.

En dan was er zijn relatie met Moni. Zou het met haar iets kunnen worden, vroeg hij zich af. Soms had hij de indruk dat ze een spelletje met hem speelde. Of was hij te bang? Het was maar zeer de vraag of hij er ooit in zou slagen een vrouw aan zich te binden. Over een paar maanden werd hij veertig. Oud was hij nog niet, maar ook niet meer jong. Hij keek naar zijn handen die al rimpels begonnen te vertonen. De tijd ging almaar sneller. Voor hij het wist zou hij oud zijn en ziek worden, zoals zijn vader. Hij had geen kinderen die naar hem zouden omkijken. Hij zou in een ziekenhuisbed terechtkomen en wachten op bezoek dat nooit kwam opdagen. Het was een vooruitzicht dat hem beangstigde. Maar wat was het alternatief? Een sadistische moordenaar die hem de schedel in sloeg?

De deur ging open. Een verpleegster kwam binnen. Met enige vertraging herkende hij Rahia, de zus van Tarik Kanli. Ze had haar hoofddoek vervangen door een wit kapje. Ze begroette hem vriendelijk, met een warmte die zijn donkere gedachten verdreef. Ze vertelde dat ze als verpleegster in het ziekenhuis werkte, enkele verdiepingen lager, op de psychiatrische afdeling. Ze kwam even kijken hoe het met hem was.

Zeiz bedankte haar voor de hulp die hij van haar en haar vader had gekregen. Tot zijn opluchting lukte het hem weer te praten, hoewel dat met enige moeite ging. Zijn tong voelde gezwollen aan en hij struikelde over zijn woorden. Hij vroeg haar welke verwondingen hij precies had.

'Ik heb met de verpleegster gepraat,' zei ze. 'U heeft een zware hersenschudding, een gebroken neus en uw rechteroogkas is gebarsten.'

Zeiz voelde aan zijn gezwollen slaap en vertelde haar dat af en toe een waas voor zijn ogen trok, alsof hij door een bewasemde bril keek.

'Een oogzenuw is geraakt,' verklaarde ze, 'waarschijnlijk is dat de reden.' Maar dat gaat automatisch weg. En die zwellingen zijn een gevolg van de bloeduitstortingen. Die trekken ook langzaam weg. U heeft geluk gehad. Maar u mag de verwondingen niet onderschatten.'

Zeiz schatte haar achteraan in de twintig, een tiental jaren ouder dus dan haar vermoorde broer. Hij vroeg zich af hoe het kwam dat moslimmeisjes er vaak wel in slaagden iets van hun leven te maken, terwijl hun broers op het verkeerde spoor geraakten.

Wel vreemd, bedacht hij, dat ze nu al weer aan het werk was. Haar broer was slechts enkele dagen geleden gestorven.

'Ik kon het thuis niet meer uithouden,' zei ze, alsof ze zijn gedachten kon lezen. 'Mijn vader kan niemand meer om zich heen verdragen.' Ze bloosde. 'Ik wil u ook bedanken. U was een steun voor mijn vader. En u bent eerlijk tegen ons geweest.' Ze sloeg haar ogen neer. 'Hoe moet het nu verder? We weten het echt niet meer. Mijn vader zegt dat het beter is als we allemaal terug naar Marokko gaan. Maar ik denk niet dat hij dat meent.' Ze haalde diep adem. 'Ik ga in elk geval niet terug.'

'Wat gebeurd is, kunnen we niet meer ongedaan maken,' zei Zeiz. Hij was er zich van bewust hoe nietszeggend deze uitspraak was. Maar wat moest hij zeggen?

'Mijn vader leest geen kranten meer, maar ik wel,' zei ze. 'Is het waar wat ze schrijven, dat het racisten zijn die de moorden plegen?'

Zeiz aarzelde. 'We weten het niet zeker.'

'In de Marokkaanse gemeenschap zijn ze er zeker van dat het racisten zijn geweest.' Ze haalde diep adem. 'Mijn vader denkt dat ook.'

'En wat denk jij?'

'Ik weet het niet. Het is verschrikkelijk wat ze met Yusuf en Tarik hebben gedaan. Wie doet nu zoiets? Ze schudde haar hoofd. Het viel haar duidelijk moeilijk hierover te praten.

Zeiz had het gevoel dat ze nog iets wilde zeggen. Ze was niet alleen naar hem gekomen om te vragen hoe het met hem was.

'Tarik was een drugsdealer,' zei hij. 'Hij verkeerde in slecht gezelschap. Toen we hem in het politiekantoor ondervroegen, had hij angst. Hij had angst om te praten. Ik vraag me af waarom.'

Ze schudde haar hoofd en keek in het raam naar haar eigen spiegelbeeld. Haar vader was een angstige en ontgoochelde man, die zich vastklampte aan de tradities. Hoeveel hindernissen had ze moeten nemen om te staan waar ze nu stond?

'Soms heb ik het gevoel dat iedereen in Ter Hilst angst heeft,' zei Zeiz.

Ze keek hem nu recht in de ogen. 'Een paar maanden geleden is Tarik thuisgekomen met bloed op zijn trui,' zei ze. Ze dacht na. 'Nee, het is langer geleden. De kerstvakantie was net voorbij. Hij bloedde, dat weet ik nog. Zijn hand lag open.'

Zeiz bedacht dat dit geen groot nieuws was. Tarik zou wel vaker in een vechtpartij betrokken zijn geweest. Hij schudde weifelend het hoofd.

'Ik weet wat u denkt,' ging ze verder. 'Het is waar, Tarik kon soms agressief zijn. Maar die keer was het anders. Hij was heel stil in de weken erna. Hij praatte met niemand. Zijn vrienden bleven weg. Ook Yusuf, een hele tijd hebben we hem niet meer gezien. Dat vonden we niet erg, we wisten dat Yusuf een slechte invloed op Tarik had. Maar op een dag stond hij weer aan de deur.'

'Weet je nog wanneer?'

'Een paar weken voor hij werd vermoord. Tarik en Yusuf hebben een hele tijd voor de deur staan praten. Ze hadden een hevige discussie. Maar ik kon niet verstaan waar ze het over hadden. Daarna is Yusuf weggegaan. Sinds die dag kwam Tarik haast niet meer buiten. Hij ging ook niet meer naar school, hij zei dat hij ziek was. Maar hij was niet ziek, daar ben ik zeker van. Hij zat de hele tijd op zijn kamer jointjes te roken.'

'Wat was er gebeurd? Heeft hij jou iets verteld?'

'Denkt u dat hij met mij praatte?' zei ze. 'Hij praatte met niemand in huis. Zelfs mijn vader durfde zijn kamer niet binnen te gaan, want dan werd hij agressief.'

'Met wie trok hij op, behalve met Yusuf?' vroeg Zeiz. 'Wie waren zijn vrienden?'

'In de jeugdclub was hij samen met Anwar en Rayan. Ik ken alleen hun voornamen, ze moeten ook ergens in onze wijk wonen. Maar ik heb ze al een hele tijd niet gezien. Ze kwamen in elk geval niet thuis. Bij ons waren ze niet welkom. Ze hadden geen goede reputatie.'

'Er was een groepje of een bende. Weet je daar iets van?'

'Die jongens waren altijd in een groep. Maar of het een echte bende was, weet ik niet.'

'Was Jisa daar ook bij?'

Ze keek hem verbaasd aan. 'Jisa? Die komt al maanden niet meer buiten, behalve om naar school te gaan. Zijn vader brengt hem en haalt hem weer op. Mustafa Kanli is de bodyguard van zijn zoon geworden. Ze zeggen ook dat hij een geweer heeft gekocht. Hij doet 's avonds niet meer open, voor niemand.' Ze glimlachte. 'Mustafa is nooit een aangename man geweest, maar nu wil niemand nog iets met hem te maken hebben. Niemand gaat nog bij hem op bezoek.'

'Ken je Moussa Jawad?'

Ze antwoordde snel. 'Er lopen zoveel Moussa's rond.'

Zeiz voelde meteen dat ze hem ontweek. Er was iets in haar stem dat hem op zijn hoede deed zijn. 'Er is maar één Moussa Jawad,' zei hij. 'Tarik kende hem, dat weten we.'

Rahia aarzelde. 'Nee, ik denk niet dat ik hem ken.'

'Ben je daar zeker van? Denk goed na.'

Ze schudde haar hoofd. 'De meeste jongens met wie mijn broer omging ken ik niet.'

Ze loog, dat wist Zeiz nu zeker. Hij was het gesprek beu. Het had geen zin meer om verder te praten, dat zou verder niets opleveren. Ze waren op een punt aanbeland waar het wederzijdse aanvoelen ophield.

Bovendien voelde hij zich moe. Het praten had de pijn in zijn gezicht weer levend gemaakt. Met moeite slaagde hij erin zijn ogen open te houden. Rahia verontschuldigde zich en zei dat ze later zou terugkomen. Het was een belofte die ze uit beleefdheid deed. Hij wist dat hij haar niet zou terugzien.

Toen Rahia was vertrokken, werd Zeiz door paniek bevangen. Getroffen door zijn eigen hulpeloosheid begon hij weer te piekeren. Stel dat de moordenaar in zijn eentje tewerk ging. Dat hij een eenzaam mens was en de wreedheden die hij had begaan alleen moest verwerken. Dat bracht Zeiz bij de vraag: hoe doe je zoiets? Hoe overtuig je jezelf ervan dat het noodzakelijk is iemand te martelen en af te maken? Ongeacht de reden. Hoe draai je de knop om? Hoe verander je van een mens in een monster?

Het televisietoestel aan de muur staarde hem vijandig aan, als een agressieve vogel die zich elk ogenblik op hem kon storten. Zijn ogen vielen dicht. De laatste gedachte die hij had was een optimistische: hij zou morgen een plan opstellen en zijn leven grondig reorganiseren. De oude sjablonen slopen, zoals zijn oude leermeester in Brussel, Omer Lesage, zou zeggen. Alleen zo kun je helder denken. Zien wat je eerder niet zag. Hij zou zijn demonen proberen te verjagen.

De volgende dag kwam zijn vader hem ophalen in het ziekenhuis. Het was zondagmiddag en ze reden door een bijna verlaten stad naar huis. Telkens opnieuw verbaasde hij zich erover dat zijn herinneringen aan Brussel kleurrijk waren, vergelijkbaar met zijn herinneringen aan Tunesië. In Brussel liet de zon een warme gloed na op de grauwe gevels. Of was dat melancholie? Hoe dan ook, hij had Brussel in zijn hart gesloten. In die van uitlaatgassen vergeven stad stroomde het bloed van de planeet. De hele wereld kwam daar samen. Het rook er naar alle continenten, maar vooral naar Afrika.

In Brussel miste hij Afrika niet. Misschien was het dat wat hem stoorde sinds hij in Hasselt woonde.

Tegelijkertijd besefte hij dat het een illusie was te denken dat hij weer in Brussel zou gaan wonen. Hij keek naar zijn vader, die zijn oude houthakkershemd uit Canada droeg, een souvenir van bijna een halve eeuw oud. Het zou een enorme teleurstelling zijn voor zijn vader als hij weer vertrok.

Nee, hij had zichzelf veroordeeld tot deze provinciestad. Dat was zijn lot, vreesde hij. Hij zou zijn vader begeleiden tot aan diens dood. En daarna zou hij hier niet meer wegraken.

Zijn vader zag er goed uit en praatte de hele tijd. Hij vertelde over de avond voordien. De finalewedstrijd van het wereldkampioenschap curling begon pas om zes uur, dus hij was nog een wandeling gaan maken in de stad. Toen hij terugkwam, stond er een prachtige hippievrouw voor de deur. Groot was zijn verbazing toen hij hoorde dat zij de vriendin van zijn zoon was. Uiteraard had hij haar uitgenodigd binnen te komen.

'Een knappe, intelligente vrouw. Niet te geloven dat ze iets in jou ziet. Wordt het iets tussen jullie?' wilde zijn vader weten.

'We kennen elkaar nog maar een paar dagen.'

'Ik ga niet vragen of je al met haar naar bed bent geweest.'

'Is dat de eerste vraag die bij je opkomt?'

'Ik wil me niet moeien, hoor, maar ik neem dus aan van niet.'

'Het klinkt bijna als een verwijt.'

'Dat trage heb je niet van je vader. Ik liet er vroeger geen gras over groeien.'

Zeiz kon zich voorstellen dat de oude man zich tegenover Moni van zijn sympathiekste kant had laten zien. Het gaf hem een fijn gevoel dat zijn vader zijn keuze goedkeurde. Eigenlijk beschouwde hij het als een compliment.

'Ik weet niet wie ik de mooiste vind,' zei zijn vader, 'deze of Cathy. *By the way*, je tv ben je ook kwijt. Loodzwaar dat ding. En ik heb je bel hersteld.' Zijn vader knipoogde naar hem. 'Het mechanisme was geblokkeerd met een officieel stuk.'

Zeiz keek zijn vader verbaasd aan. Wat bedoelde hij daar nu weer mee? Maar zijn vader ratelde verder. Hij was met Moni, nadat ze hem eerst in het ziekenhuis hadden bezocht, iets gaan eten in Het Magazijn.

'Ben je nu jaloers?' vroeg zijn vader ernstig.

'Waarom denk je dat?'

'Je hebt Noord-Afrikaanse roots, het is normaal dat je jaloers bent.'

'Wat is dat voor een belachelijke opmerking,' zei Zeiz. Hij was een beetje gepikeerd nu. Hij herinnerde zich dat zijn vader hem vroeger altijd de gordijnen injoeg met dat soort van opmerkingen over zijn roots.

Zijn vader grinnikte. 'Je hoeft je daarvoor niet te schamen.'

'Ik ben toch niet jaloers op mijn eigen vader,' riep Zeiz uit.

De oude man grinnikte. 'Je hebt een mooi stuk aan de haak geslagen, maar je gaat het nog moeilijk krijgen. Ze heeft iets wat jij niet hebt.'

'En dat is?'

'Gevoel voor humor.'

De stemming van zijn vader was grondig veranderd. De woordenwisseling van gisteren was vergeten. Was het de ontmoeting met Moni geweest die zijn vader beter gezind had gemaakt? Ze hadden nog niet over de resultaten van het medisch onderzoek en de gekozen therapie gepraat. Maar Zeiz durfde dat onderwerp nu niet aan te snijden. Hij vreesde dat hij de goede stemming van zijn vader kon bederven.

'Wie heeft jou eigenlijk neergeslagen?' vroeg zijn vader. 'Was het een van die racistische moordenaars?'

'Geen idee.' Zeiz vertelde hoe het was gebeurd.

'Dus je hebt hem niet gezien?'

'Het ging allemaal heel snel.'

'Misschien was het een ongeluk. Iemand die het autoportier opendeed zonder te kijken of er een voetganger aankwam. Het is mij ooit bijna overkomen met een fietser.'

Zeiz schudde zijn hoofd. 'Dit was opzet, daar ben ik zeker van.'

'Is het normaal dat een rechercheur alleen op pad is?' vroeg zijn vader.

'Natuurlijk,' zei Zeiz. 'Er zijn opdrachten die een politieagent alleen kan uitvoeren. Dit was er zo een.'

'Ook als het gevaarlijk is?'

'Dit was geen gevaarlijke actie. Ik was daar in de wijk om iemand te ondervragen. En toen zag ik die wagen staan. We weten dat de moordenaar zich verplaatst in zo'n wagen. Het was een routinecontrole.'

'Ik geloof er niets van,' viel zijn vader uit. 'Ik bedoel: je gaat in je eentje een verdachte auto controleren. Dat doe je toch niet als je bij je volle verstand bent?'

Zeiz zweeg. Hij voelde de woede in zich opborrelen, maar hij wilde de discussie niet op de spits drijven. Hoewel hij besefte dat de oude man gelijk had. Hij had een fout gemaakt door alleen op die verdachte wagen af te gaan. Hij had versterking moeten halen. Dat besef maakte zijn woede alleen maar scherper.

Zijn vader bleef aandringen. 'Je hebt een verantwoordelijkheid te dragen, weet je dat wel?' Hij keek Zeiz ernstig aan. 'Ja. Voor mij,' voegde hij daaraan toe.

'Wat bedoel je daarmee?' vroeg Zeiz op spottende toon. 'Moet ik jouw inkopen gaan doen? Je sokken wassen?'

'Ik heb kanker, ben je dat vergeten?'

Zeiz voelde een rilling door zich heen gaan. Dat klonk haast als een verwijt. Misschien was het dat ook. En misschien was het ook terecht. Hij had nog niet eens gevraagd wat het onderzoek in het ziekenhuis had opgeleverd.

'Wat heeft de dokter gezegd?' vroeg hij.

Zijn vader antwoordde niet. Hij vertraagde en stuurde de wagen naar de kant van de weg. Zeiz hoorde banden piepen achter hen. Een auto claxonneerde. Zijn vader stopte en legde de motor stil. Hij keek strak voor zich uit door het autoraam. Toen legde hij zijn hoofd op het stuur en begon te snikken.

15

Officieel was Zeiz nog met ziekteverlof. Maar om halftien 's morgens liet hij zich bij het stationsbuffet oppikken door Adam Sterckx. Ze hadden om negen uur een afspraak in de gevangenis. Onderweg zetten ze op een rijtje wat ze over Moussa Jawad wisten.

Jawad was een Marokkaan die zes jaar geleden, op veertienjarige leeftijd, als asielzoeker het land was binnengekomen. Vermoedelijk zwierf hij toen al enkele jaren illegaal door Europa. Hij woonde een half jaar in het asielcentrum van Sint-Truiden en kwam na zijn regularisatie in een opvangtehuis in Genk terecht. Zijn schoolloopbaan sloot hij af zonder opleiding of diploma. Wel sprokkelde hij een aardig crimineel palmares bij elkaar, dat hoofdzakelijk bestond uit fysieke geweldpleging en vechtpartijen. Hij werd verscheidene malen betrapt op het bezit van cannabis en amfetamines en ook op het dealen ervan. Hij had een poos in de jeugdgevangenis van Tongeren gezeten. Daarna was hij in de heroïnebusiness gestapt. Het vermoeden bestond dat hij een hoop poen had verdiend en dat hij die handig had belegd, ongrijpbaar voor het gerecht. Hij leefde in ieder geval op grote voet. Ten slotte vloog hij tegen de lamp bij de deal van een belangrijke partij horse. Hiervoor was hij veroordeeld tot drie maanden effectief. Op 6 mei kwam hij vrij.

In een rapport van de jeugdrechtbank werd Jawad omschreven als een 'agressieve psychopaat'. Maar dat was een persoonlijke bedenking van jeugdrechter Hilde Luydts geweest. Een psychologisch of psychiatrisch verslag hadden ze niet kunnen terugvinden. Zeiz moest denken aan Walter Vaes. Hoe had hij Moussa Jawad ook weer getypeerd? 'Een brave jongen, als hij een kimono droeg.'

Ze werden ontvangen door Pamela Ooms, de trajectbegeleidingscoördinator van de gevangenis. Zeiz schatte haar niet ouder dan dertig. Ze was een opvallende blondine in een strak zwart mantelpakje. Hij vroeg zich af of ze zich bewust was van wat ze bij de opgesloten mannen teweegbracht. Zij staarde hem op haar beurt wantrouwend aan. Eigenlijk ook niet verwonderlijk, bedacht hij, de aanblik van een politieman met een gezwollen gezicht kon niet anders dan bepaalde associaties oproepen. Ze vroeg naar hun beweegredenen om Moussa Jawad aan een verhoor te onderwerpen.

Zeiz liet de uitleg aan Sterckx over. Tot zijn voldoening stelde hij vast dat zijn collega vaag bleef in zijn uitleg. Ondertussen observeerde hij Pamela Ooms. Ze trok een gezicht waaruit bleek dat de uitleg haar niet overtuigde.

'De eerste moord is tien dagen geleden gebeurd,' zei ze. 'Moussa zit nu bijna drie maanden in de gevangenis. Hij heeft in al die tijd geen contact gehad met de slachtoffers. Als ik het goed begrijp, is er geen direct verband met de moorden. Of zijn er aanwijzingen die daarop duiden?'

Sterckx keek naar Zeiz, die haast onmerkbaar het hoofd schudde.

'Het spijt me, maar daar kunnen we niets over zeggen,' zei Sterckx. 'Het onderzoek is nog volop bezig. U moet begrijpen dat we voorzichtig moeten zijn.'

'Ik moet ook voorzichtig zijn,' zei ze. 'Moussa heeft zijn straf uitgezeten en stapt nu terug in de samenleving. Het is mijn taak om hem daarin te begeleiden.'

Zeiz begon zijn geduld te verliezen. Hoe kon ze zo naïef zijn dat zomaar te geloven? Jawad was allesbehalve een weerloze jongen. De kans was groot dat hij als asielzoeker een fictieve leeftijd had opgegeven, die enkele jaren lager lag dan zijn werkelijke leeftijd. Hij was allang geen kind meer en hij mocht ook niet zo behandeld worden.

'Luister goed, mevrouw Ooms,' zei hij, 'dit is een moordonderzoek. We hebben goede redenen om Moussa Jawad aan een verhoor te onderwerpen, neemt u dat nu maar van ons aan.'

Ze was niet onder de indruk. 'Uiteraard ga ik ervan uit dat u goede redenen heeft om hem te ondervragen. Wordt hij ergens van verdacht?'

'Wij beschuldigen hem nergens van,' zei Zeiz. 'We willen hem alleen een paar vragen stellen.'

'Moussa heeft hier een therapie gevolgd, waarin hij geleerd heeft om te gaan met zijn agressie. Hij lijkt te beseffen dat zijn neiging om zijn problemen met geweld op te lossen een ernstige handicap is. Waarmee we niet willen beweren dat hij nu een koorknaapje is geworden. Maar we hebben wel alle redenen om aan te nemen dat hij vooruitgang heeft geboekt. Dat wilde ik u toch nog even zeggen. Bovendien heeft hij zelf aangedrongen op dit gesprek, hoewel hij nog niet helemaal is genezen.'

Zeiz knikte en stond op. Ze namen afscheid. Het viel hem op dat Pamela Ooms een stevige handdruk had. In haar blik lag geen enkele spot toen ze vroeg: 'Neemt u mij niet kwalijk dat ik nieuwsgierig ben, mijnheer Zeiz, maar heeft u een ongeval gehad?'

'Een ongelukje,' zei Zeiz. 'Als politieagent word je soms geconfronteerd met mensen zoals Moussa Jawad, die de neiging hebben hun problemen met geweld op te lossen.'

Ze liepen door glanzende met camera's bewaakte gangen achter een bewaker aan.

'Mag ik u iets vragen?' vroeg Zeiz aan de bewaker, een grijze man van middelbare leeftijd, die met een blik van gelatenheid voor hen uit slofte. 'Kunt u ons iets vertellen over Moussa Jawad? Hoe gedraagt hij zich hier?'

De man keek hem van opzij onzeker aan. 'Voor zover ik weet goed,' zei hij. 'En iedereen hier gedraagt zich ook goed tegenover hem.'

Ze gingen een kaal vertrek binnen, dat leeg was op een tafel en enkele stoelen na.

'Wat bedoelt u met "goed"?' vroeg Zeiz.

'Hij heeft zijn straf uitgezeten zonder complicaties. We hebben geen klachten ontvangen.' De bewaker grinnikte. 'Hij is niet het type tegen wie je een klacht indient, als u begrijpt wat ik bedoel. Nu, hij zal blij zijn jullie te zien.'

'Waarom?'

'Hij kickt op belangstelling.'

De bewaker keek Zeiz nieuwsgierig aan. 'Mag ik u iets vragen? Wat is er met u gebeurd?'

'Ik kick op geweld,' zei Zeiz.

Door een andere deur kwam een jongeman binnen, die de gym in de bajes blijkbaar goed had gebruikt. Hij was niet groot, maar één brok kracht. Zijn nek was een massieve stam, de spieren van zijn schouders bolden op onder zijn T-shirt. Op zijn wangen en voorhoofd zaten littekens. Hij was kaal geschoren en droeg op zijn glanzende schedel een kanten mutsje, een religieus symbool dat in schril contrast stond met zijn uitstraling. Zeiz bedacht dat hij het waarschijnlijk alleen droeg om een discussie of een gevecht uit te lokken. Uit zijn diepliggende ogen straalde een onpeilbare naïviteit. Maar die uitstraling was fake, daar was Zeiz zeker van. Ze was in werkelijkheid een wapen, meer nog dan zijn spieren, waarmee hij echte naïevelingen zoals Pamela Ooms om zijn vinger kon winden.

Moussa was dus een toneelspeler. Zeiz moest weer denken aan Walter Vaes, die hem een rustige jongen had genoemd, afgaande op zijn gedragingen in de karateclub. Dat was uiteraard sarcastisch bedoeld. Vaes was géén naïeveling, hij kende zijn klanten. Toen hij een jaar later door Jawad en enkele van zijn bendeleden werd bedreigd, zal hij ook wel hebben beseft dat hij zich in een penibele situatie bevond en in zijn eentje in een gevecht aan het kortste eind zou trekken. Toch was hij niet onder de indruk geweest en had hij de situatie makkelijk naar zijn hand kunnen zetten. Wat zat daarachter? Zijn reputatie als karateleraar? Bluf? Of was er meer aan de hand? Veel van Vaes' karateka's waren van allochtone afkomst. Beschikte hij over nuttige contacten in het allochtone wereldje? Waren die contacten sterk genoeg om een roofdier als Moussa Jawad in de pas te laten lopen? Verzweeg Vaes iets? Had het incident met de doorgestoken banden nog een staartje gekregen? Zeiz nam zich voor om een van de volgende dagen een tweede gesprek met Vaes te hebben.

Jawad verwelkomde hen met een ondeugende glimlach, die haast sympathiek overkwam. 'Mijnheer Zeiz en mijnheer Sterckx? Wat heeft u voor me meegebracht?' vroeg hij.

Zeiz was meteen alert. Jawad had zich dus hun namen ingeprent. Door dat te tonen, maakte hij een statement. Hij wilde hen duidelijk maken dat ze hem niet moesten onderschatten.

'Een paar vragen,' zei Sterckx.

Moussa trok een beteuterd gezicht. 'Andere bezoekers brengen altijd cadeautjes mee.'

Sterckx viel met de deur in huis. 'Twee van jouw makkers zijn vermoord. Daar heb je waarschijnlijk wel van gehoord.'

'Yusuf Hallil en Tarik Kanli? Bedoel je die? Dat zijn geen makkers van mij, hoor.'

'Maar je kende hen wel.'

Moussa haalde zijn schouders op. 'Ik ken zoveel mensen.'

'Je kende hen dus persoonlijk?'

Moussa zwaaide met een van zijn machtige armen. 'Via via, ik ben ze eens ergens tegengekomen, geloof ik.'

'Weet jij wie hen heeft vermoord?'

'Weten jullie het?'

'Antwoord op mijn vraag.'

'Geen idee. Zijn jullie helemaal hierheen gekomen om me dat te vragen? Met twee flikken?'

Sterckx nam een envelop uit de aktetas die hij bij zich had. Uit die envelop haalde hij foto's van de verminkte lichamen van Yusuf en Tarik.

Moussa vertrok zijn gezicht niet terwijl hij de foto's bestudeerde. Hij leek niet onder de indruk.

'Dat waren dus jouw vroegere kennissen, Yusuf en Tarik,' zei Sterckx.

Moussa schudde zijn hoofd. 'Sorry, herken ik niet. Ze zijn op korte tijd blijkbaar erg veranderd. Maar zoals ik al zei: ik kende die gasten niet echt. Ik heb ze ooit ontmoet. Vroeger, lang geleden.'

'Hoelang?'

'Hoelang is een Chinees.' Hij keek de mannen tegenover zich aan zonder de ogen neer te slaan.

Zeiz voelde het bloed naar zijn hoofd stijgen. Hij zag ook dat Sterckx verstarde. Wat zouden hun kansen zijn in een gevecht met deze kolos? Ze zouden er een hele kluif aan hebben. Maar ze zouden de klus klaren, zonder enige twijfel, en met heel veel plezier. Tegelijkertijd bedacht hij dat dit nu net Moussa's bedoeling was. Hij wilde hen gewoon jennen, hen uit evenwicht brengen en zo het gesprek naar zijn hand zetten. Ze mochten niet in die val trappen.

Sterckx leek dit ook te begrijpen. Hij zei op rustige toon: 'Op 15 mei van vorig jaar hebben Yusuf en Tarik jou aangewezen als hun opdrachtgever, nadat ze bij een politiecontrole in Essen aan de grens op drugs werden betrapt.'

'Ah ja, maar die verklaring hebben ze ingetrokken, voor zover ik weet.'

'In diezelfde verklaring zeiden ze dat je hen af en toe een lift gaf naar Bergen-Op-Zoom om weed te gaan kopen.'

'Ik heb die idioten wel eens een lift gegeven, weet ik veel wat ze daar deden. Ik had daar een vriendinnetje.'

'Dat kan wel zijn. Maar eind november of begin december heb je hen weer opgepikt. We hebben een formele getuigenverklaring, vlak voor je de bak in draaide. Hoelang is misschien wel een Chinees, maar jij bent ook een leugenaar. Jij kende die gasten wél goed en je had tot vlak voor je opsluiting contact met hen.'

'En dan?' zei Moussa op vlakke toon. 'Krijg ik daarvoor nu de doodstraf? Word ik eigenlijk ergens van beschuldigd?'

'Nog niet,' zei Sterckx. 'Maar daar zul je zelf wel snel genoeg voor zorgen. Domme boefjes zoals jij doen altijd opnieuw domme dingen en laten zich altijd opnieuw pakken.'

'Dat gebeurt soms door idioten die hun portefeuille op de verkeerde plaats verliezen,' voegde Zeiz daaraan toe.

Moussa mompelde iets in het Arabisch. Hij beloerde Zeiz tussen dichtgeknepen oogleden door. 'Ik weet nog altijd niet wat jullie van me willen,' fluisterde hij.

'Iemand amuseert zich met het afmaken van Marokkaanse boefjes zoals jij,' zei Zeiz. Hij besloot te bluffen. 'Het zijn toevallig jouw vriendjes die vermoord werden. Er loopt een moordenaar rond die een lijstje heeft dat hij moet afwerken. En jij staat daar ook op.'

Moussa grijnsde. 'Welk lijstje?'

'Jullie waren met zes. Twee daarvan zijn al afgewerkt. De bende wordt klein.'

'Bende?' Moussa schoot in de lach. 'Ik zit toch niet in een bende met die losers?'

'Nee? In elk geval, die overgebleven losers hebben angst en gaan jou nu aan de galg praten.'

'En wie zouden dat dan wel zijn?' vroeg Moussa.

Zeiz stond op. 'Mocht jou toch nog iets te binnen schieten, geef ons dan een seintje,' zei hij. Er viel niets meer te zeggen. Hij liep naar de deur, gevolgd door Sterckx.

'Jullie zouden beter achter die geheimzinnige moordenaar aan gaan dan mij hier lastig te vallen,' riep Moussa hen na. 'Maar jullie vinden hem niet, hè? Jullie zijn zelf een stelletje losers.'

Zeiz drukte op de bel om de cipier te verwittigen. Hij glimlachte fijntjes naar Moussa. 'Misschien wachten we tot hij jou onder handen heeft genomen.'

'Altijd leuk om te weten dat er iemand op je wacht als je vrijkomt,' repliceerde Moussa.

'Zeker als hij zoveel van je houdt.' Zeiz wees naar de envelop met de foto's die Sterckx vasthield.

'En wie heeft jou onder handen genomen?' gaf Moussa terug.

Aan de andere kant van het glas verscheen de cipier.

'Ik weet wie jij bent,' riep Moussa. Zijn stem klonk nu agressief. Hij had zijn naïeve masker helemaal laten vallen. 'Er wordt over jou gepraat. Jij bent die bastaard, de zoon van professor Zeiz, die leuteraar van de sociale dienst, mijnheer blablabla. Ik heb jouw ouwe nog gekend, wist je dat? Misschien moet ik hem eens bezoeken, als ik me verveel.'

De deur viel achter hen dicht. Zeiz had verwacht dat Pamela Ooms hen zou opwachten om te horen hoe het gesprek was verlopen. Hij wist niet precies waarom, maar hij had nog met haar willen praten over Moussa. Op een of andere manier leek hun bezoek nu niet afgerond. Maar ze liet zich niet meer zien.

Zeiz voelde de spanning van zich afglijden toen hij het met hoge muren omgeven terrein had verlaten en weer in de auto zat. Hij dacht na over het verhoor. Pamela Ooms had ongelijk: Moussa gebruikte zijn agressie niet om zijn problemen op te lossen. De agressie zelf was het grote probleem geworden. Wat ook de oorzaak daarvan was – zijn verleden als zwerfkind had zeker littekens achtergelaten – het had hem misvormd en zat nu in zijn aard, hij kon niet anders meer dan zijn kracht te etaleren en mensen pijn te doen. En waarschijnlijk genoot hij ervan, wat hem nog afstotelijker maakte.

'Wat een klootzak,' zei Sterckx. 'Maar eerlijk gezegd had ik ook niet verwacht dat het gesprek iets zou opleveren.' Hij staarde grimmig voor zich uit. 'Binnen tien dagen staat hij weer op straat. Als je iemand nodig hebt voor een informeel verhoor, ik ben bereid.'

Zeiz knikte. Hij wist wat Sterckx bedoelde. Moussa had Zeiz persoonlijk geviseerd door een indirecte bedreiging te uiten aan het adres van zijn vader. In politiekringen werd daar doorgaans niet licht overheen gegaan. In bepaalde gevallen kon de bedreiger zelfs een 'informeel verhoor' verwachten, zoals zij dat noemden, een harde fysieke aanpak door enkele politieagenten, om hem duidelijk te maken dat hij een grens had overschreden en zich gedeisd moest houden.

Zeiz knipoogde naar Sterckx. Het aanbod was een blijk van groot vertrouwen, alleen de beste collega's hadden dat voor elkaar over. Zeiz wist dat hij altijd op Sterckx kon rekenen. Ook als de tuchtprocedure in zijn nadeel verliep? vroeg hij zich af. De vraag was alleen of ze dan nog een team zouden vormen.

De eigenlijke vraag was of hij na het tuchtproces nog een politieagent zou zijn.

Hij schudde het hoofd. 'Toch bedankt. Maar ik wil eerst zien wat er gebeurt als Moussa vrij is. Ik ben er zeker van dat hij meer weet.'

'Gaan we hem schaduwen?'

'Waarschijnlijk wel. We zullen hem hoe dan ook nog tegen het lijf lopen tijdens het onderzoek.'

'Praten heeft in elk geval geen enkele zin, dat hebben we net ondervonden,' zei Sterckx.

Zeiz was een andere mening toegedaan. Maar hij zei niets. Het gesprek had meer opgeleverd dan hij had kunnen hopen.

Een eerste vaststelling was dat Moussa eigenlijk niet verplicht was geweest om op hun vragen te antwoorden. Hij had zijn straf bijna uitgezeten en hij werd nergens van verdacht. Hij had het verhoor dus eindeloos kunnen uitstellen. Hij had er blijkbaar zelfs bij Pamela Ooms op aangedrongen het gesprek vandaag te laten plaatsvinden. Zijn ziekmelding was een smoesje geweest. Dat verschafte hem mogelijk een paar dagen bedenktijd om dingen uit te zoeken. Informatie over het moordonderzoek? Gevangenen konden bezoek ontvangen. Ze lazen de krant. Ze hadden stiekem telefonische contacten met de buitenwereld.

Zeiz twijfelde niet: Moussa Jawad was nieuwsgierig geweest. Hij had willen weten hoever ze stonden in het onderzoek, meer bepaald of de politie een verband vermoedde tussen hem en de moorden. Op die vraag had hij nu een antwoord gekregen. Hij zou dus op zijn hoede zijn. Maar hij had ook ongewild in zijn eigen kaarten laten kijken.

Zeiz vroeg zich af of het volgende slachtoffer Moussa zou zijn. Als dat zo was, dan scheen de man zich daar niet veel zorgen over te maken. Hij had zich tijdens zijn gevangenisstraf uitstekend gedragen, zodat er geen reden was om hem langer vast te houden. Hij was er zelfs in geslaagd bij sommige mensen sympathie op te wekken.

Diezelfde middag maakte Zeiz een lange wandeling, ondanks het advies van de dokter om het rustig aan te doen. In gedachten verzonken liep hij door de stad. De zon was door de wolken gebroken en als bij toverslag waren er bij sommige cafés terrasjes verschenen. Op de Havermarkt stapte hij langs café Concordia. Hij herinnerde zich dat dit het stamcafé van zijn vader was. De oude man placht er zijn politieke en andere vrienden te ontmoeten. De deur stond open. Zeiz wierp in het voorbijgaan een blik naar binnen. Hij schrok. Daar zat inderdaad zijn vader, in het gezelschap van een groepje, dat een luidruchtige discussie voerde. Naast hem herkende hij de sympathieke Hasseltse zakenman en politicus van wie hij wist dat hij luisterde naar de naam Robert. Zeiz had persoonlijke herinneringen aan de man, hij kwam vroeger bij hen over de vloer. Zijn vader noemde hem altijd Robbie.

Zeiz liep snel verder en verliet de stad. Hij volgde het jaagpad langs het kanaal, van de jachthaven in het centrum tot een heel eind buiten de stad. Het weer was koud en grijs en hij had tegenwind. Hij kon het motorengejank van het autocircuit van Zolder al van kilometers ver horen. Hij worstelde zich vooruit, tegen de harde wind, zijn ogen traanden en zijn oren deden pijn van de kou.

Hij verheugde zich op het vooruitzicht binnenkort te verhuizen. Gisteren waren hij en Moni in het flatgebouw bij het kerkhof gaan kijken naar de studio die te huur stond. Toen Moni de grauwe gevel van het gebouw zag, had ze eerst een bedenkelijk gezicht getrokken, maar de studio zelf bekoorde haar meteen. Bovendien was het een gelijkvloerse woning, zodat hij gebruik kon maken van een deel van de tuin, die reikte tot aan de muur van het kerkhof. Haar reactie had zijn laatste twijfels weggenomen en hij had besloten de studio te nemen. Dat hij daarvoor het huurcontract van zijn huidige woning moest verbreken, wat hem waarschijnlijk veel geld zou kosten, nam hij er dan maar bij.

Maar die zorg bleek overbodig. Moni had zijn huurcontract grondig gelezen en ontdekt dat het op naam van Cathy stond. Dat was dus een meevaller. En de oplossing was simpel: hij zou de vaste betalingsopdracht afzeggen en zo vlug mogelijk verhuizen.

Hij had Moni zijn halflege flat in residentie De Kaai laten zien. Een beetje schaamde hij zich wel toen ze op de vloer van de slaapkamer zijn vuile ondergoed van de laatste dagen aantroffen. Op de keukentafel lag de gameboy voor zijn neefje Kareem. Ze vroeg hem waarom hij die nog altijd niet had opgestuurd. Daar wist hij geen antwoord op. Op die fantastische avond van hun eerste date vertelde hij haar over zijn familie in Tunesië en over het joch dat zijn petekind was. Maar dat hij bewust de familiale banden verwaarloosde, vertelde hij er niet bij. Hij had er zelf geen verklaring voor.

'Geef me het adres, dan stuur ik het wel op,' had ze gezegd, zonder verder te vragen.

Hij had het gevoel dat ze hem begreep en die rare kronkel in zijn brein herkende. Er was een vreemd moment geweest. Hij stond in de badkamer en staarde in de spiegel naar zijn kneuzingen en verbaasde zich over de bizarre vorm die zijn gezicht had aangenomen. Plotseling merkte hij dat Moni achter hem stond en naar hem keek, gebiologeerd haast, als een kind dat in een droom gevangen zit. Toen hij glimlachte, leek het alsof ze langzaam ontwaakte uit een trance. Wat ging er in haar hoofd om? Een diep medelijden overviel hem. Hij was op haar toegelopen en had haar in zijn armen genomen. Ze had vluchtig haar lippen op die van hem gedrukt. Hij voelde hoe de begeerte bezit van hem nam, maar toen had ze hem van zich afgeduwd.

Daarna had ze zijn hoofd in haar handen genomen en zijn kneuzingen gestreeld, zo zacht dat hij het haast niet voelde. 'Mijn arme jongen,' fluisterde ze. 'Je moet voorzichtig zijn. Ik heb je nodig.'

Die woorden waren nog lang bij hem blijven hangen. Waarom moest hij voorzichtig zijn? En waarvoor had ze hem nodig? Er was een vreemd soort spanning tussen hen. Zou ze ooit accepteren dat hij haar onbevangen kuste en aanraakte, zoals minnaars nu eenmaal doen? Ze had de verkrachting door Yusuf en Tarik nog niet verwerkt. Maar hoelang moest hij geduld hebben? Toch twijfelde hij niet. Dit was niet zomaar een verliefdheid, voelde hij. Nog nooit had hij zich zo snel met iemand verbonden gevoeld.

Het bloed hamerde onder zijn huid terwijl hij verder liep. Zijn ogen deden pijn van de wind. De herinnering aan Cathy deed hem plotseling weer twijfelen. Zij was de perfecte minnares geweest. De geilste ooit. Eén van haar lievelingsspelletjes, herinnerde hij zich, was hem vanaf een afstand uit te dagen met een tergend langzame striptease.

Een donkere zweepslag bracht hem terug naar de werkelijkheid. Rechts van hem dook een gevaarte op. Een vrachtboot die 'PRESIDENT DELMER' heette voer voorbij en deed de golven tot boven de oevers klotsen. Zeiz schrok opnieuw toen een fietser die hij niet had horen aankomen hem inhaalde. 'Heb je geen bel?' schreeuwde hij hem na. Maar de man hoorde hem niet en fietste over zijn stuur gebogen verder, zijn regenjas bol, alsof hij een ballon op zijn rug droeg.

In het ziekenhuis had Zeiz een besluit genomen: hij zou zijn leven grondig reorganiseren. De verhuis was de eerste stap. Hij stapte verbeten verder. Toen hij aan de overkant van het water de omheining van het autocircuit zag liggen, sloeg hij links een wandelpad in, dat door een bos voerde. In dit bos hadden zijn ouders vroeger een lapje grond met een buitenhuisje en een vijver gehad. Hij moest even zoeken om het te vinden. Het huisje was ingestort, de planken waren vermolmd en het dak was rot. Van de vijver was een kleine plas over. Hier had hij met zijn zusje gespeeld. Hij ging bij het water zitten en dacht na.

Sterckx had ontdekt dat de nummerplaat van de Mercedes Vito niet was geregistreerd. Er waren in de loop van vorig jaar twee bestelwagens van dat merk gestolen, maar toen ging het telkens om zo goed als nieuwe auto's. De bestelwagen in Ter Hilst was van een iets ouder model geweest. Van Sterckx wist hij dat zijn collega's op het commissariaat zijn theorie dat dit de auto van de moordenaar of moordenaars was niet ernstig namen, of er tenminste twijfels over hadden. In Ter Hilst werden wel vaker gestolen auto's aangetroffen.

Het onderzoek schoot niet op, zo leek het wel. Maar was dat wel zo? Zeiz' leermeester Omer Lesage vergeleek een onderzoek altijd met een puzzel, waarvan je eerst de stukjes moest verzamelen om ze vervolgens in de juiste constellatie te leggen. Alles wel beschouwd had hij al heel wat stukjes verzameld. Het leken losse brokjes, die op het eerste zicht geen verband met elkaar hielden. Misschien moest hij nu proberen ze in elkaar te passen.

Hij verliet het bos en koos een andere terugweg. Het was een omweg, maar hij had zich voorgenomen om op goed geluk aan te kloppen bij Walter Vaes, die hier in de buurt woonde.

Het parkeerterrein was verlaten, maar in de dojo brandde licht. Hij ging de trap op die naar het woonhuis voerde. Er hing nog een zweetgeur van de voorbije training. De deur boven aan de trap stond open. Een man in kimono liep voorbij. Zeiz meende dat hij Walter Vaes herkende. Toen hoorde hij stemmen. Met een schok bleef hij staan. Was dat Moni niet? Het was haar stem, een heldere stem met een scherp randje. Die zou hij uit de duizend herkennen. Maar toen overviel hem de twijfel.

Hij trok zich terug. Een trede kraakte. Hij voelde zich ongemakkelijk. Hij wist niet waarom, maar hij wilde niet dat hij Moni daar zag. Hij luisterde, maar hoorde niemand meer praten. Het was belachelijk zich hier te verstoppen en stiekem te luisteren. Hij besloot naar binnen te gaan. Voorzichtig ging hij verder. Net op dat ogenblik verscheen Vaes in de deuropening. Hij had een geweer in de hand en richtte de afgezaagde loop op Zeiz' voorhoofd.

'Ach, ben jij het, Kareem?' zei Vaes met luide stem. 'Het is altijd veiliger om even te roepen voor je binnenkomt. Zo vermijden we ongelukken.' Hij monsterde Zeiz aandachtig, alsof hij aan het overwegen was om de trekker toch over te halen. Toen zei hij: 'Wat is er met jouw gezicht gebeurd? Heb je gevochten?'

'Ik ben tegen een deur aangelopen,' zei Zeiz.

Vaes grijnsde. 'Vrouwen en deuren mag je nooit vertrouwen,' mompelde hij. 'Maar kom binnen. Trouwens, je bent weer te laat voor de training.'

De zithoek was verlaten. Door het raam dat op een kier stond klonk in de verte het geluid van een auto die startte en wegreed.

'Dat is vreemd,' zei Kareem, 'ik dacht dat ik de stem van Moni hoorde. Was ze hier?'

Vaes nodigde hem met een gebaar uit te gaan zitten. 'Was dat maar zo,' zei hij. Hij staarde Zeiz bedroefd aan. 'Ze doet iets met een man, ja. Jij bent niet de enige, Kareem.'

De fles wijn op de tafel was bijna leeg. Er stond maar één glas. Maar de stoel waarop Zeiz ging zitten was nog warm.

16

Woensdagmorgen had Zeiz een afspraak met de eigenaar van de studio aan de Kempische Steenweg, een corpulente man in tweedpak, die overvloedig zweette. Hij vroeg meteen of Zeiz een vast inkomen had en of hij dat kon bewijzen met een loonfiche of een ander officieel document. Maar zijn achterdocht verdween meteen toen hij hoorde dat Zeiz bij de politie werkte.

'Heeft u een ongeluk gehad?' vroeg de makelaar.

Zeiz antwoordde niet en onderdrukte zijn ergernis. Ze handelden de formaliteiten af en namen afscheid. Aangezien de studio als een volwaardige woning gold en zelfs over een tuintje beschikte, was hij een stuk duurder dan de andere in het gebouw. Maar Zeiz klaagde niet. Vierhonderdtwintig euro per maand, onderhoudskosten inbegrepen, dat was bijna de helft van wat Cathy's flat had gekost.

Moni en zijn vader hielpen hem met verhuizen. De woning was in een redelijk goede staat en een grondige poets- en verfbeurt zou volstaan om het interieur op te fleuren. In afwachting daarvan woonde hij bij zijn vader.

Wat zijn bezoek aan Walter Vaes betrof, wist Zeiz nu dat hij zich had vergist toen hij dacht Moni's stem te hebben gehoord. Hij had het haar vandaag gevraagd en ze vertelde hem dat ze al een week niet meer in de club was geweest. Maar dat hij een vrouwenstem had gehoord, daar was Zeiz zeker van. Een paar dingen zaten hem niet lekker. Waarom had die vrouw zich zo snel uit de voeten gemaakt toen hij er aankwam? En waarom had Vaes hem verwelkomd met een geweer? Wat had Vaes te verbergen en waarvoor had hij angst?

Over haar vriendschap met Vaes was Moni openhartig. Ze was als meisje van twaalf bij hem in de club beginnen te trainen en kende hem dus al vijfentwintig jaar. Enkele jaren geleden was ze tijdens een buitenlandse stage in zijn bed beland, maar het was bij die ene keer gebleven. Ze zei dat Vaes een groot aanzien genoot in de internationale karatewereld. Voor vele karateka's was hij een soort mentor, een goeroe haast. Die ene liefdesnacht had niets aan hun relatie veranderd. Ze beschouwde hem als een van haar beste vrienden. Wat er ook gebeurde, ze wist dat ze altijd op hem kon rekenen.

Sinds vorig weekend had Zeiz haar elke dag gezien. Hij merkte dat het vertrouwen tussen hen groeide. Ze vertelde over haar jeugd, over haar zieke moeder, die in een verzorgingsinstelling in Voeren woonde en zelfs over haar vroegere relaties. Maar de aanranding van een jaar geleden bleef verboden terrein, die duistere ervaring was nog te pijnlijk voor woorden. Sindsdien had ze alle mannen uit haar persoonlijke leven gebannen. Walter Vaes vormde daar een uitzondering op.

'Ik verlang naar jou,' zei Zeiz, toen ze op woensdagavond afscheid namen. Ze stonden voor het huis van zijn vader, waar hij voorlopig zijn intrek had genomen.

In een opwelling drukte hij haar tegen zich aan. Maar ze draaide haar gezicht weg toen hij haar wilde zoenen.

'Geef me een beetje tijd,' zei ze.

Toen Vaes gisterenavond hoorde dat Zeiz een relatie met haar had, had hij hem ongelovig aangestaard. 'Een echte relatie, dat kan niet.'

'Ik hoop dat het een echte relatie wordt,' had Zeiz geantwoord.

'Hoop doet leven,' had Vaes gezegd, zonder enig spoor van spot in zijn stem. 'Maar je moet voorzichtig zijn met haar,' had hij er cryptisch aan toegevoegd. Hij had nog een tweede fles wijn opengedaan en die bijna helemaal in zijn eentje opgedronken, terwijl hij praatte over zijn reizen als karateleraar. Hij was met vervroegd pensioen gegaan om zich volledig te wijden aan zijn sport. Zeiz had niet naar zijn persoonlijke leven durven te vragen. Hij wist dat Vaes getrouwd was geweest en een zoon had, die ondertussen volwassen was. Hij had de eenzaamheid van de oude krijger gevoeld. Was het zo dat eenzame mensen elkaar herkenden?

Op donderdagmorgen ging hij weer werken. Hij maakte een tussenstop in het stationsbuffet. Terwijl hij aan de tapkast zijn koffie stond te drinken, voelde hij dat de afgelopen dagen hem goed hadden gedaan. Er was bijna een week voorbijgegaan en elke dag waren zijn gedachten een beetje verder van de moordzaak afgedwaald. En toch had hij niet de indruk dat het verloren tijd was geweest.

Hij dronk zijn koffie en merkte dat de mensen hem aanstaarden. Toen realiseerde hij zich dat dat misschien de reden was dat Moni niet door hem gezoend wilde worden. Waarom had hij daar niet aan gedacht? Zijn ge-havende gezicht was immers geen aantrekkelijk zicht.

Zijn verblijf in het huis van zijn vader had herinneringen losgemaakt. En de nachten in zijn oude jongenskamer hadden de weemoed aangewak-kerd. Hij probeerde zich voor te stellen dat zijn vader er niet meer was. Zou hij zijn vader missen als die gestorven was? Hij kende de oude man nauwelijks, dat was een feit. Wie kende hem eigenlijk wel? Was er iemand die een vermoeden had van wat er in zijn grijs geworden hoofd omging? Zeiz' moeder? Had zij ooit kunnen doordringen in de emotionele vesting van haar man? Een oud Tunesisch spreekwoord luidde: 'Wie kan tonen wat hij voelt, sterft gelukkig.'

Hoe vaak was Zeiz als politieagent met de dood geconfronteerd? In een flits zag hij de gruwelijk verminkte lijken van Yusuf en Tarik weer voor zich. Bijna een week lang waren hem die beelden bespaard gebleven. Zijn rustige time-out was voorbij.

Toen hij het stationsbuffet verliet, kwam de vreemde gedachte bij hem op dat de dader of daders van de situatie gebruik hadden gemaakt om ook een pauze te nemen.

De werkdag begon rustig, op een incidentje na. Hij had zich weer in dienst gemeld toen hij in de gang Vannuffel tegen het lijf liep. Die begroette hem niet, maar snauwde hem toe: 'Ik hoop dat dit een les voor jou is geweest.'

'Ik heb van jou geen lessen te leren,' gaf Zeiz terug. Hij draaide Vannuf-fel de rug toe en liep verder.

'Je beseft toch wel dat je het onderzoek dwarsboomt door eigenzinnig en zonder overleg te handelen,' riep Vannuffel hem na.

Zeiz stak als antwoord zijn middenvinger in de lucht. Terwijl hij dat deed, schaamde hij zich een beetje. Blijkbaar was hij in een situatie terecht-gekomen waarin hij zijn toevlucht moest nemen tot dit soort van vulgari-teiten in plaats van met redelijke argumenten terug te vechten. Hij besefte dat dit een straatje zonder einde was. Geen van hen beiden was in staat de impasse te doorbreken. Daarvoor was de wederzijdse afkeer te groot. De oplossing zou van buitenaf moeten komen en Zeiz vreesde dat hij daarbij aan het kortste eind zou trekken.

'We weten meer van jou dan je denkt, vriendje, dat zul je vlug genoeg merken,' was het laatste wat Vannuffel riep.

Zeiz snelde zijn bureau binnen en sloeg de deur achter zich dicht.

Neefs was met ziekteverlof en ook Sterckx had een dagje verlof genomen. Er was niemand die hem kwam storen. Hij profiteerde van de rust om de volgende twee uren de onderzoeksverrichtingen van de laatste dagen door te nemen. Hij moest toegeven dat er degelijk werk was verricht. Zijn collega's hadden heel racistisch België in kaart gebracht. Hij stond versteld van de grootte van het extreemrechtse netwerk, dat zijn tentakels had tot in het provinciestadje waar hij nu woonde. Roger Daniëls had bovendien ontdekt dat in 1981, in het Amerikaanse Denver, drie mensen waren vermoord door een organisatie die zich White Revenge noemde. Er was inderdaad een gelijkenis. De daders waren blanken. De slachtoffers waren zwarte mannen, ze werden gemarteld voor ze werden vermoord.

Zeiz googelde de zaak. De daders waren toentertijd opgepakt en veroordeeld. Eén van hen was zelfs op de elektrische stoel geëindigd. Zoals het eruitzag, ging het om een marginale racistische bende, die ophield te bestaan na de veroordelingen. Maar een verband viel natuurlijk nooit uit te sluiten. Zeiz moest toegeven dat ook in hun zaak racisme een motief kon zijn en dat ze dit spoor zeker niet mochten verwaarlozen.

Hij zat geconcentreerd te lezen toen er op zijn deur werd geklopt. Hoofdcommissaris Hans Vanderweyden kwam de kamer binnen, mompelde iets onverstaanbaars als groet en ging met een diepe zucht in de stoel tegenover Zeiz zitten.

'Hoe gaat het met jou?' vroeg hij. 'Ben je eigenlijk al in staat om te werken?'

Hetzelfde had hij vanmorgen al gevraagd.

Zeiz antwoordde laconiek: 'Natuurlijk, anders was ik hier niet.'

'Niemand had je iets verweten als je een paar dagen langer thuis was gebleven.'

Zeiz vroeg zich af of sommige van zijn collega's daar heimelijk op hadden gehoopt. Maar hij zei niets.

'Zo'n verwonding moet je niet onderschatten,' ging Vanderweyden verder. 'Als ik het goed heb begrepen, ben je zelfs buiten westen geweest.'

'Misschien enkele seconden,' loog Zeiz, 'maar ik ben er niet zeker van. Zo erg was het nu ook weer niet.'

Vanderweyden bloosde en wees naar Zeiz' hoofd. 'Je ziet er eerlijk gezegd beangstigend uit. Ik bedoel: je bent bijna onherkenbaar. Doet het nog pijn?'

Ook dat had Vanderweyden vanmorgen al gevraagd. En ook nu weer schudde Zeiz het geteisterde hoofd. Natuurlijk deed het nog pijn. Hoewel de pijn een doffe vorm had aangenomen, die eerder in de weg zat dan pijn deed, alsof er constant een voorwerp op zijn neus en rechterslaap werd gedrukt.

'Je hebt nog geen klacht ingediend.'

Zeiz knikte. Hij was het van plan geweest, maar had gemeend dat er geen haast bij was. En daarna was hij het vergeten.

'Dat doe ik vandaag,' zei hij.

'Ook als je denkt dat het een ongeluk was, moet je het doen,' zei Vanderweyden.

Zeiz keek zijn chef verbaasd aan. 'Ik denk niet dat het een ongeluk was. Heeft u mijn verslag gelezen?'

'Ik heb het heel aandachtig gelezen. Jouw vorige verslagen trouwens ook. Maar het is ons niet helemaal duidelijk waarop je je vermoedens baseert.'

Vanderweyden had 'ons' gezegd. Daarmee gaf hij aan dat er binnen de recherchegroep over het incident was gediscussieerd. En dat er twijfels waren over zijn interpretatie van het gebeurde.

'Het is een vermoeden, gebaseerd op een theorie. De theorie vloeit voort uit een aantal onderzoeksfeiten: de Mercedes Vito die op elke plaats delict opdook, de buurt waar de twee vermoorde jongens woonden, het angstige en defensieve gedrag van Jisa Kanli, die een straat verder woont...'

Vanderweyden onderbrak hem. 'Excuseer me, maar ik speel even de advocaat van de duivel. Waarom zou Jisa Kanli het volgende slachtoffer zijn? Oké, hij heeft getelefoneerd met zijn neef Tarik, vlak voor die vermoord werd. En een jaar of zo geleden zijn hun namen in een dossier van de jeugdrechtbank opgedoken. Erg vage aanwijzingen, vind ik persoonlijk. En wat die aanslag tegen jou betreft, blijft nog altijd de mogelijkheid dat iemand de deur uit verstrooidheid tegen jouw hoofd heeft geslagen. Of een drugsdealer die zich door jou betrapt voelde. We weten allemaal dat in Ter

Hilst vreemd volk rondloopt.'

Zeiz knikte. 'Uiteraard kunnen we dat niet uitsluiten zolang we de dader niet hebben. Ik heb het in mijn verslag dan ook over een bijna-zekerheid.' Terwijl hij naar de juiste woorden zocht, voelde hij zijn maag ineenkrimpen. Eens te meer had hij de indruk dat hij niet ernstig werd genomen. 'Natuurlijk kan ik niet bewijzen dat Jisa Kanli het volgende slachtoffer wordt,' zei hij. 'Ik geef wel toe dat ik me laat leiden door mijn intuïtie, mijn intuïtie van ervaren politieagent.'

'In dat verslag staat ook dat je een verdachte wagen aan een nauwkeurig onderzoek wilde onderwerpen,' zei Vanderweyden. 'Jouw intuïtie vertelde jou dus dat hier iets niet klopte. Toch heb je geen versterking gevraagd, je hebt alleen via een sms aan Adam gevraagd om de nummerplaat te checken. Je hebt in je eentje gehandeld, Kareem, als een amateur. Niemand van ons wist dat je in Ter Hilst aan het werk was.'

Zeiz haalde diep adem. 'Je weet ook waarom. Niemand wil of mag mij helpen. Vannuffel trekt het onderzoek helemaal naar zich toe. Hij volgt zijn spoor, waarvan we alleen maar kunnen hopen dat het het goede is. Als ik ondersteuning had gevraagd, zou mij dat toch zijn geweigerd.'

'Hoe kun je dat weten?' vroeg Vanderweyden. 'Je hebt het niet gevraagd. Je hebt je directe chef, Willy Vannuffel, niet op de hoogte gehouden van je onderzoeksdaden. Jij hebt dus een fout gemaakt.'

Vanderweyden wees naar het dossier dat op Zeiz' bureau lag. 'Als je dat aandachtig hebt gelezen, zul je moeten toegeven dat we een ernstig spoor volgen. We hebben beslist om alles op alles te zetten. Mogelijk zitten we kort bij een ontknoping. Ik kan niet accepteren dat jouw aversie tegen Vannuffel het onderzoek afremt.'

Zeiz vroeg zich af of het wel zin had om verder te praten. Hij keek Vanderweyden aan en vroeg: 'Hoe moet ik dat verstaan? Word ik nu geschorst?'

'Is dat wat je wilt?' vroeg Vanderweyden scherp. 'Ik hoop eerlijk gezegd van niet. Ik vind nog altijd dat je een versterking vormt voor onze ploeg. Maar het wordt tijd om keuzes te maken. Ik duld niet langer dat je in je eentje onderzoek voert, zonder eerst met de anderen te overleggen.' Hij stond op.

'Volgens mij is het een gebrek aan vertrouwen,' begon Zeiz.

Vanderweyden maakte een afwerend gebaar. 'Die discussie voert ons tot niets. Maar er is nog iets anders.' Hij zwaaide met het mapje dat hij in zijn hand had. 'Vanmorgen belandde dit op mijn bureau. Een rapport overgemaakt door de politie van Landen. Ik vat samen. Op 8 april werd de seininstallatie van een onbewaakte spoorwegovergang in de deelgemeente Allelanden vernield. Een getuige verklaart dat hij die dag heeft gezien hoe een man van allochtone afkomst een steen wierp naar de seininstallatie. Hij heeft de nummerplaat van diens auto kunnen opschrijven.' Vanderweyden wachtte en keek Zeiz aan. 'Het is jouw auto.'

Zeiz schrok. Wat zijn chef net had verteld, trof hem als een slag in het gezicht. Met moeite kon hij een kreun onderdrukken. Hij had alles verwacht, maar niet dit. Er zijn dingen die je in je leven doet, waarvoor je je schaamt, maar die je makkelijk kunt verdringen als je denkt dat niemand in je omgeving ervan op de hoogte is. Er is iets gebeurd maar je vergeet het. De seininstallatie die hij had vernield was zo'n geval.

Nu was er blijkbaar toch iemand die gezien had wat hij had gedaan. Het was alsof hij in zijn blootje werd gezet. Hij kon het met moeite geloven.

'Jij was daar, op dat moment,' ging zijn chef verder. 'Ralf Ratzinger, de man die Yusuf Halil in de parkeergarage heeft gevonden, woont daar toevallig in de buurt. Je bent hem op 8 april gaan bezoeken, voor een verhoor.'

Zeiz zocht koortsachtig naar een uitweg. Ontkennen dat hij daar was geweest, had geen zin. Hij had zoals altijd ook van die onderzoeksdaad een verslag aan Vanderweyden bezorgd. Maar wat moest hij over die seininstallatie zeggen? Moest hij eerlijk zijn? 'Ik was daar inderdaad,' zei hij. 'Maar Ratzinger was niet thuis.'

'Wat heb je te zeggen op die beschuldiging?'

'Is dat een beschuldiging?'

Vanderweyden trok een geërgerd gezicht. 'Goed. Het is een getuigenverklaring, waarin iemand verklaart dat de eigenaar van een personenwagen met jouw nummerplaat de seininstallatie van een onbewaakte spoorwegovergang heeft vernield.'

Zeiz schudde zijn hoofd. 'Dat is absurd.'

Hij had een beslissing genomen. Hij zou dit ontkennen, er was geen andere weg. Toegeven was professionele zelfmoord. Er hing hem al een intern tuchtonderzoek boven het hoofd. Met dit erbij zou hij zonder enige twijfel onmiddellijk worden geschorst.

'Heb je die seininstallatie vernield, ja of nee?'

Zeiz aarzelde niet. 'Nee.'

'Maar je bent daar voorbij gereden? Je bent aan die spoorwegovergang geweest?'

'Ik herinner het me nu,' zei Zeiz. 'Ik heb aan die overweg staan wachten. Het licht stond op rood en de sirene ging. Toen kwam een tractor, die me voorbijreed, het alarm negeerde en de spoorweg overstak.' Hij aarzelde. 'Maar er was een probleem. Het rode licht en de sirene bleven actief. Ik heb daar een kwartier staan wachten. Toen ben ik de spoorweg dus ook maar overgestoken, hoewel dat niet mocht. Ik geef dus toe dat ik een overtreding heb begaan. Maar ik kon daar moeilijk de hele avond blijven staan.'

Vanderweyden bekeek hem aandachtig. 'Dat is een vreemd verhaal, moet ik zeggen. Ik vind het eigenlijk ook een beetje vreemd dat je helemaal daarheen bent gereden om die Ratzinger te ondervragen.'

'Zijn verklaring ontbrak nog in het dossier,' zei Zeiz.

'Zo dringend is dat toch niet. Zijn verklaring zal niet veel aan het onderzoek toevoegen. En je had hem ook naar het commissariaat kunnen vorderen.'

'Ik was in de buurt en ik dacht: ik maak dit in orde.'

'Maar je hebt dus niet met een steen naar de seininstallatie gegooid?'

'Nee, dat heb ik toch al gezegd. Waarom zou ik zoiets doen?'

Terwijl hij dat zei, vroeg hij zich af waarom hij het had gedaan. Hij kon geen enkele zinnige reden bedenken.

Vanderweyden knikte. 'Goed, ik geloof je. Maar je zult wel begrijpen dat dit nog een staartje krijgt. Je weet hoe dat gaat. Je zult een verklaring moeten afleggen en de getuige zal met jouw verklaring worden geconfronteerd.'

'Dat moet dan maar,' zei Zeiz. Hij probeerde een gelaten indruk te maken. Vreemd genoeg lukte hem dat zonder moeite. Met verbazend gemak had hij zich in zijn nieuwe leugenachtige rol ingeleefd. Hij walgde van zichzelf. Maar er was geen andere weg, besefte hij.

'Ik kan ook niet verhinderen dat anderen dit misschien tegen jou gaan gebruiken,' zei Vanderweyden. 'Ik neem aan dat je begrijpt wat ik bedoel.'

Zeiz haalde zijn schouders op. 'Ik had niet anders verwacht.'

Natuurlijk zouden Vannuffel en Lambrusco dit incident tegen hem gebruiken. Ook al gebeurde er een wonder en ging hij vrijuit in deze zaak, dan nog zou de verdenking blijven hangen en de uitspraak in het tuchtonderzoek beïnvloeden.

Vanderweyden bleef nog even bij de deur staan. 'Over twee weken moet je voor de raad verschijnen. Ben je voorbereid?'

'Wat moet ik daar vertellen?' vroeg Zeiz. 'Dat Vannuffel als chef onbekwaam is? En dat Lambrusco een blaaskaak is?'

Vanderweyden bloosde. 'Ik heb je een ernstige vraag gesteld.'

'Ik heb nog geen tijd gehad,' antwoordde Zeiz. 'We voeren een moordonderzoek. Een waanzinnige heeft twee jongens vermoord. We moeten hem te pakken zien te krijgen voor hij weer toeslaat. Eigenlijk zou het tuchtonderzoek uitgesteld moeten worden.'

'Dat kan niet, dat weet je zelf ook. De datum ligt vast.'

'Eerlijk gezegd heb ik het gevoel dat ook de uitslag vaststaat.'

'Je antwoordt niet op mijn vraag. Hoe ga je je verdedigen? Je moet dat niet onderschatten. Een uitspraak in jouw nadeel kan je carrière kraken.'

Zeiz haalde zijn schouders op. 'Ik weet het ook niet. Wat zou jij in mijn plaats doen?'

'Ga er even tussenuit en zet je zaken op orde. Neem een pauze.'

Zeiz staarde zijn chef aan. Plotseling schoot hem iets te binnen, iets wat hij eerder had gedacht, een bedenking die hij vanmorgen had gemaakt toen hij in het stationsbuffet zijn koffie stond te drinken: de moordenaar had van de gelegenheid gebruik gemaakt om een pauze te nemen. Misschien was die bedenking nog niet zo gek geweest. En die pauze had hij niet zelf gekozen. Net zoals bij Zeiz werd ze hem door de situatie opgelegd.

'Is er iets?' vroeg zijn chef. 'Voel je je niet goed?'

Zeiz forceerde een glimlach. 'De omstandigheden in acht genomen voel ik me goed.'

'En neem een advocaat,' zei Vanderweyden, voor hij de deur achter zich dichttrok.

17

Als Zeiz de daaropvolgende dagen in de spiegel keek, had hij niet de indruk dat de zwellingen en de bloeduitstortingen in zijn gezicht aan het afnemen waren. Integendeel, hij begon meer en meer op een monster te lijken. Dat de pijn nagenoeg helemaal verdwenen was, beschouwde hij als een magere troost. Sterckx noemde hem nu de 'olifantman'. Zeiz had besloten enkele dagen ziekteverlof bij te nemen.

Hij was inderdaad toe aan een pauze. Alleen wist hij niet wat hij met die vrije tijd moest aanvangen. Zijn zaken op orde zetten, zoals Vanderweyden hem had geadviseerd? Zijn intuïtie zei hem dat er zowel in de tuchtprocedure als in de zaak van de vernielde seininstallatie geen heil te verwachten viel van een eigen initiatief. Er waren krachten aan het werk die boven zijn hoofd een beslissing zouden nemen. In hun ogen was hij slechts een pion, ze zouden hem verschuiven zoals het hen uitkwam.

Het idee dat hij zijn tijd moest vullen met iets dat vrijblijvend was, vervulde hem met weerzin. Hij had nog nooit in zijn leven een hobby gehad, daarvoor was hem de tijd te kostbaar. Als hij iets deed, ging hij ervoor. Zelfs als opstandige puber die op de dool was en later, toen hij op het randje van de criminaliteit balanceerde, had hij met overgave geleefd. De dag dat hij zou worden geschorst of wie weet ontslagen – wat niet eens zo denkbeeldig was met de tuchtprocedure die hem nu boven het hoofd hing – zou hij aan een afgrond staan. Hij was een politieagent, iets anders kon hij niet en wilde hij niet.

Gelukkig was er het opfrissen en herinrichten van zijn nieuwe woning. De volgende morgen sloot hij zich aan bij Moni en zijn vader, die samen de uitvoering van de werkzaamheden op zich hadden genomen. Ze bleken het perfecte team te vormen. Hem degradeerden ze tot loopjongen. Als hij die twee bezig zag, eensgezind en opgewekt, ging er soms een steek van jaloezie door hem heen. Niet dat hij zijn vader als een soort liefdesrivaal zag, die idee was werkelijk belachelijk. Wel twijfelde hij eraan of hijzelf ooit tot zo'n harmonieuze samenwerking in staat zou zijn. Zijn persoonlijke en ook professionele leven bestond uit een eindeloze reeks van conflicten, waarbij de vraag niet zozeer was of hij gelijk had, maar wel wat het hem had opgeleverd. Het antwoord op die vraag was pijnlijk negatief.

's Middags nodigde zijn vader hen uit op een etentje bij hem thuis. Sterckx kwam langs en liet zich overhalen om te blijven eten. Maar hij was stand-by en werd weggeroepen. Ze hadden nauwelijks met elkaar kunnen praten. Zeiz had meteen gevoeld dat zijn jonge collega niet zomaar was langsgekomen. Er lag hem iets op de lever. Hij nam zich voor hem later op de dag op te bellen en daarnaar te vragen.

Tijdens het eten praatte zijn vader aan één stuk door met Moni. Hij had de groene fles Smeetsjenever bovengehaald en dronk het ene borreltje na het andere. Zeiz ergerde zich aan het zatte toontje dat uit de mond van de oude man kwam, en aan de smalltalk die hij produceerde. Het kwam allemaal erg gemaakt over. Hij probeerde niet te luisteren en schoof zijn stoel dichter bij die van Moni, zodat hun lichamen elkaar raakten. Haar nabijheid maakte hem rustig. Met haar aan zijn zijde slaagde hij erin de donkere gedachten van zich af te zetten.

Zeiz was blij toen zijn vader opstond om buiten te gaan roken. Het was twee uur in de middag, maar door het ruige weer leek het alsof de avondschemering al was ingetreden. Ze zagen zijn silhouet verdwijnen. Even later lichtte achter in de tuin een vlammetje op.

Zeiz legde zijn hoofd op Moni's schouder. Ze liet hem betijen. Hij sloot zijn ogen. Het voorlopige verblijf in het huis van zijn vader begon hem mismoedig te stemmen. De voorbije nacht in zijn oude jongenskamer werd geteisterd door nachtmerries, een feuilleton van horrorbeelden, waaruit hij zwetend wakker schoot. Toen hij 's morgens opstond, voelden zijn ledematen loom aan alsof hij in de stekende zon een berg had beklommen.

Van zijn vader houden was een zware opdracht, besefte hij. Voor de buitenwereld was hij een rustige, bedachtzame man, maar wie met hem samenleefde, werd geconfronteerd met een koppigaard, die zijn huisgenoten op afstand hield en intimiteit vermeed. Zeiz moest weer denken aan enkele dagen geleden, toen zijn vader in de auto had gehuild. Sindsdien had de oude man zich weer verscholen achter zijn oude scherm van routine en sarcasme.

Plotseling voelde Zeiz Moni's hand op zijn dijbeen. Een golf van be-

geerte schoot door hem heen. Hij keek naar haar en zij keek terug, glimlachend, alsof ze zijn gedachten kon lezen. Toen sloeg ze haar ogen neer,
als schaamde ze zich voor haar eigen onmacht. Nu nog niet dus, begreep
hij. Hoe hevig hij ook naar haar verlangde, hij zou nog even geduld moeten
hebben.

Na de middag had hij een afspraak met zijn huisdokter. Hij reed over de
stadsring naar het centrum. Het drukke verkeer danste voor zijn ogen en
leek zich op een gegeven moment zelfs te verdubbelen. Voertuigen die
als Siamese tweelingen in elkaar vergroeid leken raasden aan hem voorbij.
Een gevoel van misselijkheid ging door hem heen. Hetzelfde was hem de
dag voordien overkomen, ook in de auto. Hij overwoog langs de kant te
gaan staan toen hij ter hoogte van de Sint-Truiderpoort in een kruipfile
terechtkwam. Terwijl hij in het dampende verkeer vooruitschoof, ebde de
misselijkheid weg. Uiteindelijk had hij veertig minuten nodig om twee kilometer te overbruggen. Hij maakte de bedenking dat het verkeer in Hasselt
haast even erg was als in Brussel.

Hij was de enige patiënt in de wachtkamer. De dokter, een vrouw van
middelbare leeftijd, die ook de huisarts was van zijn vader, onderzocht hem.
Ze zat wijdbeens voor hem en betastte liefdevol met beide handen zijn
gezicht en hoofd, als een blinde die zich een beeld probeert te vormen van
wie voor hem zit.

'Wat is er met mijn ogen aan de hand?' vroeg Zeiz. Hij vertelde wat hem
zonet in de auto was overkomen.

'De scan heeft uitgewezen dat een oogzenuw is geraakt,' zei ze. 'Auto-
rijden zou ik voorlopig vermijden. Maakt u zich niet ongerust. Dat dubbelzien verdwijnt na een tijdje. Maar we kunnen beter zeker spelen.' Ze nam
de telefoon en slaagde erin een afspraak te regelen met een oogarts voor de
volgende dag.

Toen het onderzoek was afgelopen, vroeg ze hoe zijn vader zich voelde
sinds hij met de chemokuur was begonnen.

'Hij lijkt zich beter te voelen.' zei Zeiz.

Ze fronste voor ze verder sprak. 'De ziekte zit in de lymfeklieren, die zijn
vergroot. Het is maar een lichte chemo.'

'Maakt hij een kans...?'

Ze aarzelde. 'Er is een kans dat de behandeling aanslaat.'

Zeiz stapte door de regen naar zijn auto en dacht na over wat hij net over zijn vader had gehoord. Hij bleef besluiteloos achter het stuur zitten, zonder de motor te starten. Zoals hij de dokter had horen vertellen, leek het alsof de oude man bijna aan zijn eind was en dat er maar een kleine kans was dat hij erdoor zou komen. Was zijn vrolijkheid dan een maske-rade? Hoe voelde hij zich echt?

Toen hij de motor startte, schoot hem te binnen dat hij Sterckx moest bellen. Die nam meteen op, nog voor de beltoon had kunnen overgaan.

'Volgens mij wilde je me vanmiddag iets vertellen,' viel Zeiz met de deur in huis, 'maar toen moest je weg.'

Het bleef enkele seconden stil aan de andere kant van de lijn, waardoor Zeiz dacht dat de verbinding was verbroken.

'Ben je er nog?'

'Ja, ik ben er nog,' zei Sterckx. 'Het gaat om het volgende. Vanmorgen kwam Rahia Kanli op bezoek. Ze wilde jou spreken. Maar je was er niet en toen heeft Johan met haar gepraat. Volgens haar houdt de dood van haar broer verband met iets dat enkele maanden geleden is gebeurd. Hij kwam toen gewond thuis. Wist je daarvan?'

'Dat heeft ze mij ook verteld toen ze me kwam bezoeken in het zieken-huis. Maar ze wilde er verder niets over kwijt.'

'Volgens haar waren Tarik en Yusuf samen ergens drugs gaan inkopen. Een zware BMW had hen opgepikt. Dat moet die van Jawad zijn geweest. Er moet toen iets fout zijn gelopen. Wat precies weet ze ook niet. Het blijft dus allemaal nogal vaag.'

'Maar het bevestigt mijn vermoeden,' zei Zeiz.

'Er is nog iets anders. Zijn drugs zaten in een schoenendoos verstopt in de slaapkamer van Tarik. En die doos zou jij in beslag hebben genomen op de dag dat het lichaam van haar broer is gevonden.'

'Aan wie heeft ze dat verteld?'

Er hing een lichte aarzeling in de stem van Sterckx. 'Aan Johan.'

Zeiz dacht koortsachtig na. Hij had er geen rekening mee gehouden dat die vergeten drugs weer boven water zouden komen.

'Ben je er nog?' vroeg Sterckx nu.

'Ja, ik denk na. Ik was toen alleen bij de familie Kanli. Ik herinner me nu dat ik op de kamer van Tarik een doos heb gevonden met een paar grinders en kingsize blaadjes en nog wat van die spullen.'

'Maar geen drugs dus.'

'Nee.'

'Ik vond dat je dit moest weten. Johan is een pietje perfect, dat weet je. Hij is gaan neuzen in de in beslag genomen zaken en heeft geen drugs gevonden.'

'Zoals ik al zei, ik heb geen drugs in beslag genomen.'

'Maar je kent hem,' zei Sterckx, 'hij heeft wel een verslag gemaakt, omdat het in tegenspraak is met de feiten.'

Zeiz besloot met Rahia Kanli te gaan praten. Onderweg stopte hij in het stadscentrum en kocht een doos pralines. Toen hij Ter Hilst binnenreed, viel hem meteen de verlatenheid op, die als een verstikkende deken over de huizen en de straten leek te hangen. Of was het zijn eigen angst die hem parten speelde? Dit was de plaats waar hij met een autoportier knock-out was geslagen. Misschien waren ook de bewoners van de wijk zich bewust van het gevaar en bleven ze daarom binnen?

Het huis van Ahmed Kanli leek verlaten, maar toen hij naar de deur liep, zag hij achter de gordijnen een vaag licht bewegen. Hij belde aan. Rahia deed zelf open.

'Ik wou je nog bedanken', zei hij en hield het doosje pralines voor zich uit.

'Kom binnen, meneer Zeiz,' zei ze en ze accepteerde verlegen het geschenkje. 'Ik was vanmorgen op het politiebureau, maar u was er niet. Dom van mij natuurlijk, ik had kunnen weten dat u nog ziekteverlof heeft.'

De kamer rook sterk naar eucalyptus. Ahmed Kanli zat voorovergebogen aan tafel met een handdoek over zijn hoofd. Hij snoof diep en luidruchtig en piepte onder de handdoek door.

'Aha, inspecteur Zeiz. *Salaam aleikom*,' zei hij.

'*Aleikom asalaam*,' antwoordde Zeiz.

'Mijn vader is flink verkouden,' zei Rahia.

'Vraag mijnheer Zeiz of hij thee wil,' mompelde Ahmed onder de handdoek.

'Nee, dank u,' zei Zeiz. Hij ging tegenover de handdoek zitten.

'Het is hier zo stil in de straten,' sprak Zeiz.

'Iedereen is bang,' zei Rahia.

'Ik ben niet bang,' zei Ahmed. 'Voor niemand. Alleen het oordeel van Allah vrees ik.' Hij snoof en hoestte.

'Je hebt vanmorgen met een collega van mij gesproken,' zei Zeiz tegen Rahia. 'Over je broer. Over die keer dat hij gewond thuiskwam, een paar maanden geleden.'

Ahmed gooide de handdoek van zich af. 'Met wie heb je gesproken?' snauwde hij zijn dochter toe. 'En waarom weet ik daar niets van?'

'Ik ben geen kind meer,' beet Rahia terug. 'Ik hoef niet voor alles aan u de toelating te vragen.'

Zeiz schrok van haar reactie. Maar wat hem vooral verbaasde was dat haar vader dat accepteerde en als een geslagen hond in zijn stoel wegzonk. Het bevestigde zijn vermoeden dat het Rahia's sterke schouders waren die het gezin overeind hielden na het drama dat hen was overkomen.

Rahia wendde zich tot Zeiz. 'Ja, ik heb uw collega gezegd dat Tarik met drugs te maken had. Zij heeft alles opgeschreven.'

'Zij?' vroeg Zeiz. 'Heb je met een vrouw gepraat?'

'Ja, met een vrouw, zij heeft het genoteerd. Ik weet niet meer hoe ze heet.'

Zeiz vroeg zich af met wie ze dan had gepraat. Er werkten maar een paar vrouwen op het kantoor.

'Moge Allah zijn licht over Tarik laten schijnen op de dag des oordeels,' riep Ahmed vertwijfeld uit.

Rahia keek geërgerd naar de handdoek waaronder haar vader weer was verdwenen. 'Tarik was een dealer, papa.'

'Mijn zoon was een zondaar, maar geen misdadiger!'

'Een paar maanden geleden werd hij voor onze deur opgehaald,' vertelde Rahia. 'Ik zag hoe hij in een BMW stapte. Hij is bijna de hele nacht weggeweest. Ik wist dat ze drugs waren gaan kopen. Tarik had altijd veel geld op zak. Dat verdiende hij volgens mij met dealen. Hij werd soms midden in de nacht opgebeld. Dan sloop hij het huis uit en reed weg op zijn brommer.' Ze ademde diep in. 'U heeft toen zelf die doos met drugs op zijn kamer gevonden.'

'Welke drugs?' vroeg Ahmed. Hij kwam weer onder de handdoek te voorschijn.

Zeiz deed ook alsof hij verbaasd was. 'Je bedoelt die schoenendoos, die ik in zijn kast had gevonden? Zaten daar drugs in?'

Rahia keek hem verward aan. 'Was dat niet zo dan? U heeft die doos meegenomen omdat er drugs in zaten.'

'Ik weiger te geloven dat mijn zoon een dealer was,' mompelde Ahmed.

'Er zaten geen drugs meer in die doos,' zei Zeiz, 'maar wel allerlei spullen die erop duiden dat Tarik wel degelijk een dealer was.' Hij dacht snel na hoe hij zijn leugen verder kon opsmukken. 'Er zat een groot pak plastic zakjes in, herinner ik me nu. Die worden gebruikt om drugs te verdelen en verder te verkopen.'

'Neemt u mij niet kwalijk,' zei Rahia aarzelend. 'Ik zal me vergist hebben. Het was ook een vreselijke dag. Liefst zou ik alles willen vergeten.'

De doos lag achter de kast in de kamer van Tarik,' zei Zeiz.

'Mijn vader heeft alle spullen van Tarik weggegooid,' fluisterde Rahia.

Ahmed stond op. Zijn ogen waren vochtig. Hij liep naar de keuken. De deur stond open en Zeiz zag hoe hij een sigaret opstak. Hij hoorde hem rochelen en hoesten. Even later verdween hij. Een deur sloeg dicht.

'Het gaat niet goed met mijn vader,' ging Rahia op fluistertoon verder. 'Hij zit hele nachten wakker en leest de koran. Soms leest hij hardop, zodat ook wij wakker worden. En hij heeft gisteren mijn moeder geslagen. Dat heeft hij nooit eerder gedaan. Ik ben echt ongerust.'

Zeiz knikte. Hij begreep de radeloosheid van Ahmed Kanli. De man had een zoon verloren. En die zoon was een misdadiger, dat wist hij, ook al poogde hij dat te ontkennen.

'Vorige keer had je het over Anwar Abbas en Rayan Baraka,' zei Zeiz. 'Wat weet je over die twee? Had Tarik contact met hen?'

'Gek dat u naar Anwar en Rayan vraagt. Ze zijn al een poosje weg. In de wijk wordt over hen gesproken. Ze gaan niet meer naar school en de directeur heeft een politieman gestuurd om hen te zoeken. Maar dat weet u natuurlijk.'

'Een politieman was naar hen op zoek?' Zeiz was meteen op zijn hoede.

'Er is iemand aan de deur geweest, eergisteren geloof ik. Mijn moeder was alleen thuis. Ze heeft met hem gepraat.'

'Droeg die politieagent een uniform? Weet je hoe hij heet?'

'Ja, mijn moeder had het over een man in een uniform, die zei dat hij de nieuwe wijkagent was. Hij liet haar een kaartje zien waar zijn naam op stond, maar die heeft ze niet goed kunnen lezen. Hij vroeg waar Anwar en Rayan waren. Maar dat wist mijn moeder niet.'

'Is je moeder thuis?'

Rahia schudde het hoofd en keek voorzichtig naar de keuken. Ze scheurde een hoekje van de krant die op de tafel lag en schreef er een telefoonnummer op dat ze aan Zeiz gaf. 'Ze woont voorlopig bij haar zus in Houthalen. Maar ik waarschuw u, ze is heel verward. Het is moeilijk om met haar te praten.'

'Wie was er nog bij als Tarik drugs ging kopen? Anwar en Rayan?'

'Misschien, maar dat weet ik niet zeker. Er werd zoveel verteld. De ene had dit gezien en de andere dat. Maar de man met de BMW was gevaarlijk, dat voelde ik aan de manier waarop mijn broer zich gedroeg als hij met hem meeging.'

'Moussa Jawad?'

Ze leek in elkaar te krimpen toen hij die naam uitsprak. 'Zou kunnen,' zei ze. Ze sloeg haar ogen neer.

'En Jisa?' vroeg Zeiz.

'Die heeft een tijdje achter die grote jongens aan gelopen. Hij keek op naar zijn neef. Voor hem was Tarik een voorbeeld.' Ze schudde haar hoofd. 'Een slecht voorbeeld.'

Toen Zeiz het huis van de familie Kanli verliet, kreeg hij het beklemmende gevoel dat die twee jongens misschien al dood waren. Hij nam zijn gsm en belde naar hoofdinspecteur Louis Das van de lokale politie. Hij vroeg hem uit te zoeken of iemand van zijn wijkagenten in Ter Hilst naar Rayan Baraka en Anwar Abbas had gezocht. Daarna belde hij naar Sterckx, maar die nam niet op.

Rayan en Anwar woonden beiden in de Acaciastraat, schuin tegenover elkaar. Zeiz belde aan, maar niemand deed open. De gordijnen waren dicht. De brievenbussen zaten propvol reclamefolders. Het gras in de voortuintjes was hoog opgeschoten tussen de rommel die er lag. Zeiz ging niet meteen naar zijn auto, maar maakte een wandeling door de buurt. Was er nog iemand die hetzelfde spoor volgde? Iemand die zich uitgaf voor politieagent en de vragen stelde die ook Zeiz stelde? Achter de tunnel van de snelweg, waar hij en Sterckx enkele weken geleden Tarik hadden gearresteerd, werd hij uit zijn overpeinzingen wakker geschud door een fietser die hem uit het veld tegemoet kwam gereden en zich leek te ontdubbelen toen hij voorbijreed. Het schemerde Zeiz voor de ogen. Hij voelde een golf van misselijkheid opkomen, wankelde naar de berm van het fietspad en gaf over. Geknield in het vochtige gras dacht hij aan het gesprek dat hij met Rahia had gevoerd. Hij walgde van zichzelf. De manier waarop hij zich uit de penibele kwestie van de verdwenen drugs had proberen te praten, was beneden alle peil. Zijn leugenachtigheid was blijkbaar grenzeloos.

In een opwelling pakte hij zijn telefoon en belde naar Moni, maar ze nam niet op.

Die avond was hij zijn agenda kwijt. Hij zag het meteen toen hij in de slaapkamer kwam en het licht aandeed. Hij voelde het bloed uit zijn hoofd wegtrekken. Hier klopte iets niet, hij was er zeker van dat hij hem op het bureau had laten liggen. Zenuwachtig zocht hij in de zakken van zijn kleren en keek onder het bureau en het bed. In paniek liep hij naar beneden, terwijl hij in gedachten de voorbije dag probeerde te reconstrueren. Hij was vanmorgen in zijn nieuwe woning aan het werk geweest. Toen hij 's middags naar zijn afspraak met de dokter vertrok, had hij zijn agenda op zijn kamer achtergelaten, op zijn bureau. Hij wist nog precies waar.

Zijn vader kwam net uit de tuin, zijn grijze haren nat van de regen. Hij bracht de geur van nicotine mee naar binnen. Er lag een vage glimlach op zijn gezicht en zijn ogen waren rood. Had hij weer gehuild?

'Wat heb jij aan de hand?' vroeg zijn vader. 'Je kijkt alsof je een spook hebt gezien.' Hij grijnsde. 'Of een moordenaar.'

'Ik ben mijn agenda kwijt.'

'Dat belachelijke rode boekje van jou?'

'Ja. Het kan niet weg zijn.' Hij besefte dat zijn stem trilde. 'Dat is gewoon onmogelijk.'

'Rustig maar. Als het hier ergens in huis is, vinden we het wel. Probeer je te herinneren waar je het voor het laatst hebt gelegd.'

'In mijn kamer, op mijn bureau. Maar daar is het niet meer.'

'Dan beginnen we daar te zoeken.'

Als een jongetje liep Zeiz achter zijn vader naar boven. Hij had van onmacht luid willen roepen, maar beheerste zich. Iemand had zijn agenda meegenomen, zo eenvoudig was dat. Hij ervoer dit als een ramp. Een deel van zijn geheugen was gewist. De details van het onderzoek, zijn theorieën en indrukken stonden er dag na dag beschreven – belangrijke stukjes van de puzzel die hij aan het samenvoegen was. Het kinderachtige gevoel maakte zich van hem meester dat hij zonder die agenda niet verder kon leven.

Bovendien maakte de voorstelling dat al die informatie mogelijk in vreemde handen was geraakt alles nog veel erger. Maar wie was nu zo gek in een oude jongenskamer een rode agenda te gaan stelen?

Zijn vader ging de slaapkamer binnen en aanschouwde met grote ogen de rommel de Zeiz in enkele dagen had aangericht.

'Lijkt wel een déjà vu,' mompelde hij, terwijl hij zijn handen over het bureaublad liet gaan. Hij schoof wat papieren en oude schoolspullen van Zeiz aan de kant en stak triomfantelijk de rode agenda omhoog. Zeiz staarde ernaar en voelde van opwinding zijn hart in zijn keel kloppen.

'Wat staat daarin dat zo belangrijk is dat jij je zo opwindt?' vroeg zijn vader. Hij wachtte het antwoord niet af en ging terug naar beneden, voor Zeiz hem kon bedanken.

Zeiz lag op zijn bed en drukte de agenda aan zijn borst. Hij besefte dat hij zich had aangesteld. Hij had zich voor zijn vader belachelijk gemaakt.

Maar de vaststelling bleef dat zijn agenda niet op de plaats lag waar hij hem had achtergelaten, hij was namelijk twintig centimeter verplaatst. Die twintig centimeter hadden iets veroorzaakt dat hij voor onmogelijk had gehouden: hij was in paniek geraakt en kon niet meer helder denken.

Duisternis maakte plaats voor licht. God zij geloofd.

Vannacht had hij onder de open hemel geslapen, in zijn bivakzak, met de sniper rifle tegen zijn borst, enkele uurtjes maar, om weer op krachten te komen. Daar, tussen de heuvels zweefden de resten van een verdwaalde wolk. Beneden in het dal schoven de eerste boten over het water, als reptielen over een somber glimmend pad.

Een soldaat kan overal slapen, in een waterbed met een vrouw of met een geweer op de harde aarde. Hij had die oude wrede aarde onder zich gevoeld en gehuild.

Hoe vaak had hij tegen de jongen gezegd dat een mens niet veel nodig heeft? Hoe vaak? Misschien te vaak. Hij herinnerde zich de pretlichtjes in de ogen van de jongen.

Water en vuur. Een plaats om te slapen en te ademen. Hij had de jongen ook getoond hoe het moest. Je kunt het in dure woorden verpakken. Maar onder zo'n verpakking zit niets.

Voortaan zou hij alleen nog buiten leven en slapen, om de scherpte te houden die hij nodig had om zijn missie te volbrengen. Het was niet weinig wat nog moest gebeuren vandaag. In een paar uurtjes moest hij weer op pad. Hij stond op en ging de grot binnen. Hij liep door de galerijen naar de ruimte die hij als zijn heiligdom beschouwde. Hier kwam alles samen. De foto's lagen hier uitgestald in archeologische volgorde. Zo had het leven ze gelegd.

18

De oogarts bevestigde min of meer de diagnose van de huisarts: de zichtstoornis was een gevolg van de minuscule bloeding die een oogzenuw had geraakt. Zeiz moest enkele maanden geduld hebben, dan zou dat ongemak vanzelf verdwijnen. In afwachting daarvan maakte de arts hem een voorschrift voor een prismabril, die de werking van het oog moest corrigeren.

Nadat hij het voorschrift bij een opticien had binnengebracht, reed Zeiz door de stad, met op de bijzittersstoel een opengevouwen stadsplan. Zijn vader en Moni waren zijn nieuwe flat in orde aan het brengen, hij voelde zich een beetje schuldig dat hij hen nu niet hielp. Maar ze hadden zijn hulp categoriek afgewezen toen ze de diagnose van de oogarts hadden gehoord. Hij had zelfs even de indruk gehad dat die situatie hen niet ongelegen kwam omdat ze liever met hun tweetjes werkten.

Terwijl hij voor het rode verkeerslicht stond, bestudeerde hij het stadsplan naast zich. Hij had de plaatsen gemarkeerd die in zijn ogen belangrijk waren voor het moordonderzoek. Eerst en vooral waren er het nieuwe gerechtsgebouw en het oude kerkhof, waar ze de lijken hadden teruggevonden. Verder had hij behalve de woonplaatsen van de vermoorde jongens, ook die van Jisa Kanli, Rayan Baraka en Anwar Abbas in Ter Hilst aangeduid op het plan. Moussa Jawad woonde in Genk, maar zat momenteel in de gevangenis van Hasselt. White Revenge, de man of de organisatie die de moorden had opgeëist, had zich voor het versturen van zijn e-mails van een onbeveiligd netwerk in de binnenstad bediend. De advocatenpraktijk van Abdul El Moodi bevond zich binnen de Groene Boulevard, op de Havermarkt, tegenover het oude gerechtsgebouw. Willekeurig schoten hem drie verdere plaatsen te binnen: de school waar Moni door Yusuf en Tarik was aangerand, net binnen de Grote Ringweg, en de dojo van Walter Vaes, net erbuiten. En niet te vergeten zijn eigen woning. Al deze plaatsen bevonden zich binnen een straal van amper twee kilometer.

Hij schrok op toen achter hem getoeter klonk. Het licht was op groen gesprongen. Hij schakelde en reed verder.

Eerst bezocht hij het nieuwe gerechtsgebouw bij het station. Hij parkeerde zijn auto tegenover de toren in aanbouw. Er viel geen beweging te bespeuren. Sinds de ontdekking van Yusufs lijk op de vijfde verdieping, ongeveer twee weken geleden, leek er weinig veranderd. Hij vroeg zich af wat zijn collega's zouden denken als ze hem nu bezig zagen. Op zoek naar aanwijzingen en verbanden die er niet waren. Ze zouden hem voor gek verklaren en er een verder bewijs in zien dat hij op een dwaalspoor zat.

Op weg naar het oude kerkhof stopte hij bij het Heilig-Kruiscollege. Terwijl hij naar het statige gebouw keek, schoot hem de zin van deze onderneming te binnen: niet wat hij zag was belangrijk, wel wat hij daarbij dacht. En de vragen die zich opdrongen. Als Hasselt het decor van deze misdaden was, en dat was overduidelijk het geval, lag het dan niet voor de hand dat een volgende moord ook hier zou plaatsvinden? Bij Yusuf en Tarik was er het voordeel van de verrassing geweest. Zij hadden niet kunnen vluchten. Maar de andere prooien waren ondergedoken. De jager lag op de loer, hier ergens in de buurt. Hij hield zijn ogen op de stad gericht en wachtte geduldig op een teken om de jacht verder te zetten.

Voor het eerst sinds de aanvang van het moordonderzoek had Zeiz het gevoel dat hij binnendrong in het denkpatroon van de dader. De contouren van een profiel begonnen zich af te tekenen. Ze hadden te maken met iemand die de stad goed kende en er mogelijk woonde. Iemand met een opdracht, die noodgedwongen wachtte tot de machine weer in beweging werd gezet.

Een vergezocht vermoeden kwam bij Zeiz op: wat als de moordenaar op de politie rekende om zijn volgende slachtoffer te vinden?

Uiteraard waren dit hersenspinsels die hij niet in een rapport kon neerschrijven zonder zich belachelijk te maken. Hij draaide de rugleuning van zijn stoel naar achter, strekte zijn benen, sloot zijn ogen en viel meteen in slaap. Hij had maar enkele minuten in een droomloze slaap vertoefd toen het gezoem van zijn gsm hem wakker maakte.

Het was Rahia. Haar stem beefde. 'Er is iets gebeurd,' zei ze. 'Jisa is verdwenen.' Ze ratelde verder in het Arabisch: 'Mustafa heeft op de kamer van Jisa een briefje gevonden. Daarin schrijft hij dat hij van alles spijt heeft en niet verder kan leven.'

'Is Mustafa bij jullie?' vroeg Zeiz.

'Ja, hij zit hier bij ons, met zijn geweer.'

Zeiz stond even perplex. Dat klonk alsof het heel normaal was dat Mustafa Kanli met zijn geweer op burenbezoek ging.

'Vraag hem waar hij Jisa voor het laatst heeft gezien?' zei hij.

'Mustafa heeft hem vanmorgen naar school gebracht. Hij heeft gezien hoe hij door de schoolpoort naar binnen ging. Dat was om kwart over acht. De school begint om halfnegen.'

'Dan is hij nu misschien in de school,' zei Zeiz.

'Ik heb net naar de school gebeld, maar daar is Jisa niet.'

Plots realiseerde Zeiz zich waar hij zich bevond. Hij keek naar het schoolgebouw aan de andere kant van de straat. De aanblik van de sombere gevel deed zijn maag samentrekken. Was het een toeval dat hij uitgerekend nu hier stond?

'Het Heilig-Kruiscollege?' vroeg hij.

'Ja, maar daar is hij niet. Hij is afwezig gemeld.'

Zeiz keek op zijn horloge. Het was halfelf. Een rilling ging door hem heen. De jongen was al twee uur spoorloos.

'Wat moeten we nu doen?' riep Rahia.

'Niets,' zei hij. Hij verbrak de verbinding en stapte uit de auto.

Achteraf zou Zeiz zich deze situatie herinneren als een van die dromen waarin je gedwongen wordt een absurd parcours te volgen, zoals in een videospelletje zonder vaste regels. Alleen was dit de realiteit. Hij rende over het verlaten schoolplein naar binnen. In de lege inkomsthal hing een gespannen stilte die hij van vroeger kende en die hem even deed aarzelen. De geur van verbruikte lucht sloeg hem in het gezicht. De leerlingen waren in hun leslokalen, hun hormonen en hun testosteron zaten tijdelijk gevangen. De deur van de directeur stond open. Hij rende eraan voorbij. In een flits zag hij Boudewijn Peeters achter zijn bureau opveren.

Hij rukte de deur van het secretariaat open. Twee blonde jongedames zaten met kaarsrechte rug achter hun pc. Ze schonken hem een ontwapenende glimlach.

'Politie,' riep Zeiz. 'Dit is een noodgeval. Is Jisa Kanli in de school?'

Beide vrouwen stonden geschrokken op. 'Nee, Jisa is vandaag als afwezig gemeld,' zei de ene zonder aarzelen.

'Bent u zeker?'

'Ja, hij is niet in de klas.' Ze praatte rustig en gedecideerd. Aan haar woorden viel niet te twijfelen.

'Welke les heeft hij nu?' vroeg Zeiz. 'Waar is zijn klas?'

De vrouw raadpleegde een rooster dat boven haar bureau hing. 'Technologie, in lokaal B14.'

Terwijl Zeiz door de gang rende, hoorde hij stappen achter zich. Hij keek en zag directeur Peeters, op korte afstand gevolgd door de twee blondines. Zeiz nam de trap naar de eerste verdieping. Toen hij de deur van lokaal B14 openrukte, stonden de directeur en de blondines achter hem, lichtjes hijgend, zonder iets te zeggen.

Zeiz rook de olie en het metaal. Het was een ruim lokaal met grote houten tafels en enkele werkbanken achterin. Tegen de muren hing het gereedschap mooi gesorteerd uitgestald. Zeiz was zelf een leerling van de Latijn-Griekse afdeling geweest en had in deze klas nooit les gevolgd. Zijn klassenleraar, mijnheer Houben, had hem vanwege zijn vermeende taalachterstand naar de technische afdeling willen verplaatsen. Maar Zeiz' vader had zich daar hevig tegen verzet. Wat niet belette dat Zeiz altijd jaloers was geweest op de leerlingen van de technische afdeling die les mochten volgen in die naar machineolie geurende lokalen.

Er was een twintigtal leerlingen, vooral jongens, de meesten van allochtone afkomst. Ze maakten een kabaal alsof ze in een hevig gevecht verwikkeld waren. De leraar, een kleine grijze man met een snorretje, probeerde erbovenuit te roepen. Toen Zeiz binnenstormde, werd het muisstil.

'Ik ben hoofdinspecteur Kareem Zeiz van de politie,' riep hij.

Hij schrok van zijn eigen stem. 'We zoeken Jisa Kanli,' ging hij op zachtere toon verder. 'Ik zal straks uitleggen waarom. Maar het is nu belangrijk dat we hem snel vinden.'

Iedereen staarde hem aan, alsof hij een geest was, een geest met het gehavende gezicht van een straatvechter. Vervolgens keken ze naar de directeur, die echter geen aanstalten maakte om iets te zeggen.

'Heeft iemand hem vandaag gezien?' vroeg Zeiz.

'Jisa was hier,' zei een bleek meisje met een opvallend wit kapsel. Ze wees naar het schoolplein. 'Hij liep daar in zijn eentje.'

'Zoals altijd,' zei iemand.

'Maar toen de bel ging, was hij verdwenen,' zei iemand anders.

'We hebben aanwijzingen dat hij zelfmoord wil plegen,' zei Zeiz. 'En we denken dat hij hier ergens in de school is.'

Het was muisstil. Toen zei iemand: 'Een echte shitplaats om zich van kant te maken.'

'Het schijthuis?' riep iemand anders. Maar niemand lachte.

'Of ergens in de buurt van de school?' zei Zeiz.

Hij keek uit het raam. Het schoolplein was afgezet met een twee meter hoge omheining, behalve in het zuiden, waar de grens gevormd werd door de bakstenen muur van het oude kerkhof. Hij herinnerde zich dat hij en zijn vrienden vroeger een keer over de muur waren geklommen om tussen de graven een sigaretje te gaan roken.

'Het kerkhof,' hoorde hij de directeur achter zich zeggen.

Terwijl ze weer naar beneden renden, hoorde Zeiz kabaal achter zich. Hij keek over zijn schouder, de leerlingen waren hem gevolgd. En toen hij over het schoolplein liep, stroomden ook de leerlingen van de andere klassen naar buiten. Blijkbaar had het nieuws van de zoektocht naar Jisa zich razendsnel verspreid. Het leek een geval van massahysterie: iedereen rende hersenloos achter hem aan. Sommige jongens haalden hem in en klauterden als apen over de kerkhofmuur. Toen hij op het kerkhof arriveerde, waren al veel leerlingen uitgezwermd over het terrein, dat bezaaid lag met een grillige verzameling grafstenen, grafkapellen en knoestige loofbomen. Zeiz herinnerde zich hoe het levenloze lichaam van Tarik Kanli, Jisa's neef, hier ergens tegen een van de zwarte metalen kruisen was geketend. Dat was nog geen twee weken geleden. Hij snoof de herfstgeur van verdorde bladeren op, terwijl door het groene loof van de bomen de lentezon al schemerde.

Het duurde maar enkele minuten voor ze Jisa vonden. Enkele leerlingen troffen hem buiten westen aan in een halfdonkere grafkapel. Ze droegen hem naar buiten. Het lichaam leek ongedeerd, maar voelde koud en klam aan. Zeiz knielde en hield zijn oor bij de mond van de jongen. Hij hoorde Boudewijn Peeters praten. Uit wat hij hoorde maakte Zeiz op dat die de nooddienst had gebeld.

Ze zeiden niets, ze wisten beiden wat ze moesten doen. Zeiz voerde de hartmassage uit, terwijl de ander beademde. Ze werkten een tijdje door en wisselden toen van rol. In de verte hoorde Zeiz een sirene die snel naderbij kwam. Toen de ambulanciers eindelijk overnamen, stonden Zeiz en Peeters op en keken toe hoe Jisa meteen zuurstof kreeg toegediend. 'Hij leeft,' zei een van de verplegers.

Zeiz schrok op toen rond hem een luid gejuich losbrak. Pas toen werd hij er zich weer van bewust dat ze niet alleen waren op het kerkhof. Enkele honderden leerlingen van de school stonden in een cirkel tussen de graven. De hele tijd hadden ze stil staan toekijken. Nu gaven ze hem en Peeters een daverend applaus.

Een grote donkere jongen begon in het Arabisch te zingen: 'Ik blaas de laatste adem uit mijn longen, de terugreis van mijn ziel is nu begonnen.' Zeiz kende het lied, hij had het zijn grootvader horen zingen. Het was een ode aan de kwetsbaarheid van het leven, aan de dood en aan de oude knoken die hier in de grond staken. Hij boog het hoofd en prevelde de woorden mee. Jisa leefde.

Zeiz reed naar huis. Onderweg moest hij stoppen omdat hij last kreeg van dubbelzien en niet verder kon rijden. Hij wachtte aan de kant van de weg tot de misselijkheid weg was en zijn zicht weer min of meer normaal was. Thuisgekomen, strompelde hij de trap op en liet zich uitgeput neervallen op zijn bed. Zijn gsm ging. Hij nam op zonder op de display te kijken. Het was Rahia.

'Jisa is stabiel,' zei ze. Ze vertelde dat hij een overdosis slaaptabletten en drugs had ingenomen. De tussenkomst van Zeiz en directeur Peeters was net op tijd gekomen. 'In feite was hij al over de grens,' zei Rahia ook nog. 'U heeft hem doen terugkeren.'

Voordat Zeiz de verbinding verbrak, schoot hem nog iets te binnen. 'Laat Jisa niet alleen in het ziekenhuis,' zei hij. 'Het is belangrijk dat er altijd iemand bij hem is.'

'Mohammed is nu bij hem,' zei Rahia. 'En ik zal mijn vader vragen om hem af te lossen.'

Hij staarde naar het plafond waarin nog altijd barsten zaten, zoals tweeëntwintig jaar geleden, alleen hadden ze zich in de tussentijd vermenigvuldigd. En het was geen jongenskamer meer, maar de tijdelijke slaapplaats van een sentimentele oude jongen. De misselijkheid nam weer toe en hij sloot zijn ogen. Voor hij in slaap viel, kwam het absurde idee bij hem op dat Mohammed Kanli zijn geweer had meegenomen naar het ziekenhuis en nu als een cowboy naast het bed van zijn zoon zat, met het wapen op zijn schoot.

In een onrustige slaap droomde hij dat hij voor een rechtbank moest verschijnen. Hij werd bijgestaan door zijn vader, die een lange kamerjas droeg en voor de gelegenheid een witte advocatenpruik had opgezet.

Een getuige werd binnengeleid. Het was Rahia Kanli, die bij de confrontatie met Zeiz riep: 'Ja, ik herken hem, dat is de man die de drugs heeft meegenomen.' Ze spuwde naar hem.

Hij hoorde zijn vader zeggen: 'Ter ontlasting van mijn cliënt moet ik zeggen dat hij er vroeger ook al niet af kon blijven.'

'Hoe bedoel je?' snauwde Rahia in het Arabisch. Haar witte kimono viel open, daaronder was ze naakt. Haar venusheuvel was glad geschoren. 'Kon hij niet van de wijven afblijven?' Haar stem klonk ordinair. In haar ogen blonk een onheilspellend licht. Met haar duim en wijsvinger nam ze een tepel vast en trok eraan.

Zeiz schoot wakker en staarde voor zich uit. Iets had hem wakker gemaakt. Met een ruk ging hij rechtop zitten in zijn bed. Hij moest uren hebben geslapen want het was buiten donker geworden. De deur van zijn kamer stond op een kier. Was er iemand binnen geweest? Natuurlijk niet, de deur zat waarschijnlijk niet goed in het slot en was vanzelf opengevallen. Hij huiverde. Wat was er met hem dat hij als een jongetje in zijn bed zat en bang was voor de schaduwen in het donker?

Wat had zijn vader ook weer gezegd in de droom? 'Hij kon er vroeger ook al niet afblijven.' Daarmee bedoelde hij de drugs. Zeiz moest denken aan de avond voordien, toen zijn vader in de tuin een sigaretje was gaan roken en weer binnenkwam met rode ogen.

Hij stond op, ging naar de kast en haalde er de schoenendoos uit die hij uit het huis van Tarik Kanli had meegenomen. Hij deed het deksel open. De bollen zaten er nog in, en een beetje weed, een gram of tien. Met een schok herinnerde hij zich dat er meer weed in had gezeten, veel meer. Hij had de hoeveelheid toen op honderd gram geschat.

Maar wie had de weed er uitgenomen? Zijn vader?

Als dat zo was, wat moest hij dan doen? Zijn vader beschuldigen terwijl hij zelf niet recht in zijn schoenen stond? De fout was niet meer goed te maken. Het was hoe dan ook te laat om de drugs officieel in beslag te nemen. Hij ging bij het raam staan en vroeg zich af hoe hij in dit kluwen van stommiteiten terecht was kunnen komen. Een absurde verklaring kwam bij hem op. De oorzaak van al zijn ellende was Cathy. Sinds zij hem had gedropt, als een overbodig huisdier, was alles verkeerd gelopen.

De wind rukte aan de takken van de berk, die in het midden van de tuin stond. Het was zijn boom, hij had hem toen hij een jaar of tien was zelf geplant. Het scheutje van nauwelijks twintig centimeter groot had hij uit Tunesië meegebracht. Baba Aba, zoals hij zijn grootvader noemde, had zijn kleinzoon op een uitstapje meegenomen naar het kuststadje Tabarka. Ze waren de bergen in gewandeld en vanaf de groene top hadden ze naar de eindeloos blauwe Méditerannée gekeken. In het bos had hij het berken- scheutje gevonden en uitgegraven. Zijn grootvader had het met wat aarde in een plastic zakje gedaan en hem opgedragen het in België te planten, als een aandenken aan hun eeuwige vriendschap. De boom was een reus van wel twintig meter hoog geworden. Hij deed Zeiz een beetje denken aan zijn grootvader, een lange slungelige figuur die doelloos met zijn armen zwaaide.

Zijn grootvader was twintig jaar geleden gestorven. Zeiz bevond zich toen in een persoonlijke crisis. Hij was op de dool en had het contact met zijn ouders en zijn familie verbroken. Daardoor had hij het bericht van overlijden te laat ontvangen en was hij niet op de begrafenis geweest. Dat had hem met een schuldgevoel opgezadeld, zeker toen hij hoorde dat zijn grootvader al enkele maanden ziek was en verscheidene keren naar zijn kleinzoon had gevraagd.

Geluiden waaiden naar boven. Had zijn vader bezoek gekregen? Hij hoorde een vreemde mannenstem iets zeggen, waarmee zijn vader luid lachte. Zeiz hield zijn adem in, de stem kwam hem vaag bekend voor. Er was iets dat helemaal vooraan in zijn bewustzijn lag, maar waar hij niet op kon komen, en dat verband hield met die stem.

Beneden sloeg een deur dicht. Hij loerde door het raam naar buiten. De schaduwen van twee mannen bewogen in de tuin. Even later lichtte een vuurtje op. Ze hadden een sigaret opgestoken. Of een jointje?

Toen schoot hem te binnen dat hij iets belangrijks vergeten was. Hij moest naar Louis Das bellen om te vragen of het inderdaad een van zijn wijkagenten was geweest die gisteren in Ter Hilst op zoek was gegaan naar

Rayan Baraka en Anwar Abbas. Hij slikte een opstoot van misselijkheid weg. Hij ademde diep in en ging weer op zijn bed liggen. Hij was nu niet in staat om te bellen. Eigenlijk twijfelde hij niet, de man in uniform was geen politieagent geweest. Het zweet brak hem uit. Zijn intuïtie zei hem plotseling dat de moordenaar niet in zijn eentje handelde. Ze hadden te maken met een bende die goed georganiseerd opereerde.

Er kwam iets op hem af dat hij niet kon ontlopen. De bakens werden gezet, maar daar zorgden anderen voor.

Ik moet de angst van me af zetten, dacht hij.

Als hij de dreiging niet kon ontlopen, dan moest hij ten minste proberen om de spoken in zijn hoofd onder controle te houden.

19

De volgende dag kwam er een onverwacht snelle doorbraak in het onderzoek naar White Revenge. Bij Het Belang van Limburg was een mail binnengekomen: 'Bericht aan het Avondland. De zuivering wordt vervolgd. Weldra zal weer een bruine rat worden geslacht.' Dit bericht was ondertekend door White Revenge en kwam van het e-mailadres et.ph@live.be, in werkelijkheid een door inspecteur Roger Daniëls gecreëerd adres. De afkorting stond voor electronic trap politie Hasselt. De pc met het onbeveiligde netwerk bevond zich in een anonieme politiewagen in de André Dumontstraat, net buiten de Grote Ringweg.

Het aas had zijn werk gedaan, de prooi had toegehapt.

Binnen het kwartier was de wijk volledig afgesloten. Een getuige had gezien hoe een verdachte grijze bestelwagen de André Dumontstraat had verlaten en in de richting van de randgemeente Kiewit was gereden. Blijkbaar was de val net te laat dichtgegaan. Maar een politiepatrouille ontdekte de bestelwagen toen die achter het industrieterrein van Kiewit de spoorweg overstak. De achtervolging werd ingezet. Toen uit de tegenovergestelde richting ook een politiewagen met zwaailicht opdook, sloeg de bestelwagen af naar het parkeerterrein van een sporthal. Daar vond net een samenkomst plaats van de Europese Sikhgemeenschap. Op het parkeerterrein bevond zich op dat ogenblik een honderdtal mannen met tulband, allen in zwarte broek en wit hemd, die rustig stonden te keuvelen. Bij het zien van de gewapende politieagenten bleven alle mannen stokstijf staan en staken simultaan hun handen in de lucht, alsof het een ingestudeerde act betrof. Die foto verscheen dezelfde middag nog in een speciale editie van Het Belang van Limburg en zou later een tweede prijs wegkapen op de World Press Photo Contest.

De arrestatie verliep zonder problemen. Op de frontpagina blokletterde de krant 'RACISTISCHE MOORDENAAR GEVAT', boven de foto van een krachtige jongeman met volle baard en de verwilderde blik van een Viking.

De 'Viking', zoals de gearresteerde later in talrijke kranten en nieuwscommentaren zou worden genoemd, heette Timmy Meus. Hij was drieëntwintig jaar oud en woonde alleen, in de Limburgse gemeente Houthalen-Helch-teren, in een aftandse bungalow aan de rand van het natuurreservaat Ten-haagdoornheide. Hij studeerde informatica aan de Xios-hogeschool in Hasselt en verdiende daarnaast zijn kost als 'internet professional'. Hij voerde een eenmanszaakje dat Webmaster Meus heette. Die informatie en nog veel meer vonden de politiemensen van de recherche enkele uren later al in de krant.

Het was ontstellend met welke snelheid de journalisten tewerk waren gegaan. Haast alle persoonlijke gegevens van de Viking waren al openbaar gemaakt nog voordat de politie haar informatie had kunnen verzamelen. Helaas was de snelheid soms evenredig met de onzorgvuldigheid. In de tuin van de Viking stond inderdaad een houten clubhuis, de Stal genaamd, waar in de zomer van 2010 een heavy-metalconcertje had plaatsgevonden en waarvan de inrichting versierd was met Keltische symbolen en runen-tekens. Maar dat Meus als puber zijn aan alcohol verslaafde vader met een bijl het hoofd had ingeslagen, bleek niet te kloppen. Ook het verhaal dat hij was opgegroeid in pleeggezinnen en jeugdgevangenissen, was uit de lucht gegrepen. Timmy Meus was altijd een goede student en een harde werker geweest. Hij ontwierp en verzorgde websites, onder andere voor extreemrechtse organisaties zoals Arische Broederschap en Noorderlicht. In zijn spaarzame vrije tijd ging hij boksen. Dat hij een sportman was, had hij het jaar voordien bewezen bij een vechtpartij in de Houthalense wijk Meulenberg. Dat had hem een veroordeling voor slagen en verwondin-gen opgeleverd, voorlopig zijn enige aanvaring met het gerecht. Zijn buren wisten niet veel te vertellen, behalve dat in die bungalow van Meus 'soms vreemd volk over de vloer kwam'.

Zeiz onderbrak zijn ziekteverlof. Toen hij op het commissariaat aan-kwam, had hij meteen spijt van zijn beslissing. Het gebouw werd belegerd door de pers. Hij slaagde er met moeite in de journalisten te ontlopen. Zijn collega's renden als kippen van het ene kantoor naar het andere. Van-nuffel en Sterckx zouden het eerste verhoor afnemen en overlegden op luide toon. Een kakofonie van beltonen vulde de ruimte. Er heerste een euforische stemming. Niemand besteedde aandacht aan Zeiz, die er een beetje verloren rondliep. Op het bureau van Sterckx vond hij het verslag van de arrestatie. De verdachte had zich blijkbaar niet verzet. De bestelwagen waarin hij zich verplaatste was een grijze Renault Master. De laadruimte was leeg. Op de passagierszit werd de laptop gevonden waarmee Meus de mail had verstuurd.

Achter de doorkijkspiegel keek Zeiz naar de jongeman die in de verhoorkamer zat: een pezige kerel met een verwilderde donkere baard en een krachtige gebogen neus. Hij was volledig in het zwart gekleed en droeg legerbottines. Op zijn T-shirt stond het opschrift: 'WHAT'S UP NIGGER?'.

'Is dat een student?' vroeg hij zich hardop af.

'Je hebt ze in alle uitvoeringen,' zei Sterckx, die net voorbijkwam.

Op de vraag of hij de zender van de mail was, had de Viking meteen een antwoord klaar: 'Het was maar een grap.'

Vannuffel en Sterckx waren de ondervragers. De rest van het recherche-team, alsook coördinerend commissaris Lambrusco en onderzoeksrechter Engelen bevonden zich in een aangrenzende kamer om het verhoor achter de doorkijkspiegel te volgen.

'Je kunt me niets maken, dikzak, geef me een advocaat,' zei de Viking nog tegen Vannuffel.

'U heeft pech, mijnheer Meus,' zei Vannuffel, 'het is zaterdag en uw advocaat werkt niet in het weekend.'

'Ik ook niet,' zei de Viking. En hij kruiste de armen voor zijn borst.

Vervolgens deed hij wat hij had beloofd en hield zijn mond.

Het verhoor werd afgelast. Lambrusco kondigde een informatiebevel af. Alleen hij en niemand anders zou via het woordmeisje met de pers communiceren. Hij verwachtte iedereen stante pede in de ovale kamer voor een crisisvergadering, ter voorbereiding van de persconferentie.

Die crisisvergadering duurde kort. Beslist werd het verhoor diezelfde avond te hernemen, voorlopig nog zonder advocaat. Het forensisch onderzoek werd afgewacht. Een team uit Leuven was in het huisje van de Viking neergestreken, samen met Johan Neefs en Eefje Smeets. De computers van de verdachte waren naar Hasselt overgebracht en werden door Roger Daniëls onderzocht.

Het was dus te vroeg voor een balans. Maar Lambrusco was in een hoerastemming. Hij herhaalde wat in het arrestatieverslag stond en wat iedereen al wist, namelijk dat Timmy Meus werd verdacht van het versturen van de twee e-mails waarin de moorden op Yusuf Hallil en Tarik Kanli werden opgeëist. En dat hij dus ook werd verdacht van dubbele moord. Het kwam er nu op aan sporen te vinden die dat konden bevestigen. Zijn banden met extreemrechts waren al aangetoond. De verdachte zou aan een grondig verhoor onderworpen worden en mogelijk psychiatrisch worden onderzocht.

Kortom, het zag er goed uit, vond Lambrusco. 'Het harde werken heeft geloond.'

Niemand durfde de enig wezenlijke vraag te stellen: wat hadden ze in de hand tegen Timmy Meus, behalve de laatste mail, ondertekend met White Revenge? De speurders leken een beetje te bekomen van de eerste opwinding en staarden collectief naar het tafelblad.

Vannuffel richtte zich tot Zeiz. 'Ik heb nog een paar vragen voor mijn collega, die eigenlijk nog in ziekteverlof is,' zei hij. Hij verschoof op zijn stoel. Hij genoot zichtbaar van het vooruitzicht Zeiz publiekelijk aan te pakken. 'Mijnheer Zeiz meent dat hij onderzoeksdaden mag plegen als hij niet in dienst is,' ging hij verder. 'Bovendien houdt hij belangrijke informatie achter en laat na zijn verslagen van onderzoeksdaden door te sturen naar mij, zijn hiërarchische overste.'

Zeiz voelde klam zweet in zijn oksels. Hij zweeg. Dit was een oud verwijt, maar hij vermoedde dat zijn collega nog iets anders in petto had.

'En,' zei Vannuffel, 'blijkbaar drijft hij onschuldige jongens zo ver in zijn alternatieve spookonderzoek dat ze zich van het leven willen beroven.' Hij pakte een krant uit zijn tas en gooide die voor Zeiz op de tafel. 'POLITIE-MAN REDT LEERLING' stond er boven een paginagroot artikel.

'Ik was toevallig in de buurt,' zei Zeiz op rustige toon.

'Bizar toeval,' mopperde Vannuffel.

'Waarover gaat het hier?' vroeg Lambrusco.

Vannuffel bracht hem kort op de hoogte van de zelfmoordpoging van Jisa Kanli en de redding door Zeiz.

'Ik heb een jongen het leven gered,' zei Zeiz fijntjes. 'In tegenstelling tot een collega van mij die enkele dagen geleden met een dienstpistool op een kind schoot.'

Vanderweyden trok de krant naar zich toe en las. Hij schraapte zijn keel. 'Als ik het goed begrijp,' sprak hij, 'heeft hoofdinspecteur Zeiz, die inderdaad in ziekteverlof is, als burger hulp geboden. Althans, zo interpreteer ik deze zaak. Hij was, ziek zijnde, strikt genomen niet verplicht om een verslag op te maken.' Hij keek Zeiz indringend aan. 'Maar ik verwacht dat nu zo vlug mogelijk.'

Zeiz merkte dat alle blikken op hem waren gericht en bloosde nu ook. 'Het gaat over Jisa Kanli,' zei hij, 'het neefje van Tarik Kanli.'

'Ook een toeval natuurlijk,' riep Vannuffel.

'Ik ben blij dat je dat opmerkt,' antwoordde Zeiz.

Vannuffel wilde iets zeggen, maar Lambrusco schudde haast onmerkbaar zijn hoofd. Ze beslisten het forensisch onderzoek af te wachten voor ze de Viking aan een verhoor zouden onderwerpen.

Zeiz trok zich terug in zijn kantoor. Hij schreef een verslag over de zelfmoordpoging van Jisa. Hij wees op een mogelijk verband met de moord op Tarik. Hun beider namen doken op in een dossier van de jeugdrechtbank. En Tarik had vlak voor zijn dood nog contact gezocht met zijn neefje Jisa.

Hoewel hij niet rechtstreeks betrokken was geweest bij de jacht op White Revenge, besefte Zeiz dat hij in deze fase van het onderzoek niet aan de kant mocht blijven staan. Hij liet zijn deur openstaan en was daardoor ongewild getuige van een discussie die plaatsvond in de gang, tussen Lambrusco en Johan Neefs, die net was aangekomen.

Hij hoorde Neefs zeggen: 'Ik moet mijn verslag nog schrijven.'

'Je kunt toch al iets zeggen,' zei Lambrusco. 'Iets dat jou is opgevallen, een eerste indruk, of zoiets.'

'Ik houd me niet bezig met eerste indrukken, of zoiets,' antwoordde Neefs.

'Maar een verslag krijg ik?'

'Als ik het geschreven heb. Eerst ga ik iets eten.'

'We moeten iets hebben waarmee we de verdachte onder druk kunnen zetten,' zei Lambrusco. 'Yusuf Hallil en Tarik Kanli zijn een tijdje ergens vastgehouden en gemarteld. Mogelijk vinden jullie bij Meus sporen.'

'Als er sporen zijn, vinden we ze,' antwoordde Neefs. 'We werken zo snel als we kunnen. Eefje en ik rijden straks terug. Het wordt nachtwerk. Nog iets?'

Zeiz verbaasde zich over de toon die Neefs aansloeg tegen Lambrusco. Zijn collega stond bekend om zijn scherpe tong, maar dit was afwijzend op het brutale af. Al enige tijd deed het gerucht de ronde dat hij ziek was en overwoog om met pensioen te gaan. Het was Zeiz opgevallen dat Neefs' gezicht een grauwe kleur had en dat hij een beetje gebukt liep, alsof de spanning uit zijn lichaam was verdwenen. Dat zou een verklaring kunnen zijn voor de nogal flegmatieke indruk die hij de laatste tijd maakte en de irritatie als hij onder druk kwam te staan. Het verbaasde Zeiz ook dat aspirant-inspecteur Eefje Smeets aan hem was toegewezen. Dat zou Sterckx niet leuk vinden.

'Mijn gevoel zegt me dat we vandaag een doorbraak in het onderzoek hebben bereikt,' zei Lambrusco nog.

'Dat is dan mooi verdeeld,' antwoordde Neefs fijntjes. 'U zorgt voor de gevoelens en ik voor de feiten.'

Neefs verscheen in de deuropening. Hij kwam binnen zonder een woord te zeggen en liet zich met een diepe zucht in de bezoekersstoel tegenover Zeiz zakken. Zoals zijn gewoonte was, kwam hij meteen ter zake.

'Gisteren heeft iemand voor jou gebeld,' zei hij. 'Pamela Ooms van de gevangenis van Hasselt. Je moet haar terugbellen.'

Zeiz voelde voorzichtig aan zijn rechterslaap. 'Pamela Ooms is...' begon hij.

Neefs hief zijn hand op. 'Ze is de begeleidingscoördinator in de gevangenis van Hasselt, dat weet ik. Ze waakt over het welzijn van onze gevangen medemensen.'

'We mochten Moussa Jawad niet te hard aanpakken, omdat hij volgens haar zo'n gevoelige jongen is,' zei Zeiz.

Neefs knikte. 'Die Moussa Jawad, ja, die kennen we. Harde jongen, grote dealer, glad en sluw, gewelddadig als het even kan.' Hij aarzelde voor hij verder sprak. 'Dat spoor van extreemrechts moesten we onderzoeken, daar bestaat geen twijfel over. Daarom ben ik nu ook blij dat we eindelijk die anonieme mailer te pakken hebben. Maar wat als hij niet de moordenaar is?'

'Twijfel je daar dan aan?' vroeg Zeiz.

Neefs haalde zijn schouders op. 'Die Viking is behalve een racistische computernerd waarschijnlijk ook een agressieve weirdo. Zijn huis is een afvalcontainer. In die rommel hebben we een grote verzameling boksbeugels, machetes, kettingen, baseballknuppels en zelfs een antieke Luger, van voor de Tweede Wereldoorlog, gevonden. En een exemplaar van *Mein Kampf*. Alle clichés op een hoopje dus. Ik heb het er zonet met Vanderweyden nog over gehad. Stel dat jij gelijk hebt en dat het een afrekening is, of dat het een echte gek is die de kutmarokkaantjes van kant heeft gemaakt, niet omdat hij iets tegen buitenlanders heeft, maar om persoonlijke redenen, weet ik veel waarom, omdat ze zijn suikertante een oor hebben afgesneden of zo. De marteling van de slachtoffers en de enscenering van de misdaad duiden op een onpeilbaar verwrongen geest, een Einzelgänger met een duistere wraak-missie. Daar heb je geen profiler voor nodig om dat te zien.'

'Waarom heb je dat niet eerder gezegd?' vroeg Zeiz.

Neefs haalde zijn schouders op en hees zich zuchtend uit de stoel. 'Ik ben hier de technicus.' Hij liep naar de deur. 'Ah ja, de zus van Tarik Kanli was gisteren hier om een verklaring af te leggen.'

'Rahia Kanli? Heb jij met haar gesproken?'

'Nee, Eefje heeft met haar gesproken.'

Zeiz keek verbaasd op. 'Eefje Smeets? Ben je daar wel zeker van?'

Neefs trok een geërgerd gezicht. 'Dat zeg ik toch. Hoor je niet goed meer? Eefje heeft een verslag van het gesprek gemaakt en is daarmee naar mij gekomen. Ze is een heel stipte dame, daar houd ik van, dat weet je. Er was iets in het gesprek dat haar stoorde, daarom kwam ze naar mij. Rahia Kanli verklaarde dat jij een schoenendoos met drugs van haar broer in be-slag hebt genomen. Maar daarvan staat niets in het dossier van de moord en bij de in beslag genomen voorwerpen zitten geen drugs.' Neefs ademde diep in en keek Zeiz van over zijn bril afwachtend aan.

'Er waren geen drugs,' zei Zeiz. Hij besloot om niets te zeggen over zijn gesprek met Rahia, waarin ze haar verklaring had gewijzigd. 'Die schoenen-doos herinner ik me wel,' zei hij. 'Daar zaten zakjes in met een cannabisblad op en van die dingen.'

'Die je niet in beslag hebt genomen?'

'Blijkbaar niet.'

Neefs keek Zeiz misprijzend aan. 'Zulke dingen gebeuren als je in je eentje werkt.'

'Met wie moet ik dan samenwerken?' vroeg Zeiz. 'Niemand hier is geïn-teresseerd in mijn analyse.'

Neefs schudde het hoofd en stond op. 'Jouw analyse is zoveel waard als die van een ander. Maar je zit hier apart in je kantoortje en je werkt in je eentje. Waarom? Misschien denk je dat wij provinciale idioten zijn. Mis-schien is dat jouw probleem.'

Neefs draaide zich nog eenmaal om voordat hij het kantoor van Zeiz verliet. 'Er is iets waaraan Lambrusco en Vannuffel zich zouden kunnen vastklampen, vrees ik. In de garage van Timmy Meus stonden twaalf potten mayonaise van tweeënhalve liter elk.'

Zeiz zat roerloos achter zijn bureau en voelde hoe zijn maag langzaam in een knoop ging zitten. Hij haalde een verfrommeld pakje Rennietabletten uit zijn zak. Het was het pakje dat hij de week voordien van Abdul El Moodi had gekregen. Hij stak een tablet in zijn mond en kauwde langzaam, terwijl hij nadacht over het gesprek van zo-even. Blijkbaar twijfelde Neefs nu ook aan de piste van de racistische moorden. Het was een gunstige koerswijziging, die niets te vroeg kwam.

Maar zijn collega's hadden vraagtekens bij het verhaal van de schoenendoos met drugs, zoveel was duidelijk. De vraag was ook waarom Sterckx had gelogen? Eefje Smeets had met Rahia Kanli gepraat, niemand anders. Zeiz hield een wrang gevoel over aan de kwestie. Waarschijnlijk kwam hij er dit keer makkelijk mee weg. Maar het was een zoveelste leugen geweest.

Hij zuchtte en wilde met zijn hand over zijn gezicht wrijven, maar bedacht zich net op tijd. De kneuzingen rond zijn ogen begonnen langzaam hun gevoelloosheid te verliezen. Een teken van genezing, had de dokter gezegd, maar bij de minste aanraking deed het pijn. Hij nam de telefoon en belde naar hoofdinspecteur Louis Das van de lokale politie.

'Negatief,' zei Das. 'Niemand van mijn agenten is gisteren bij Baraka en Abbas op bezoek geweest. Ook geen wijkagent, dat weet ik honderd procent zeker.'

'Dan heeft iemand zich dus uitgegeven als politieagent.'

'In uniform? Zou kunnen. Er circuleren wel wat nepuniformen, maar die zien er niet altijd erg realistisch uit. En onze wijkagenten hebben vorig jaar een nieuwe outfit gekregen.'

'Lichtblauwe jas en pet en een donkerblauwe broek?'

'Klopt. En op de jas een badge met de naam en de zone.'

'Daarvan herinnert onze getuige zich niets. De man heeft zich voorgesteld als de nieuwe wijkagent, zei ze. Hij droeg volgens haar hetzelfde uniform als de vorige wijkagent, die regelmatig op bezoek kwam als haar broer weer iets had uitgevreten. Ik heb de indruk dat ze een betrouwbare getuige is.

Hoe kom je eigenlijk aan een dergelijk uniform?'

'Kostuumverhuur? Het is voorlopig nog altijd niet strafbaar een dergelijk pak te dragen. Trouwens, op het internet wordt alles aangeboden.'

'Ook echte uniformen?'

'Dan zijn ze gestolen of het zijn afgeschreven exemplaren die door iemand uit het politiekorps in het zwart worden aangeboden. Wat uiteraard verboden is.' Louis Das wachtte voor hij verder sprak. 'Nu herinner ik me iets. Het toeval wil dat er vorig jaar in ons district een volledige uitrusting is gestolen. De gedupeerde was een agent van de zone Diepenbeek. Ik herinner me dat nog, omdat ook zijn dienstwapen was verdwenen. Daar is toen een onderzoek op gevolgd, het wapen is nooit teruggevonden en de agent is gedegradeerd. Hij nam deel aan een of andere sportmanifestatie en had zijn uitrusting in een afgesloten kastje van de kleedkamer opgeborgen. Ik zal dat dossier opvragen en naar jou mailen. Hebben jullie de moordenaar?'

'We hebben waarschijnlijk de man die de mails heeft gestuurd waarin de moorden zijn opgeëist.'

'Waarom zou iemand een moord opeisen die hij niet heeft gepleegd?'

'Om dezelfde reden als waarom iemand een moord opeist die hij wel heeft gepleegd,' zei Zeiz. 'Om de aandacht te trekken.'

'Of om de aandacht af te leiden,' zei Das.

20

De vrees van Neefs was terecht. De mogelijke link tussen de gevonden mayonaise en de mayonaise die op de gezichten van de vermoorde jongens was aangetroffen, werd door zijn superieuren opgeblazen tot een bevestiging van hun overtuiging dat ze de moordenaar te pakken hadden.

'Got him,' verklaarde Lambrusco.

'We hebben hem,' voegde Vannuffel daaraan toe.

Het tussentijdse rapport van Neefs was nochtans duidelijk. Het forensisch onderzoek had voorlopig niets opgeleverd. De verdachte weigerde alle medewerking. Bovendien had Roger Daniëls laten verstaan dat het tijd zou kosten om in de pc's van de Viking binnen te dringen.

Timmy Meus werd opnieuw naar de verhoorkamer gehaald. Vannuffel en Sterckx zouden het verhoor doen. Neefs en Smeets reden terug naar het huis van de verdachte om het identificatieteam bij te staan. De rest van het rechercheteam stond achter de doorkijkspiegel, samen met Lambrusco en onderzoeksrechter Engelen.

Vannuffel begon het verhoor met de mededeling dat er een advocaat werd gezocht.

'Ik heb me bedacht,' zei de Viking nu. 'Ik wil toch geen advocaat. Waar word ik eigenlijk van beschuldigd?'

'Eerst een paar routinevragen,' zei Vannuffel. 'U bent Timmy Meus?'

'Nee, ik ben de kerstman, dikzak,' antwoordde de Viking.

Vannuffel vertrok geen spier. 'Ik wil u vragen om met het onderzoek mee te werken. Dat is in uw voordeel...'

De Viking streek met een middenvinger over zijn wenkbrauw, terwijl hij Vannuffel strak aankeek. 'Fuck wat jij wilt, fatso. Met jou praat ik niet. Heb je dat begrepen?' Hij kruiste de armen voor zijn borst, sloot zijn ogen en liet een luide boer.

Het verhoor werd afgebroken en de Viking werd naar de donkere kamer afgevoerd. Het enige meubilair daar bestond uit een stoel met een losse poot, waar je onmogelijk op kon gaan zitten. Na een uur brachten ze hem terug naar de verhoorkamer.

'Als je toch absoluut in de weg wilt lopen,' had Vannuffel Zeiz toegebeten, 'doe jij het verhoor dan maar.'

Zeiz nam zonder commentaar de plaats van Vannuffel in.

'Wat krijgen we nu?' zei de Viking toen hij Zeiz zag. Hij keek vragend naar Sterckx. 'Heb je versterking gehaald uit Noord-Afrika?'

Zeiz reageerde niet. Hij bestudeerde de jongeman tegenover zich en vroeg zich af wat hem bezielde om een politieagent in functie met een racistische opmerking te beledigen. Waarschijnlijk was de Viking ervan overtuigd dat ze hem weinig of niets konden maken. Het versturen van anonieme mails via een onbeveiligd netwerk zou in het ergste geval misschien als een overtreding van de privacywet worden beschouwd. En een klacht wegens racisme zou hij waarschijnlijk als een trofee beschouwen.

'Dat is belediging van een ambtenaar in functie,' zei Sterckx rustig.

De Viking schoot in een lach. 'Wie moet hier beledigd zijn?' Hij keek de agenten vermoeid aan en zei: 'Trouwens, ik heb me weer bedacht. Ik wil toch een advocaat.'

Sterckx knikte begripvol. 'Die zal u ook nodig hebben, mijnheer Meus. Uw advocaat komt. Alleen zult u nog even geduld moeten hebben.'

'Zonder advocaat zeg ik niets.'

'U wordt verdacht van dubbele moord.'

'Dubbele moord? Zijn jullie gek? En wie zou ik dan vermoord hebben?'

'Yusuf Hallil en Tarik Kanli, die twee jongens uit Hasselt aan wie u refereert in uw e-mails.'

De Viking haalde zijn schouders op en kruiste zijn armen weer voor zijn borst. 'Hoe dan ook, ik wil een advocaat,' zei hij.

'Het spijt me, mijnheer Meus,' zei Sterckx, 'maar in deze fase van het onderzoek verhoren we u zonder advocaat.' Als u onschuldig bent, heeft u er alle belang bij om met ons mee te werken.'

De Viking schudde zijn hoofd. 'Nee, dat ben ik niet van plan. Eerst wil ik een advocaat.' Hij wees naar Zeiz. 'En wat doet die bruine aap hier? Kan hij ook praten?' Hij keek Zeiz misprijzend aan. 'Oe oe, jij praten Nederlands?'

Zeiz bleef hem onbewogen aankijken. De Viking keek staalhard terug. Hij was zonder twijfel een man die niet veel nodig had om gewelddadig te worden. Toch had Zeiz het gevoel dat er iets gebeurde. Woede bouwde zich op en dat was goed.

'Wat moet jij, *fucking monkey*?' snauwde de Viking. 'Ben je met je stomme kop tegen een deur aangelopen?' Hij schoot in een lach.

Ze braken het verhoor af en brachten hem naar de donkere kamer. In de gang kwamen ze Vannuffel tegen. Onverwachts ramde de Viking de zware man tegen de muur. Vannuffel was verrast en maakte een behoorlijke smak. Het volgende ogenblik trapte Zeiz de Viking in zijn knieholte, waardoor die viel en het uitschreeuwde van de pijn.

'Smerige bruine hond, blijf met je poten van mijn lijf. Ik span een proces tegen je aan!' tierde hij.

Het volgende uur bracht de Viking door in de donkere kamer, ditmaal met de handboeien om, roepend en scheldend. Terug in de verhoorkamer weigerde hij elk gesprek. Het enige dat hij zei, was: 'Ik heb honger.' En terwijl hij met zijn kin naar Zeiz wees: 'Zeg tegen Mohammed dat hij een pizza voor mij gaat halen.'

Waarna hij opnieuw werd weggeleid. Onderweg naar de cel dook Vannuffel plotseling weer op. Hij greep de Viking bij zijn hemd en schreeuwde hem in het gezicht dat ze tijd genoeg hadden en dat ze hem zouden breken tot hij om zijn mammie schreeuwde. Zeiz had het verwacht, had het zelfs zien aankomen, maar deed niets om het te verhinderen. De Viking ramde een knie in het kruis van Vannuffel, die meteen dubbel sloeg en tegen de grond ging.

Deze keer hielden ze hem twee uren in afzondering. Vannuffel was nergens meer te bespeuren en Zeiz en Sterckx trokken de stad in voor een hapje. Er hing een gespannen sfeer tussen hen en Zeiz vertelde tegen zijn zin over de zelfmoordpoging van Jisa Kanli, toen Sterckx daarnaar vroeg.

De avondschemering was al gevallen toen ze het verhoor verderzetten. Zeiz en Sterckx hadden elk een kopje koffie mee genomen in de verhoorkamer.

'Ik wil ook koffie,' zei de Viking.

'Het spijt me,' zei Sterckx. 'Verdachten hebben geen recht op koffie.'

'Ik wil eten,' ging de Viking verder. 'Jullie kunnen me hier niet zomaar laten verhongeren.'

'De keuken is gesloten,' zei Sterckx. 'Mijn collega en ik hebben lekker gegeten. Ik heb een grote kebab gegeten, met alles erop en eraan. Verdomd lekker man, vooral na een robbertje vechten in de gang.' Sterckx likte zijn lippen. 'Ach ja, maar u zult wel geen kebab lusten zeker? Iets waar een vuile Turk met zijn handen aan heeft gezeten zult u wel niet naar binnen spelen.'

De Viking spuwde op de grond. 'Vuile flikken,' gromde hij.

'Wij hebben tijd genoeg,' zei Sterckx. 'Praat u niet dan gaat u terug naar uw vertrouwde hokje en dan gaan mijn collega en ik eens naar de bioscoop, pakken een reuzenportie popcorn en dan komen we weer terug. Misschien doen we tussendoor nog een dutje. Zo kunnen we lang doorgaan, hoor.'

De Viking probeerde zijn armen te kruisen, maar de handboeien verhinderden dat.

'Maak die boeien los!' riep hij.

Sterckx reageerde daar niet op en opende het verhoor: 'Mijnheer Meus, u heeft twee mails verstuurd naar *Het Belang van Limburg*, beide ondertekend met White Revenge.'

'Nee, dat was ik niet,' antwoordde de man.

'Daarin hebt u de moord op Yusuf Hallil en Tarik Kanli opgeëist.'

'Nee, dat was ik niet,' herhaalde hij.

'Wie was het dan wel?' vroeg Sterckx.

'Hoe kan ik dat nu weten?' zei de Viking. 'Zoek het uit, hé?' Hij loerde naar Zeiz. 'Wat doet die bruine hond hier? Hoe komt het dat dit crapuul hier mag werken? Dit land is helemaal ziek.'

Sterckx keek de man tegenover zich indringend aan en vroeg: 'Gebruikt u de naam White Revenge wel vaker om uw e-mails te ondertekenen?'

De Viking rukte aan zijn boeien. 'Oké, ik heb die e-mail verstuurd,' barstte hij plots los. 'Ik heb jullie alleen maar goed bij jullie kloten gehad, idioten. Dat zwarte crapuul mag hier alles, moet niet werken, moet niet leren, en als het iemand in elkaar ramt, een oud wijf haar handtas jat, een overval pleegt, staat het godverdomme 's avonds alweer op straat iedereen uit te lachen. En als ik eens een e-mail verstuur, word ik godverdomme behandeld als een gangster.'

'Aha,' zei Sterckx. Hij nam genietend een slokje van zijn koffie. 'Dus u rijdt met uw auto naar Hasselt, u zoekt een onbeveiligd netwerk en van daaruit stuurt u een mail ondertekend met White Revenge naar *Het Belang van Limburg*?' Hij nam een papier uit het dossier dat voor hem op de tafel lag en las voor: 'Bericht aan het Avondland. De zuivering wordt vervolgd. Weldra zal weer een bruine rat worden geslacht.' Hij keek de Viking aan.

'Dit is de mail die u gisteren naar de krant heeft verstuurd. Waarom heeft u dit geschreven? Was u van plan iemand te vermoorden?'

'Ik ben geen moordenaar. Maar ik kan er wel van genieten als iemand anders bruine ratten van kant maakt en jullie de dader niet kunnen pakken.'

'Waarom gebruikt u het e-mailadres van iemand anders om een dreigmail te sturen?'

'Het was geen dreigmail, het was een grap.'

'De e-mails waarin de twee moorden werden opgeëist, zijn ook ondertekend met White Revenge. Dat is een toeval, of hoe verklaart u dat?'

De Viking haalde zijn schouders op. 'Ik heb niets te verklaren.'

'Ik zal u helpen,' zei Sterckx. 'U heeft natuurlijk in het nieuws gehoord dat die twee jongens zijn vermoord. Er wordt over niets anders gepraat de laatste weken. En iedereen weet ook dat White Revenge de moorden heeft opgeëist. Dus u dacht: ik haal een grapje uit en verstuur ook een e-mail die is ondertekend met White Revenge.' Sterckx keek op zijn horloge. 'Zo, wat mij betreft zijn we klaar. Ik persoonlijk heb geen vragen meer aan u. Mijn collega zal het verhoor afronden.' Hij liep naar de deur.

De Viking keek verbaasd op. 'Hoelang moet ik hier nog blijven? Wanneer kan ik naar huis?'

Sterckx speelde zijn rol van sympathieke ondervrager perfect. Hij wierp de Viking een blik toe waarin spijt en medelijden stond te lezen. 'Dat zal de onderzoeksrechter beslissen,' zei hij. Hij verliet de verhoorkamer.

Zeiz bleef zitten zonder iets te zeggen en dacht na. Wat had de Viking gezegd? 'Het was een grap.' Een grap was het zeker niet. Wat was het dan wel? Met moeite onderdrukte hij een oprisping. De misselijkheid was weer komen opzetten. Als hij zijn ogen sloot, begonnen de beelden in zijn hoofd aan een almaar heftiger draaiende carrousel. Even later sloot zijn maag zich hierbij aan en hij voelde het maagzuur langs zijn slokdarm naar boven kruipen. Hij sperde zijn ogen open, terwijl hij naar adem hapte. Langzaam kwam zijn maag weer enigszins tot rust.

De Viking had hem de hele tijd aan zitten staren. Vertwijfeld schoot zijn blik naar de deur, alsof hij naar een vluchtroute zocht.

Plotseling realiseerde Zeiz zich wat voor rol de man die tegenover hem zat speelde. Het besef kwam als een schok en het joeg zijn misselijkheid even naar de achtergrond. Het was allemaal heel simpel en logisch. De verklaring lag binnen handbereik, maar ze hadden eroverheen gekeken. Zijn collega's hadden het verkeerde spoor gevolgd, Timmy Meus was niet de moordenaar. Nu werd echter duidelijk dat ook hijzelf de rol van White Revenge verkeerd had ingeschat.

Hij nam zijn gsm en stuurde een sms'je naar Roger Daniëls.

Enkele minuten later al kwam Daniëls de verhoorkamer binnen en overhandigde Zeiz een map, waarna hij weer buitenging. Zeiz deed de map open. Het was een rapport van de voorlopige onderzoeksresultaten. Bovenaan lag het papier met de informatie die hij net had gevraagd. Hij haalde luidruchtig adem en knikte. Het rapport van de huiszoeking was duidelijk: er waren geen sporen gevonden die erop duidden dat de Viking Yusuf Hallil en Tarik Kanli had vermoord. Toch was er wel degelijk een link tussen hem en de moorden.

De deur zwaaide open. Vannuffel stormde binnen met in zijn handen een gele zak die Zeiz vaag bekend voorkwam. Hij zwaaide hem hoog in de lucht terwijl hij naar de arrestant liep. Met dreunend geweld kwam de zak neer op het hoofd van de Viking, die voorover sloeg. Toen hij zich weer oprichtte, schudde hij met het hoofd, versuft. Hij protesteerde niet. In zijn ogen stond de angst te lezen.

'Dat had je nog van me te goed, klootzak,' mompelde Vannuffel.

Vervolgens ging hij zonder nog iets te zeggen zitten en pakte een envelop uit zijn jas. De gele zak stond nu tegen de tafelpoot. Er stond 'GELE GIDS' op.

Vannuffel nam twee foto's uit het mapje en legde die op tafel. Het waren haarscherpe kleurenfoto's van de verminkte lichamen van Yusuf en Tarik, zoals ze op de plaatsen delict waren aangetroffen.

De Viking keek naar de foto's en maakte een grimas. Hij leek al hersteld van de slag van zonet. 'Nice,' zei hij.

Vannuffel legde twee andere foto's op de tafel. 'Zo zagen Yusuf en Tarik eruit voordat jij ze onder handen hebt genomen,' zei Vannuffel.

'Ik verkies eerlijk gezegd de andere foto's,' pareerde de Viking.

Stiekem reikte hij naar het kopje dat Sterckx op tafel had laten staan.

'Zal ik je even helpen?' vroeg Vannuffel. Hij boog zich over de tafel, duwde het kopje naar de rand en gaf het een elegante tik met zijn wijsvinger, zodat het omviel en de koffie op de broek van de Viking terechtkwam.

Die schoof vloekend achteruit. Hij wurmde met geboeide handen een zakdoek tevoorschijn en probeerde zijn natte broek te betten. 'Vuile flik,' riep hij. 'Ik wil een advocaat, nu onmiddellijk.'

Vannuffel stond op en liep om de tafel heen. Hij ging vlak voor de Viking staan en spuwde hem in het gezicht. 'Jouw advocaat komt eraan, worm,' brulde hij. 'Maar dat zal jou ook niet veel meer helpen.'

Daarna ging hij weer zitten en verklaarde op rustige toon: 'Jij dacht dat je ons te slim af was, hè?' Hij wees naar de foto's op de tafel. 'Jij hebt Yusuf Hallil en Tarik Kanli vermoord, dat weten we nu, dat kunnen we bewijzen.'

De Viking keek geschrokken op. 'Ik vermoord geen mensen,' zei hij.

'Maar misschien wel bruine ratten?' Vannuffel haalde nu een foto tevoorschijn van een man met een vertimmerd gezicht, dat rood en paars zag van de zwellingen. 'Die mooie bruine rat heet Moustafa Kemal en hij kruiste jouw pad op 23 februari van dit jaar in Meulenberg in Houthalen.'

De Viking staarde naar de foto. Toen riep hij uit: 'Dat is die Turk die tegenover mijn ouders woont. Hij had mijn vader bedreigd toen die hem een opmerking maakte omdat hij om 12 uur 's nachts met zijn brommer rondjes aan het draaien was in de straat.'

'En dan timmer jij hem gewoon in elkaar? Dat is normaal in Meulenberg?'

'Ga er eens wonen, dan weet je wat ik bedoel,' gromde de Viking.

'Jij houdt niet van buitenlanders, dat weten we,' zei Vannuffel, 'en dat kunnen we ook bewijzen. Op het internetforum Noorderlicht heb je op twintig maart 2009 het volgende bericht gepost: "Gezocht: schoonmaakploeg om de samenleving te zuiveren van buitenlands gespuis".'

De Viking veerde op. 'Ja, prachtig, hè. Die zin heb ik van Henk, mijn maat uit Enschede. Ik vond dat mooi gezegd, ik heb het op een T-shirt laten drukken. Een Turkse bende had toen ergens een raid op een Chirokamp gedaan en een paar jongens in elkaar geramd, zomaar voor de fun. Eén van die gasten lag in het ziekenhuis, in een coma. Maar die vuile Turken waren 's avonds weer vrij. Daar hadden we het op dat forum over. Ja, dat gespuis moet hier weg, daar blijf ik bij. Ik wil daar desnoods bij gaan helpen.'

'Om ze uit te roeien?'

'Ik heb gezegd, ze moeten weg. Ik maak niemand dood.'

'Die site, Noorderlicht, is extreemrechts. Er wordt geregeld opgeroepen om buitenlanders aan te vallen en zelfs van kant te maken.'

'Ik weet niet wat anderen doen.'

Zeiz schraapte zijn keel. 'Weet je dat zeker?' vroeg hij. 'Ik bedoel: misschien weet je toch wat sommige anderen van dat forum doen.'

De Viking keek hem kil aan. 'Luister, Mohammed. Het is een internetforum. Ze loggen in met een schuilnaam. Ik ken die mensen niet persoonlijk.'

Zeiz had de aarzeling gevoeld. Heel even was de Viking uit evenwicht geweest. En hij had de vraag ontweken.

'Jij eet graag mayonaise?' vroeg Vannuffel.

De Viking keek verbaasd op.

Vannuffel nam uit het dossier de foto van de potten mayonaise die bij de Viking thuis waren gevonden en legde die op tafel. 'Herken je die?'

'Is dat mayonaise?' vroeg de Viking.

'Ja, twaalf potten van tweeënhalve liter elk. Ze staan bij jou in de garage.'

'Ach ja, de fritessaus. Die was ik helemaal vergeten. Ze was bedoeld voor het festival. Maar dat ging niet door dit jaar. Gelukkig had ik de diepvriesfrieten nog niet besteld.'

Vannuffel legde de foto naast die van Yusuf en Tarik. Hij wees. 'Op de gezichten van die twee mooie jongens zat mayonaise.'

De Viking stond perplex. Met een blik vol ongeloof bestudeerde hij de foto's. 'Maar iedereen heeft toch mayonaise in zijn ijskast staan?'

'Niet deze soort. Dit is mayonaise die alleen in kebabzaken en frituren wordt gebruikt. Het is dezelfde saus die op het gezicht van die jongens zat. Dat is bewezen.'

Zeiz wist niet of Vannuffel blufte, maar zijn verhoor had wel resultaat. De Viking was onder de indruk.

'Henk heeft de fritessaus meegebracht uit Enschede,' zei hij. 'Ze was in de aanbieding.'

Vannuffel schudde het hoofd en begon met een verveeld gezicht de glazen van zijn brilletje op te poetsen. 'Het ziet er niet goed uit voor jou, jongeman,' zei hij. 'Als ik jou was, zou ik niets meer zeggen zonder mijn advocaat.'

Zeiz nam het papier dat voor hem lag en zwaaide ermee. 'Zevenduizend vijfhonderd euro, dat is wat je hebt gekregen. Tweeduizend vijfhonderd per moord.'

De Viking schrok. Zijn stem trilde toen hij zei: 'Ik weet niet waar je het over hebt, man.'

'Echt duur ben je niet, moet ik zeggen,' zei Zeiz. Hij was er zich van bewust dat Vannuffel hem met open mond zat aan te staren. 'Of zitten bruine ratten ook in de aanbieding?' ging hij verder. 'Het ziet er inderdaad niet goed uit voor jou. De eerste twee betalingen gebeurden op de dagen dat we de lichamen van Yusuf en Tarik hebben gevonden. De derde betaling is vandaag gebeurd. Een voorafbetaling, vermoed ik, want je hebt je werk nog niet gedaan. Of heb je het lijk ergens verstopt?'

De Viking verstarde. 'Ik ben geen moordenaar,' fluisterde hij.

'Dit zijn de feiten,' zei Zeiz op formele toon. 'En omwille van die feiten klagen we je aan voor de moord op Yusuf Hallil en Tarik Kanli."

'Ik heb alleen de e-mails verstuurd,' zei de Viking snel.

Zeiz schudde zijn hoofd. 'Ga je nu beweren dat iemand jou zevenduizend vijfhonderd euro heeft betaald om drie e-mails te schrijven? Denk je echt dat een rechter zo'n uitvlucht zal accepteren?'

'Het is de waarheid,' riep de Viking.

'Wie is de opdrachtgever?' vroeg Zeiz.

'Ik weet niet wie hij is, echt niet,' barstte de Viking los. 'Iemand heeft me gecontacteerd via het forum van Noorderlicht. Hij sprak me aan in de chatroom, daar kun je privé praten. Hij noemde zich White Revenge. Hij had een baan voor mij, het was makkelijk verdiend, en bovendien voor een goed doel, zei hij. Hij stuurde me de mails door samen met de datum en het uur waarop ik ze moest versturen naar Het Belang van Limburg. Dat deed ik en hij stortte het geld. Maar ik heb met de moorden zelf niets te maken.' Hij was buiten adem van het snelle praten.

Zeiz maakte een gebaar naar de doorkijkspiegel. Even later kwam Sterckx binnen. Zeiz stond op. Hij negeerde de verbaasde blik van zijn collega en verliet de verhoorkamer zonder een woord te zeggen. Hij haastte zich naar het einde van de gang en sloot zich op in het toilet.

Hij keek naar de wc-pot.

Eigenlijk waren er twee wc-potten, die haasje over speelden met elkaar en er een spelletje van maakten om hem eerst te lokken en om dan, als hij zich vooover boog, snel weg te springen. Maar daar trapte hij niet in. Hij wachtte geduldig tot ze weer in elkaar overvloeiden en leegde toen zijn maag.

21

Zeiz bracht bijna de hele zondag door in zijn bed, balend van de duize-ligheid en de koppijn. Hoe graag hij ook het verdere verhoor van de Viking en het onderzoek van nabij had gevolgd, hij was er niet toe in staat. Moni kwam 's middags langs om te vertellen dat zijn nieuwe flat in orde was. Ze had in de voormiddag de gordijnen opgehangen en nog een paar laatste klusjes gedaan. Zijn vader had de ijskast gevuld met de drank voor de housewarmingparty.

Zijn reactie op dit goede nieuws was beschamend: de dankbare glimlach die hij haar probeerde te schenken bleef steken in een krampachtige grijns.

Maar ze schatte de situatie meteen correct in. Ze ging op de rand van zijn bed zitten en hield met een bezorgd gezicht zijn hand vast. Haar andere hand gleed door zijn haren.

'Ik denk dat we die verhuis beter nog even uitstellen,' zei ze. 'Jij blijft in bed.'

Hij sprak haar niet tegen. Als hij rustig bleef liggen, was er niets aan de hand. Maar hij wist dat elke poging om op te staan een nieuwe golf van misselijkheid zou veroorzaken.

Een herinnering kwam bovendrijven: zijn moeder die haar hand op zijn voorhoofd legde. Als hij aan zijn moeder dacht, zag hij in zijn verbeelding een vrouw die haar gezicht halvelings in de schaduw van een te ruime hoofddoek verborg. Ze zei iets met zachte stem. Hij herkende het woord Mortafiaa, dat koorts betekent. Het was een beeld van lang geleden, maar nog altijd als hij ziek was, voelde hij haar aanraking weer, zoals fantoompijn in een geamputeerd been.

Misschien hadden de dokters een verkeerde diagnose gesteld en was er in zijn hoofd een schade aangericht die ernstiger was dan vermoed en waaraan hij een blijvend letsel zou overhouden. Het stoorde hem dat hij, net nu het onderzoek in een cruciale fase kwam, moest afhaken. Maar wat hem nog het meest verontrustte, was zijn hulpeloosheid. Hij was overgeleverd aan het noodlot, hij zou op dit ogenblik zelfs niet in staat zijn zichzelf te verdedigen. En dat terwijl zich ergens in de buurt, misschien dichterbij dan hij dacht, een koelbloedige moordenaar ophield, iemand die met geraffineerde nauwgezetheid zijn plannen ten uitvoer bracht.

Maar ook nu weer bleek de aanwezigheid van Moni een heilzame werking op hem uit te oefenen. Ze luisterde naar hem en gaf hem het gevoel dat ze ook echt begrip had voor wat hij zei.

'Misschien kan ik iets voor je doen,' zei ze. 'Die jongen die een zelfmoordpoging heeft gedaan, hoe heet hij ook weer? Jisa. Je zei dat je hem wilde gaan bezoeken.'

'Jisa Kanli. Hij is er nog te slecht aan toe om verhoord te worden, maar ik had hem even willen zien, al was het maar om zeker te spelen dat er ook altijd iemand bij hem is. Volgens mij is hij in gevaar.'

'Ik kan in jouw plaats gaan, wat denk je daarvan?'

'In geen enkel geval,' zei hij. 'Dit is een moordonderzoek.' Het idee dat ze door zijn schuld in gevaar zou komen, deed hem huiveren.

Ze wees zijn tegenwerping resoluut af en vertrok toch. 'Ik ga gewoon op ziekenbezoek,' zei ze. 'Ondertussen kun jij je arme hoofd een beetje laten rusten.'

Terwijl ze weg was, zette hij zich aan het schrijven. In zijn agenda noteerde hij de vaststellingen van de afgelopen dagen. Niet dat hij echt helder kon denken, maar uit ervaring wist hij hoe belangrijk het was feiten en bedenkingen zo vlug mogelijk toe te vertrouwen aan het papier. Hij maakte ook een lijstje met 'dringend af te handelen zaken': het opsporen van Rayan Baraka en Anwar Abbas, een bezoek aan Rahia's moeder in de wijk Meulenberg in Houthalen, een telefoontje naar Pamela Ooms en, misschien wel het dringendste, het organiseren van politiebescherming voor Jisa Kanli. Ook zou hij in het rechercheteam het voorstel tot schaduwen van Moussa Jawad op tafel willen leggen. Die kwam binnenkort vrij.

Zeiz hoopte dat zijn collega's zijn onderzoeksspoor ernstiger zouden nemen nu duidelijk was geworden dat White Revenge, alias de Viking, niet de moordenaar kon zijn en dat hij enkel was ingehuurd om de anonieme mails te versturen. Het onderzoek naar zijn alibi zou daarover uitsluitsel moeten geven. En daarmee was ook het antwoord gegeven op de vraag naar de rol die de Viking in deze zaak speelde. Wat had Louis Das ook weer gezegd? 'Om de aandacht af te leiden.' Om de politie op een verkeerd spoor te zetten en zo tijd te winnen. Wat ook was gelukt. Degene die de stortingen had gedaan, was wellicht dezelfde die El Moodi, de advocaat van

Tarik Kanli, had betaald. Ook deze keer waren de betalingen cash bij een groot bankkantoor gedaan.

Zeiz was er meer dan ooit van overtuigd dat de moordenaar de afgelopen week op zoek was geweest naar zijn volgende prooien. Had hij nu Jisa in het vizier? En hoe zat het met Rayan Baraka en Anwar Abbas? Wisten die wat hen te wachten stond en waren ze ondergedoken? Of was hun executie al achter de rug?

Zeiz keek naar het raam dat in een verblindend licht baadde en sloot zijn ogen. Misschien stond de moordenaar op dit moment in de tuin onder de berk en hield hij Zeiz in het oog. Een man in een grijze regenjas en met vuur in zijn ogen. Iemand die de regie voerde van een stuk waarin hijzelf de hoofdrol speelde.

Zo zou het misschien gaan, piekerde Zeiz: hij zou iemand arresteren die zijn vriend had kunnen zijn. Het gevoel groeide dat hij dichter dan ooit bij de oplossing van het raadsel stond.

Een vlaag van vermoeidheid bracht hem uit de concentratie. Terwijl zijn gedachten doelloos heen en weer schoten, sukkelde hij in een onrustige slaap. In zijn droom liep hij door een vochtige mist vertwijfeld achter Adam Sterckx aan. Maar zijn jonge collega rende zonder om te kijken verder en verdween. Op hetzelfde moment dook zijn vader op, met zijn scheve pruik en die eeuwig sarcastische grijns. 'Heb je het weer verpest?' riep hij.

Zeiz werd wakker toen Moni haar lippen op zijn voorhoofd drukte. Een gevoel van opwinding overspoelde hem. Hij had haar liefst meteen bij zich in bed getrokken, maar durfde niet.

Hij vroeg zich af of ze ooit helemaal zou genezen van het trauma dat ze bij de aanranding had opgelopen. Soms had hij het vreemde gevoel dat hun relatie niets met echte liefde te maken had. Ze waren geprogrammeerd om samen iets te realiseren, iets dat onafwendbaar was, een missie waarvoor zij beiden waren uitverkoren. Maar zijn verlangen was sterker dan elke twijfel. Bovendien was ze de laatste weken een grote steun voor hem geweest.

Hij drukte haar tegen zich aan. De beweging deed hem duizelen. Misschien was dit de weg die ze samen moesten gaan.

Moni gaf een verslag van haar bezoek aan het ziekenhuis. Jisa was nog altijd buiten bewustzijn, maar hij was stabiel.

Ze had echter niet de kans gekregen hem ook in levenden lijve te zien.

Zijn kamer werd bewaakt door twee vervaarlijk uitziende Marokkanen, die niemand binnenlieten. Dat bleken Jisa's vader en zijn oom te zijn. Ze gedroegen zich als de bodyguards van een Noord-Afrikaanse maffiachef. Wel had Moni een interessant gesprek gehad met Rahia. Die wist te vertellen dat haar moeder, die tijdelijk bij familie in Meulenberg woonde, had gehoord dat de twee jongens naar wie Zeiz zocht daar in de buurt waren gesignaleerd. Het gerucht deed de ronde dat ze op het punt stonden om naar Marokko te vertrekken.

'Ik ben hun namen vergeten,' zei Moni, 'maar Rahia zei dat je wel wist over wie ze het had.'

Daarna dicteerde hij zijn visie op de stand van het onderzoek voor Moni, die het op zijn laptop intikte. Hij verstuurde het naar Vanderweyden. Even twijfelde hij nog of hij het ook naar Sterckx zou doorsturen, maar besloot om het niet te doen. Het was kinderachtig, maar hij kon zich niet over zijn ergernis heen zetten: het zat hem nog altijd dwars dat zijn collega gelogen had over de getuigenverklaring van Rahia Kanli.

Moni liet hem de zondagskrant zien, waarin een artikel stond over de zelfmoordpoging van Jisa. Op de regionale pagina was een foto afgedrukt van hemzelf en directeur Boudewijn Peeters, geflankeerd door de twee blondines van het schoolsecretariaat, onder de titel: 'GOUDVISKILLER WORDT HELD'.

In het artikel stond het relaas van de zoektocht naar Jisa en de succesvolle reanimatie. Verder werden enkele leerlingen geïnterviewd. Ook Peeters mocht zijn zegje doen. Hij loofde de snelle actie van Kareem Zeiz, een oud-leerling van de school. De journalist refereerde aan wat hij 'de mayonaisemoorden' noemde en de ongelukkige inval bij Danny Swerts van enkele weken geleden, waarbij een goudvis werd doodgeschoten. Uit gerechtelijke kringen was vernomen dat hoofdinspecteur Zeiz sindsdien van het moordonderzoek was gehaald.

Zeiz voelde een steek in zijn maag. 'Ik was niet eens bij die inval aanwezig,' kreunde hij. Hij wou dat ze hem dat artikel niet had getoond.

Ze kwam naast hem op het bed zitten. 'Kareem,' fluisterde ze, 'je bent een echte held. Als jij er niet was geweest, was die jongen nu dood.'

Hij zocht haar lippen, ving haar tong tussen zijn tanden. Hij wilde haar eeuwig zo vasthouden. Toen realiseerde hij zich dat in de twee weken dat ze elkaar kenden, dit pas hun eerste passionele kus was.

232

Hij voelde hoe ze verkrampte en zich langzaam uit de omhelzing losmaakte.

In de vroege avond kreeg Zeiz op zijn gsm een oproep van Vanderweyden. 'Hoe gaat het met jou?' vroeg zijn chef. 'Voel je je nog altijd zo slecht?'

'Ik voel me prima,' loog Zeiz.

'Ik heb het er vanmorgen met Adam over gehad. Eigenlijk hoor je met ziekteverlof te zijn en thuis te blijven.'

Zeiz slikte zijn ergernis in. Sterckx was inspecteur. Het stoorde hem dat zijn chef met een ondergeschikte over zijn lot overlegde.

'Mijn ziekteverlof is voorbij,' zei hij. 'Morgen kom ik weer werken.'

Vanderweyden zuchtte. 'Voor ik het vergeet, de kranten hebben gebeld in verband met de zelfmoordpoging van Jisa Kanli. En TV-Limburg vroeg of ze je konden interviewen.'

'Geen sprake van,' zei Zeiz.

'Luister Kareem,' zei Vanderweyden, 'ik wil jou feliciteren met die actie van vrijdag. En dat meen ik. Je hebt een noodoproep gekregen en snel en efficiënt gereageerd. Maar je had ons kunnen laten weten dat er een link is met het moordonderzoek.'

'Het staat in mijn verslag.'

'Dat ik vanmiddag pas heb ontvangen, ja. Gisteren stond het al in de krant. Daarom vraag ik je of je wel in staat bent om te werken. Goede communicatie is de voorwaarde voor succes. Ik heb je op de vergadering verdedigd, maar je weet hoe penibel je situatie is.'

Zeiz besefte dat zijn chef gelijk had, hij was niet helemaal werkbekwaam. Maar het kwam hem nu voor dat hier Lambrusco door de mond van Vanderweyden sprak. 'Heb je ook de rest van mijn verslag gelezen?' vroeg hij.

'Wat je schrijft is correct. De moordzaak heeft een drastische wending genomen. Het wordt hoog tijd om de twee pijlers in ons onderzoek met elkaar te verbinden.'

Een idee schoot Zeiz door het hoofd. Het spoor van White Revenge liep dood. Vannuffel en de rest van het rechercheteam bleef niets anders over dan zijn spoor eindelijk ernstig te nemen.

'Dus de Viking heeft een alibi?' vroeg hij.

Vanderweyden antwoordde niet meteen. 'Ja, inderdaad,' zei hij aarzelend. 'Maar hoe weet jij dat? Heeft Sterckx jou gebrieft?'

'Nee, toch niet. Het kwam gewoon in me op.'

'Zijn liefje, een zekere Marieke Poelmans, heeft verklaard dat hij op het tijdstip van de moorden bij haar was. Het is natuurlijk geen waterdicht alibi. Volgens Vannuffel liegt ze, maar ik ben geneigd haar te geloven.'

'De vraag is in wiens opdracht de Viking de e-mails heeft verstuurd,' zei Zeiz. 'Mogelijk kreeg hij via het internet zijn opdrachten.'

'Daniëls vlooit die extreemrechtse site Noorderlicht uit,' zei Vanderweyden. 'Maar een dergelijk onderzoek blijkt niet makkelijk te zijn. De leden van zo'n forum melden zich met fictieve gegevens aan. Je kunt je alleen zelf aanmelden en hen verzoeken hun identiteit kenbaar te maken.'

'Verloren moeite, lijkt me,' zei Zeiz. 'Dat spoor loopt dood.' Hij schaamde zich een beetje voor de triomf die in zijn stem lag.

'Dat valt nog te bezien. Misschien vindt Daniëls toch iets. Laten we afwachten. Dit is hoe dan ook een link die we niet zomaar opzij mogen schuiven. Het bevestigt wat jij in je rapport schrijft, dat we te maken hebben met een organisator, iemand die zijn acties zorgvuldig plant.'

'En wij passen in die planning,' zei Zeiz. 'Soms heb ik het gevoel dat hij ons gebruikt om zijn volgende slachtoffer op te sporen.'

'Hm, dat lijkt me toch wel vergezocht. Er zijn geen concrete aanwijzingen daarvoor. Of ga je nu beweren dat de moordenaar zijn tentakels in het politiekorps heeft? We moeten met onze beide voeten op de grond blijven.'

Zeiz dacht na. Wat zijn chef zei, klonk redelijk. En toch wist hij dat zijn gevoel hem niet bedroog. De dader of daders waren in de buurt en wachtten. Op het juiste moment om toe te slaan? Of op een teken? Een teken van wie? Maar Zeiz besloot hier niet verder op in te gaan.

'Als het motief inderdaad vergelding is, zoals jij denkt,' ging Vanderweyden verder, 'dan moet het in een dossier van de politie of de rechtbank terug te vinden zijn. Ik weet dat jullie dat al onderzocht hebben. Maar Eefje vlooit nu de gerechtelijke rapporten van de laatste jaren voor alle zekerheid nog eens helemaal uit. Ook valt het niet uit te sluiten dat we toch te maken hebben met een racistische psychopaat, die een macaber spelletje speelt.'

'Je vindt niet alles terug in de gerechtelijke dossiers,' zei Zeiz. Hij moest daarbij denken aan de aanranding van Moni door Yusuf en Tarik. Maar hij besloot daarvan niets te zeggen.

'Je bedoelt de aanranding van die lerares, hoe heet ze ook weer?'

Zeiz schrok. 'Monica Desutter,' zei hij.

'Precies,' zei Vanderweyden. 'Er is ook nog een karateleraar in het spel. Walter Vaes, zijn naam komt in jouw rapporten voor. Het zou een spoor kunnen zijn. We mogen niets uitsluiten. Vannuffel is daarmee bezig.'

Zeiz voelde hoe het zweet hem uitbrak. Hij vroeg zich af of Vanderweyden wist dat hij Moni persoonlijk kende.

'We hebben het gevoel dat er een link moet zijn naar een zaak van niet zolang geleden,' zei Vanderweyden. 'Een moord zou ook kunnen. Als die gruwelijke moorden inderdaad wraak zijn, moet er een ernstige oorzaak zijn.'

Zeiz had met verbazing geluisterd. De analyse van zijn chef was correct. Het motief was wraak. Maar was dat niet precies wat hijzelf al weken beweerde en waarvoor hij bij zijn collega's weinig of geen gehoor had gevonden? Nu deed Vanderweyden alsof hij een nieuwe onderzoekspiste had geopend.

'Ben je er nog?' vroeg Vanderweyden.

'Je moet mij hiervan niet overtuigen,' zei Zeiz.

'Ik ben blij dat je er ook zo over denkt.'

Zeiz was sprakeloos. Moest hij zich nu ergeren aan het selectieve geheugenverlies van zijn chef of zich integendeel verheugen over zijn late bekering? Maar een discussie zou tot niets leiden, vermoedde hij.

'Morgenvroeg moet ik in Meulenberg zijn,' zei Zeiz. 'Ik ga praten met de moeder van Rahia Kanli.' Hij aarzelde en voegde daaraan toe: 'Bovendien zouden twee kompanen van onze vermoorde jongens, Rayan Baraka en Anwar Abbas, daar zijn gesignaleerd.'

'Dat heb ik in het verslag gelezen. Ik heb geregeld dat Adam met je meegaat.'

Zeiz hapte naar adem. 'Dat is niet nodig. Daar heb ik Sterckx niet voor nodig, dat kan ik wel alleen aan.'

'Als Rayan en Anwar daar in de buurt zijn, heb je mogelijk hulp nodig,' zei Vanderweyden. 'Adam gaat met je mee. Dat is een bevel.'

Zeiz stond op. Hij bleef voor alle zekerheid enkele minuten naast het bed staan, maar de duizeligheid en misselijkheid waren weg. Toch voelde hij zich niet goed. In zijn keel leek een prop te zitten, die hij er met hoesten niet uit kreeg. Er was waarschijnlijk te weinig zuurstof in de kamer. Hij zette het raam wijdopen en ademde gulzig de koele avondlucht in. Hij moest denken aan het telefoongesprek met zijn chef. Walter Vaes was een link die hijzelf inderdaad ook had gelegd, maar nog niet echt had onderzocht. Hoewel hij twijfelde. Vaes beweerde dat hij een alibi had. Moni was een piste die Zeiz onbewust had verwaarloosd, realiseerde hij zich. En uitgerekend Vannuffel ging nu haar gangen na en onderzocht haar alibi. Even kwam het in hem op om haar te waarschuwen. Maar toen verwierp hij die gedachte. Als hij dat deed, bracht hij zich als politieman in een precaire situatie.

Dit zou zijn laatste nacht worden in dit huis. Hij verliet zijn kamer en ging naar beneden. Hij had zich voorgenomen zijn vader te bedanken voor de gastvrijheid en voor de hulp bij het inrichten van de nieuwe woning. Er was iets wat hem beklemde. Dit was het huis van zijn jeugd, hier hadden hij en zijn vader samengeleefd. Daarna hadden ze jarenlang geen contact gehad. De banden waren doorgesneden geweest. Het was een illusie te denken dat die oude wonden ooit nog konden genezen.

In de keuken hing een flauw licht. De deur naar de tuin stond op een kier. Toen hij buitenging, hoorde Zeiz stemmen. Hij wist niet waarom, maar in een reflex bukte hij zich en sloop tussen de struiken verder. De zon ging onder achter de kruinen van de bomen, maar de maan stond al in een perfecte cirkel klaar om haar plaats in te nemen. Onder de berk zat Zeiz' vader in een tuinstoeltje een sigaret te rollen met een kingsizeblad. Hij zei iets dat Zeiz niet kon verstaan.

Er was niemand anders. De oude man was in zichzelf aan het praten. Zijn profiel, met de lichtjes ingevallen wangen en de oogkassen die het maanlicht weerkaatsten, deed Zeiz denken aan een doodshoofd. Een golf van medelijden stroomde door hem heen.

De oude man schraapte zijn keel en hield goedkeurend een joint tegen het gele licht. 'Oké, dat is dan afgesproken,' zei hij.

Maar op welke vraag hij had geantwoord, wist Zeiz niet.

Maandag, 6u

De schreeuw van de uil had hem gewekt.

*In zijn droom was de bruine politieman opgedoken. Hij praatte tegen de vleermuizen.
Dat was nadat ze de compound achter zich hadden gelaten. Op een eenzame muur hing
een bord:* '*HQ DUTCHBAT*'. *Daaronder, in kriebels:* 'My ass is like a local. It's got
the same smell'.

*Ze verlieten de hoofdweg en volgden een rotsachtig pad dat naar het lege warenhuis
aan de rand van het dorp voerde. De politieman liep achter hen aan. Het licht van zijn
hoofdlampje zwiepte over de rotsen.*

Het was blijkbaar zijn lot om altijd te laat te komen.

*Geloofde hij echt dat ze iets konden doen om de waanzin te keren? Om de roofdieren
te verhinderen hun walgelijke plan ten uitvoer te brengen? Geloofde hij in gerechtigheid?
Was hij zo naïef? Wist hij niet dat de veroordeelden de dag voordien hun eigen graf hadden moeten graven? Terwijl hen wijsgemaakt werd dat daar de funderingen kwamen van
een nieuwe school voor hun kinderen.*

*Ze waren dom genoeg geweest om dat te geloven. Ze waren zelf nooit naar school
geweest.*

Oog om oog, tand om tand.

It has no teeth. It smells like shit. A Bosnian girl!

De apen maken de varkens af.

*Ze bleven als aan de grond genageld staan toen een scherpe schreeuw de stilte verbrak
en zijn klauwen rond hun hart legde.*

Maar dat was dus de uil geweest, die de nacht bedankte voor de gulle ontvangst.

22

De prismabril was een wonder. Zeiz zat achter het stuur van de dienstwagen en reed zonder misselijk te worden door de stad. De dingen behielden hun vertrouwde vaste vorm en hadden niet langer de neiging om zich op de meest onverwachte momenten te ontdubbelen. Naast hem zat Sterckx, die ook uit één stuk was. Ze moesten om 9 uur in Meulenberg in Houthalen zijn, waar ze een afspraak hadden met Marya Hassood, de moeder van Rahia Kanli. Zeiz reed het Albertkanaal over en koos de nationale weg richting Eindhoven. De opticien, bij wie hij de bril vanmorgen was gaan afhalen, had hem de werking van het prismaglas proberen uit te leggen. De glazen, waarop een kunststoffolie was geplakt, waren aan de basis dikker dan aan de top, zodat de stralen die door het prisma vielen werden omgebogen en zo het beeld corrigeerden. Zeiz had er niets van begrepen, maar had beleefd geknikt, zoals vroeger in de school, toen zijn wiskundeleraar hem de werking van een differentiaalvergelijking probeerde duidelijk te maken.

Maar de prismabril werkte dus ook als hij er niets van begreep.

Hij had erop aangedrongen zelf te mogen rijden. Of dachten ze soms dat hij gehandicapt was?

Achteraf beschouwd moest hij wel toegeven dat het een goed idee was van Vanderweyden om Sterckx mee te sturen. Van de ondervraging van Rahia's moeder verwachtte hij niet veel. De Noord-Afrikaanse mentaliteit bepaalde dat je je niet moest bemoeien met andermans zaken. En dan was het nog maar de vraag of ze haar afspraak na zou komen en bereid zou zijn hem te ontvangen in afwezigheid van haar man. Maar van Anwar en Rayan was hij honderd procent zeker dat ze zich niet vrijwillig aan een verhoor zouden onderwerpen. En dan was het handig om een sterke jongen als Sterckx in de buurt te hebben.

Ze spraken geen woord toen ze Meulenberg binnenreden. Zeiz volgde de aanwijzingen van de gps en stuurde de wagen door het patroon van rechte straten. Dit was Ter Hilst in een oude versie, bedacht hij. De uniforme bouwstijl, het rondslingerende vuilnis, de verwaarloosde voortuintjes, de beschadigde bushokjes en vooral de overal geparkeerde auto's die het straatbeeld domineerden. Een groepje jongemannen van allochtone afkomst stapte in een BMW, die in een donkere wolk uitlaatgassen en met gierende banden vertrok.

'Ik ken iemand die hier jaren heeft gewoond,' zei Sterckx. 'Hij beweerde dat het best gezellig was.'

Het waren de eerste woorden sinds ze een half uur geleden in Hasselt waren vertrokken. Zeiz keek naar zijn jongere collega. De bleke huid en de wallen onder zijn ogen verraadden een ernstig slaaptekort. Maar hij was iemand op wie je kon rekenen, had Zeiz ervaren in die korte periode dat ze hadden samengewerkt. Het had altijd geklikt tussen hen. Tot enkele dagen geleden.

Zeiz' vermoeden werd bevestigd: Rahia's moeder deed niet open. Het huis leek verlaten. De luiken waren dicht. Ze belden aan bij de buren, maar die gaven ook geen teken van leven.

'Ben je zeker dat dit het juiste adres is?' vroeg Sterckx.

Zeiz keek hem geïrriteerd aan. Hij antwoordde niet en belde Rahia op. Die nam meteen op. Ze luisterde naar hem en beloofde meteen terug te bellen als ze haar moeder had kunnen bereiken.

Zeiz en Sterckx liepen terug naar de auto. Sterckx stapte weer in en begon een bericht in te tikken op zijn gsm. Zeiz wachtte naast de auto.

Zijn telefoon ging. Zeiz keek verbaasd naar de display: het was Vannuffel. Hij aarzelde, maar nam toch op.

'Waar ben je, Zeiz?' riep Vannuffel.

'We zijn in Meulenberg.'

'Precieze coördinaten, alstublieft.'

Zeiz keek rond en zag een verroest straatbord, dat in een hoek van vijftig graden stond.

'Welkomplein.'

Even was het stil aan de andere kant van de lijn. Toen zei Vannuffel: 'Welkomplein? Waarom sta je daar?'

'Omdat hier nog een plaats vrij was om te parkeren,' antwoordde Zeiz.

'Houd je me voor de gek?'

Zeiz werd ongeduldig. 'Waarom bel je, Vannuffel?'

'Op het Welkomplein moet een slagerij zijn.'

Zeiz zag het meteen. Nog geen vijftig meter verder stond een huis met een etalageraam, waarop 'MASSOUD' stond, met daaronder het Arabische woord 'MAJZARA', wat 'slager' betekende.

'Slagerij Massoud?' vroeg Zeiz.

'Precies. Daar zouden Anwar Abbas en Rayan Baraka zitten.'

'Hoe weet je dat?'

'Elementary, dear Sherlock,' zei Vannuffel spottend. 'Massoud is de neef van Rayans vader. Verdere details hoor je later wel. Jij en Sterckx houden de slagerij in het oog. In geen geval naar binnen gaan. Vonck is onderweg met zijn ploeg.'

'Waarom Vonck?' vroeg Zeiz.

De verbinding werd verbroken. Zeiz was perplex. Als Vonck en zijn mannen van de Tactische Interventiegroep werden ingezet, betekende dit mogelijk dat er een risico was verbonden aan de arrestatie van de twee jongens. Zijn telefoon ging weer over. Hij nam op.

Het was Rahia. 'Mijn moeder is weer thuis bij mijn vader,' zei ze. 'Sorry dat we je voor niets hebben laten rijden. Het spijt me echt. Mijn moeder is maar een eenvoudige vrouw. Je weet hoe Arabische vrouwen zijn, misschien had ze angst om met een vreemde man te praten.'

Zeiz dacht na. 'Wil je haar vragen een persoonsbeschrijving van die wijkagent te geven. Kun je dat voor me doen? Ook al herinnert ze zich niet veel. Elk detail kan belangrijk zijn.'

'Heb ik haar al gevraagd. Ze herinnert zich niets, zegt ze. Maar ik zal nog eens met haar praten, je weet nooit.' Ze begon te giechelen. 'Je raadt nooit wie hier in het ziekenhuis naast me zit. Haar naam begint met een A.'

'Met een A?'

'De A van Allerliefste Moni. Hier is ze.'

'Hoi schatje,' klonk plots de stem van Moni.

Zeiz wist niet waarom, maar de adem stokte in zijn keel. Het duurde even voor hij kon praten. 'Moni? Ben jij het?'

'Ja, schat, ik ben het. Ik hoor dat je voor niets naar Meulenberg bent gereden? Dat is sneu.'

Hij was nog altijd niet hersteld van de verrassing. 'Hoe gaat het met jou?' stamelde hij. 'Is alles oké met jou?'

'Hmm, het gaat wel. Behalve wat hoofdpijn. Maar daar moet je je geen zorgen over maken, hoor. Is gewoon mijn maandelijkse migraine. Weet je wat me gisteren is overkomen toen ik bij mijn moeder was? Ik heb bezoek gehad van een politieman in burger, een collega van jou.'

Zeiz voelde een steek in zijn maag. 'Vannuffel?' vroeg hij.

'Ja, dat was zijn naam. Hij heeft me een paar vragen gesteld. Wist je dat hij zou komen?'

Zeiz aarzelde. 'Eh nee,' loog hij. 'Maar dat was niet meer dan een formaliteit. In een moordonderzoek worden alle mogelijke mensen ondervraagd.'

Het bleef even stil op de lijn.

'Kom je nu terug naar Hasselt?' vroeg ze toen. 'Zien we elkaar straks?'

'Vind je het goed als ik je later terugbel?' zei hij. 'Blijkbaar zijn we toch niet helemaal voor niets hierheen gekomen...'

'Hebben jullie die jongens gevonden?' vroeg ze.

'Zou kunnen. Dat zullen we zo meteen weten. Nu moet ik weg.'

Moni verbrak de verbinding. Zeiz stond naast zijn auto en staarde voor zich uit. Wat moest hij van dit alles denken? Er was iets aan het telefoongesprek dat hem dwars zat, maar hij kon er niet meteen de vinger opleggen. Moni en Rahia hadden elkaar gisteren voor het eerst ontmoet en vandaag hadden ze al een nieuwe afspraak. Dus die twee vrouwen waren vriendinnen geworden? Maar wat hem nog het meeste dwars zat, was dat hij weer had gelogen. Waarom had hij niet meteen toegegeven dat hij wist dat Vannuffel haar ging interviewen?

Daarna ging alles snel. Te snel, maar met een logica waar niets op af te dingen viel en met een afloop die onafwendbaar was. Het was alsof een hogere macht het drama regisseerde en zij enkel hun uitgeschreven rolletje speelden.

Een akelig voorgevoel deed Zeiz besluiten meteen tot de actie over te gaan. Hij negeerde de tegenwerping van Sterckx, die vond dat ze op Vonck moesten wachten.

Maar toen hij het Welkomplein overstak, merkte Zeiz dat Sterckx hem was gevolgd. Op Massouds deur hing een papier met de Arabische tekst: 'Gesloten wegens sterfgeval.'

Daaronder de kromme vertaling: 'Dikt. Familie dood.'

'Laten we hopen van niet,' mompelde Sterckx.

Er was geen bel. Zeiz klopte op de deur. Niemand kwam opendoen. Ze liepen om het huis heen. Een smal paadje langs de garage voerde naar de achterkant. Daar stonden afvalcontainers en een kleine roestige bestelwagen. Door het raam zagen ze een witbetegelde ruimte, die de slager als werkplaats had ingericht: grote lege tafels, blinkende metalen machines en diepvrieskasten. Het geheel maakte een verzorgde indruk. Ook de ramen boven hadden geen gordijnen. Sterckx kroop op een muurtje, zodat hij naar binnen kon loeren. Die kamer was volgens hem een stapelruimte, riep hij naar beneden. Blijkbaar werd het huisje alleen als slagerij gebruikt en was het niet bewoond.

De achterdeur was open. Ze waren meteen alert. Waarom had de slager zijn werkplaats ongesloten achterlaten? Zeiz klopte op de deur, hij riep iets naar binnen. De weeë geur van verstorven vlees en kruiden kwam hen tegemoet. Sterckx bleef beneden in de werkplaats staan terwijl Zeiz de trap naar boven ging. De verdieping bestond uit een grote ruimte, die volgestouwd was met meubelstukken, dozen en andere rommel. Alles stond kriskras door elkaar. In een hoek lagen lege blikjes cola, de resten van een kebabmaaltijd, een matje en een slaapzak. En enkele druppels bloed, die naar de trap voerden.

Toen Zeiz door het raam naar buiten keek, zag hij het deksel van een afvalcontainer bewegen. Een man kroop eruit.

Met grote sprongen stormde Zeiz de trap af, terwijl hij luid riep naar Sterckx. Toen ze buitenkwamen, zagen ze nog net iemand onhandig over de schutting klauteren.

Het beeld van de klimmende man gaf Zeiz een déjà vu, een jeugdherinnering aan eeuwige zomervakanties en de zon die boven de daken uitsteeg. In een flits zag hij zichzelf bij Emma, de overbuurvrouw, die hem verzorgde omdat hij zijn knie had opengehaald toen hij over haar schutting was gesprongen. Hij weende, niet van de pijn, maar van de spijt dat zijn mama er niet was als hij haar nodig had. Waarom had ze hem verlaten? Vond ze hem niet belangrijk?

Sterckx trapte het tuinpoortje open. De man die voor hen uit rende door het steegje droeg een zwarte leren jas en een zwarte muts. Eigenlijk kon je beter zeggen dat hij strompelde. Toen Zeiz riep dat hij moest stoppen, draaide hij zich om, richtte een pistool en schoot. Zeiz en Sterckx lieten zich op de grond vallen. Het schot daverde door de wijk, ergens rinkelde glas. Enkele seconden later begon iemand te gillen.

De man was geen schutter, bedacht Zeiz. Als hij iemand raakte, zou dat per ongeluk zijn.

Toen Zeiz zich oprichtte, zag hij de man in een tuin verdwijnen. Echt snel was hij niet en bovendien onhandig. Hij raakte met zijn voet verstrikt in een rest metaaldraad van een neergehaalde omheining, maar uiteindelijk slaagde hij erin zich los te wurmen.

'Blijf staan. Politie!' riep Zeiz.

De man draaide zich om en begon te schieten, in het wilde weg, alsof hij overal belagers vermoedde. Het was een wanhoopsvuur, de kogels vlogen hoog boven zijn achtervolgers uit. Zeiz en Sterckx keken elkaar één moment verbaasd aan. Ze hadden beiden iets gehoord, iets dat niet in het plaatje paste.

De man was op zijn knieën gevallen en richtte het wapen nog eenmaal op zijn achtervolgers. Een droge klik toonde aan dat zijn magazijn leeg was.

In een flits wist Zeiz wie ze voor zich hadden. Dit moest Anwar Abbas zijn. Zo was het gegaan: Rayan Baraka was bij zijn oom thuis ondergedoken en had zijn vriend een slaapplaats bezorgd boven de slagerij.

En Anwar Abbas was geen man, maar een magere jongen met een babyface. Hij trilde over zijn hele lichaam. Hij klampte zijn wapen met twee handen vast, waarschijnlijk in een poging het bibberen onder controle te krijgen, terwijl hij Zeiz in het vizier nam.

'Wij zijn van de politie, we doen je niets,' zei Zeiz. 'We willen alleen met je praten.'

Anwar mompelde iets onverstaanbaars. Zeiz schatte hem een meter zeventig groot. Droog aan de haak zou hij niet meer dan zestig kilo wegen.

Er was iets met zijn gezicht. Het glom alsof hij overdadig zweette. Zijn kleren zagen er gehavend en besmeurd uit. Maar hij had dan ook in de afvalcontainer gezeten.

'We willen met jou praten over Yusuf en Tarik,' zei Zeiz. 'We willen gewoon een paar vragen stellen, meer niet.'

Anwar schudde zijn hoofd. 'Ik weet niets, ik heb er niets mee te maken.'

'Waar heb je niets mee te maken?' vroeg Zeiz.

'Vuile flikken,' siste Anwar. 'Vuile ongelovige honden.' Zijn stem sloeg over.

Zeiz besefte dat wat hij zei niet echt tot de jongeman doordrong. Hij had met hem te doen. Anwar was een imitatortje, hij speelde het rolletje van de stoere jongen, met zijn zwarte leren jekker, zijn zwarte muts tot diep over de oren getrokken en dat ingestudeerde gemene trekje op zijn gezicht. Maar van dat beeld bleef nu niet veel over. Voor hen stond een doodsbange, gewonde jongeman met een veel te groot pistool. Een loser die waarschijnlijk amper zijn eigen naam kon spellen. Uitgespuwd door de maatschappij. Een kutmarokkaantje, verwikkeld in een zaak die hem boven het hoofd was gegroeid.

Anwar zat op een hellend vlak richting afgrond en er was niemand die hem kon redden.

'Maak je geen zorgen,' zei Zeiz toch maar, 'alles komt in orde.'

Hij stapte rustig op de jongen af. Die staarde hem met een glazige blik aan. Hij liet zonder verzet het wapen uit zijn handen nemen. De zijkant van zijn jas vertoonde een groot gat. Zijn hemd was doordrenkt van het bloed. Toen zag Zeiz dat het glimmende vocht op Anwars gezicht geen zweet was.

Zowel Zeiz als Sterckx besefte meteen wat er was gebeurd: een van de schoten die enkele minuten eerder waren gevallen, was uit een ander wapen gekomen. Er was nog een andere schutter in de buurt. Iemand die het op Anwar Abbas had gemunt. En ze moesten er rekening mee houden dat hij nog een tweede poging zou wagen. Ze moesten de jongen hier snel wegbrengen.

Sterckx had zijn wapen in de aanslag en speurde de omgeving af, terwijl Zeiz Anwar ondersteunde en hem aanspoorde om sneller te lopen.

Op het Welkomplein waren nieuwsgierigen toegestroomd. Sommigen hielden hun gsm omhoog om te filmen. Ze keken allen gefascineerd toe, alsof ze een theatervoorstelling bijwoonden. Of misschien dachten ze dat dit de set was van een filmopname. Op de motorkap van een auto was een jongetje geklauterd. Hij had een zwarte krullenbol en droeg een wit-zwarte keffiyeh, zoals Yasser Arafat. Wijdbeens lachte hij hen toe. Sterckx gebaarde dat ze weg moesten gaan, maar niemand verroerde.

Ze bereikten de auto. Zeiz duwde Anwar op de achterzit en Sterckx startte de motor. Op dat ogenblik klonk een harde knal en het glas van het portier versplinterde. Het hoofd van Anwar sloeg tegen de kopsteun van Sterckx en viel als een blok op de linkerknie van Zeiz.

In een reflex veegde Zeiz het bloed van zijn prismabril. Nu pas zag hij de details: een kwart van Anwars hoofd was verdwenen en het interieur van de wagen kleurde rood. Een stervende hand had zich vastgeschroefd rond zijn onderbeen.

Bovendien hing er een vreemde geur in de wagen. Het was een misselijk-makende stank, die niets met Anwars bloed te maken had, hoewel er ook een vleugje dood aan vastzat. Toen realiseerde Zeiz zich dat het de dode jongen was die hij rook, omdat die in de afvalcontainer had gezeten en de geur van slachtafval met zich meedroeg.

23

Rayan Baraka was toen al enkele uren dood. Hij werd om negen uur 's morgens gevonden op een huurkamertje in de César Franckstraat in Elsene, door een vriend van de familie, die hem naar de luchthaven in Zaventem zou brengen. Zijn vlucht naar Rabat vertrok om halfelf. Daar zou hij dus niet meer geraken. Hij lag naakt op zijn rug in zijn eigen uitwerpselen en in een grote plas bloed. Zijn gezicht was ingesmeerd met een dikke laag mayonaise. Verder viel op dat in zijn mond een flinke prop stak, waarvan bij nazicht bleek dat het een boxershort was van het merk Armani. Zijn lievelingsmerk, getuigden intimi. De negentienjarige Rayan, die zijn schoolloopbaan had afgesloten met een diploma van het basisonderwijs, had zich een way of life eigen gemaakt die zijn status van derderangsboefje ver te boven ging. Hij was net als zijn maatje Anwar Abbas met een enkel kopschot afgemaakt.

's Middags ging er een dienstvergadering door in de ovale kamer. Vannuffel opende de vergadering met een frontale aanval op Zeiz. Hij slingerde hem naar het hoofd dat door zijn schuld Anwar Abbas had moeten sterven. Bovendien had hij door zijn eigengereide actie niet alleen zichzelf en Adam Sterckx, maar ook de buurtbewoners in groot gevaar gebracht.

De beslissing om Vonck in te schakelen was er niet zomaar gekomen. Hoofdinspecteur Louis Das had bij het onderzoek naar het onderduikadres van Anwar Abbas en Rayan Baraka van een collega van de lokale politie in Houthalen vernomen dat een 'valse wijkagent' in Meulenberg actief was geweest. Een man in politie-uniform had de avond voordien naar de twee Marokkaanse jongens gevraagd. Das had meteen de link gelegd met wat Zeiz had verteld over de valse wijkagent in Ter Hilst en de recherche op de hoogte gebracht. Vannuffel had daarop beslist de Tactische Interventiegroep in te schakelen. Maar Zeiz en Sterckx, die ter plaatse waren, hadden niet gewacht op de versterking. En de onderneming had niet rampzaliger kunnen verlopen.

Vannuffel sprak met bulderende stem en fixeerde de aanwezigen in de ovale ruimte één voor één met vlammende blik, als een strafpleiter voor de jury van een assisenproces.

Zeiz had geen zinnig antwoord ter verdediging klaar, tenzij dat hij de situatie ter plaatse had ingeschat en zijn intuïtie was gevolgd. Wat Vannuffel en Lambrusco een honende lach ontlokte. Vannuffel eiste zijn onmiddellijke schorsing. Lambrusco knikte gretig en keek naar onderzoeksrechter Engelen, die aangeslagen voor zich uit staarde.

Vanderweyden schuifelde zenuwachtig op zijn stoel en kreeg een hoogrode kleur. 'Laten we niet voortvarend te werk gaan,' mompelde hij, maar er stak geen kracht in zijn woorden.

Toen nam onverwachts Johan Neefs het woord. Hij gaf in enkele zinnen een kernachtig overzicht van de voorlopige technische onderzoeksresultaten. Anwar Abbas had een oppervlakkige steekwonde in de linkerschouder, die vermoedelijk was aangebracht in de stapelruimte boven de slagerij. Daar waren in elk geval bloedsporen gevonden. Aan zijn polsen en hals waren verwondingen vastgesteld, die mogelijk waren veroorzaakt door de stukken nylon touw die in de afvalcontainer lagen. Je kon dus veronderstellen dat hij geboeid in de afvalcontainer had gezeten terwijl iemand hem had proberen te wurgen. Om een of andere reden had die persoon de touwen doorgesneden en hem daar achtergelaten, met zijn pistool.

'Hebben Kareem en Adam de moordenaar gestoord in zijn werk?' vroeg Neefs zich hardop af. 'Wat zou er gebeurd zijn als ze het bevel van collega Vannuffel wel hadden gevolgd en later waren gekomen? Afgaande op de feitelijke vaststellingen, kun je ervan uitgaan dat ze Anwar dan gewurgd hadden teruggevonden in de afvalcontainer. Als ze echter nog sneller hadden ingegrepen, hadden ze de dader op heterdaad kunnen betrappen.'

Daarvan stond iedereen paf. Ook Zeiz. Zijn intuïtie leek dus toch niet zo slecht te werken. Je kon je zelfs afvragen of Vannuffel geen inschattingsfout had gemaakt door Zeiz en Sterckx niet meteen naar slagerij Massoud te sturen. Dan hadden ze Anwar misschien kunnen redden. Maar hij zei niets.

Vannuffel veegde die laatste conclusie van Neefs resoluut van de tafel. Het was een voorlopige reconstructie, zei hij. Het verwijt bleef dat Zeiz eens te meer een dienstbevel van een hiërarchische overste naast zich neer had gelegd.

Eens te meer. Die precisering was niet onbelangrijk. Het was inderdaad niet weinig wat de tuchtcommissie van de federale politie op zijn brokkenlijstje zou vinden.

'En dan is er nog iets,' zei Vannuffel. Hij wachtte tot alle ogen op hem waren gericht en ging verder: 'Terwijl andere mensen van een rustige zondag genoten, heb ik gewerkt. Dat was nodig, want er zaten blijkbaar nogal wat gaten in het onderzoek. En dan heb ik het over de alibi's van Walter Vaes en Monica Desutter, toch twee mogelijke verdachten in deze zaak. Of vergis ik me?' Hij keek veelbetekenend naar Zeiz. 'Nu, mijn ongehoorzame collega hier heeft blijkbaar iets te lang getreuzeld. Walter Vaes is van de aardbodem verdwenen. Niemand weet waar hij is. Er loopt een zoekactie. We gaan ervan uit dat het geen toeval is dat Vaes net nu verdwijnt. Monica Desutter heeft een alibi. Ik ben gisteren met haar gaan praten in het verzorgingstehuis in Voeren, waar haar moeder wordt verpleegd. Ze was daar op het tijdstip van de moorden op Yusuf Hallil en Tarik Kanli. Dat is door haar moeder bevestigd. Ik heb vanmorgen naar het verzorgingstehuis gebeld en daar zeggen ze dat ze ook de hele vorige nacht bij haar moeder is gebleven. Het gaat niet goed met de oude vrouw, ze kan elk moment sterven. Dan blijft de moord op Anwar Abbas over. Hoewel ik me moeilijk kan voorstellen dat Desutter met een scherpschuttergeweer kan omgaan.'

'Op dat ogenblik was ze in het ziekenhuis bij Jisa Kanli,' zei Zeiz. 'Dat kunnen getuigen bevestigen.'

'Aha, en hoe weet jij dat?' vroeg Vannuffel.

'Omdat ik met haar heb gebeld,' sprak Zeiz.

Vannuffel grijnsde. 'Wat wij namelijk niet wisten, collega's, is dat hoofdinspecteur Kareem Zeiz een heel bijzondere relatie heeft met Monica Desutter, tot gisteren een mogelijke verdachte.' Hij wachtte om de ernst van zijn woorden tot de anderen te laten doordringen. En in zijn stem lag de gloed van de overwinning toen hij verder sprak: 'Ik denk niet dat ik hier een tekening bij moet maken. Er zijn volgens mij voldoende elementen om hem meteen van het onderzoek te halen.'

De onmiddellijke schorsing kwam er niet. Maar het was uitstel van executie, wist Zeiz. Vanderweyden nam hem na afloop van de vergadering apart en zei dat in de stuurgroep die elke middag plaatsvond zijn 'professionele attitude' ter sprake zou worden gebracht. De duistere blik van de hoofdcommissaris sprak boekdelen. Zeiz maakte zich geen illusies. Vannuffel en Lambrusco zouden zijn kop eisen en krijgen.

Zeiz en Sterckx reden naar Brussel, waar ze de plaats delict bezochten. Het kamertje in de César Franckstraat, waar het lichaam van Rayan Baraka was gevonden, maakte deel uit van een onoverzichtelijke verzameling groezelige huurkamertjes achter de statige maar verwaarloosde gevel van een herenhuis uit de negentiende eeuw. Een donkere plek op de vloer toonde waar Rayan had gelegen. Er waren geen getuigen. Niemand had iets gehoord of iets verdachts opgemerkt. Niemand kende Rayan Baraka. De huisbaas viel uit de lucht. De jongen was geen officiële huurder. Het kamertje was tijdelijk onbewoonbaar omdat het pas een chemische behandeling tegen muurschimmel had ondergaan.

In de politiekazerne aan de Luchtmachtlaan namen Zeiz en Sterckx deel aan een vergadering van het rechercheteam dat met het onderzoek was belast. De leider van het team, hoofdinspecteur Jean-Pierre Lecocq, was een medestudent van Zeiz geweest aan de politieschool. Goede vrienden waren ze niet geworden en ze hadden er altijd op gelet elkaar niet voor de voeten te lopen. Lecocq was een pedant strebertje met autoritaire trekjes. Hij leidde zijn vergadering met het air van een veldmaarschalk en etaleerde zijn kennis van het vergaderjargon. 'Triggeren' en 'substantieel' waren zijn darlings.

Rayans lichaam was overgebracht naar de afdeling Forensische Geneeskunde van het Academisch Ziekenhuis in Brussel. Maar de wetsdokter kon nu al zeggen dat hij tussen 2 en 6 uur in de ochtend was gestorven. Het schot was van dichtbij afgevuurd. Behalve wurgsporen aan zijn hals vertoonde hij geen andere verwondingen. Aangezien het weinig waarschijnlijk was dat hij de boxershort uit eigen beweging in zijn mond had gepropt, konden ze ervan uitgaan dat hij zijn moordenaar of moordenaars had gezien.

De resultaten van het technisch onderzoek en het autopsieverslag zouden naar Hasselt worden doorgestuurd. Na afloop van de vergadering nam Lecocq Zeiz even apart. Hij vroeg of er niet 'asap' voor gezorgd kon worden dat hij inzage kreeg in het dossier van de mayonaisemoorden. Hij kon ook niet nalaten te vertellen dat hij volgende maand gepromoveerd zou worden tot commissaris. Hij nam afscheid met een nonchalant 'We'll keep in touch.'

Zeiz slaagde erin het zuur in zijn maag te bedwingen door in de toiletruimte water te drinken.

Hij had geen zin om met Sterckx naar Hasselt te rijden en wendde voor dat hij nog iets persoonlijks af te handelen had en daarom later de trein terug zou nemen.

Vanmiddag, toen ze naar Brussel reden, hadden ze een hevige woordenwisseling gehad. Sterckx had het stilzwijgen doorbroken met een vraag naar Zeiz' welbevinden.

'Heeft Vanderweyden jou opgedragen daarnaar te vissen?' antwoordde Zeiz.

Sterckx keek hem verbaasd aan. 'Wat bedoel je daarmee? Ik vraag gewoon hoe het met je gaat.' Daarna begon hij over de actie van vanmorgen, waarbij Anwar Abbas was omgekomen. 'Het was inderdaad misschien beter geweest dat we op Vonck hadden gewacht...' zei Sterckx.

Maar Zeiz zette de autoradio aan en keek star voor zich uit. Sterckx zette de radio weer uit.

'Ik weet waarom je pissig bent,' zei Sterckx. 'Het is begonnen met die doos met drugs van Tarik Kanli. Klopt dat?'

'Ik houd niet van het woordje "pissig",' zei Zeiz, waarop hij de radio weer aanzette.

Sterckx schakelde de radio weer uit. 'Dat was fout van mij, dat geef ik toe. Ik had meteen moeten zeggen dat het Eefje was die met Rahia Kanli had gepraat. Oké, ik heb gelogen. Eefje is nog in opleiding en ik wilde haar een confrontatie met jou besparen.'

'Een confrontatie met mij besparen?' riep Zeiz. 'Wat heb ik? De pest misschien?'

Het probleem, bedacht hij, was dat Sterckx in het andere kamp zat. Het kamp van de anderen. Ze vertrouwden hem niet. Ze steunden hem niet. Ze saboteerden zijn werk. En nu hadden ze eindelijk de middelen gevonden om zich van hem te ontdoen. Of beter gezegd, hij was zo idioot geweest om ze hen op een presenteerblaadje aan te bieden. Hier, neem dit en maak me af.

Hij zette de radio weer aan. Uit de luidsprekers kabbelde een bekende melodie. Het was de live versie van 'Our House' van Crosby, Stills, Nash & Young, de favoriete groep van zijn vader.

'Een beetje zelfkritiek zou jou niet misstaan,' riep Sterckx boven de muziek uit. 'Wie denk je wel dat je bent? Sherlock Holmes...?'

Zeiz spitste zijn oren. Vannuffel had hem vanmorgen ook zo genoemd. Was dat de bijnaam die ze hem gaven achter zijn rug? Het getuigde in elk geval niet van veel originaliteit.

Sterckx fulmineerde verder: 'Wat had ik dan moeten doen? Een getuige komt vertellen dat jij bij haar thuis drugs in beslag hebt genomen, maar die drugs zijn onvindbaar. Oké, nu blijkt dat ze haar getuigenis heeft ingetrokken... nadat jij met haar hebt gepraat. Ik wil niets suggereren en ik wil best aanvaarden dat het allemaal een misverstand was. Maar jij communiceert niet. Je zit daar achter je bureautje en fikst alles in je eentje...'

Ook dit kwam Zeiz bekend voor. Neefs had die kritiek al eerder geuit. Het sterkte hem in de overtuiging dat de oorzaak van het conflict een gebrek aan vertrouwen was.

De heldere stem van Graham Nash vulde de ruimte: '*Our house is a very very very fine house, with two cats in the yard, life used to be so hard, now everything is easy cause of you...*'

Zeiz zong in gedachten mee, niet uit nostalgie, maar omdat hij niet anders kon. De songs van deze band zaten tegen wil en dank in zijn geheugen gekerfd. Zijn vader had jarenlang niets anders gedraaid. Hij zette de radio luider.

Daarop klikte Sterckx met een woedend gebaar de autoradio uit de houder en gooide die uit het raam. Gelukkig was het de dienstauto. En daarmee was ook meteen een einde gekomen aan hun gesprek.

Toen Sterckx weer naar Hasselt vertrok, nam Zeiz de metro naar het hoofdstedelijk commissariaat. De idee was bij hem opgekomen om op goed geluk bij zijn vroegere chef binnen te springen, hoofdcommissaris Omer Lesage.

Hij had geluk. Lesage was er en ontving hem in zijn bureau op de vijfde verdieping, met uitzicht op het grauwe beton van de Brusselse binnenstad. Het viel Zeiz op dat zijn vroegere chef oud was geworden. Er was iets met het montuur van zijn bril. Toen besefte hij dat die enkele maten te groot leek, omdat Lesage zo veel was afgevallen.

'Je ziet er goed uit,' zei Zeiz.

'Jij ziet er ook goed uit,' antwoordde Lesage. Hij hield Zeiz' hand lang vast terwijl hij hem meewarig bestudeerde.

'Ik ben tegen een deur aan gelopen,' zei Zeiz.

Lesage grinnikte. 'En ik heb vannacht slecht geslapen.'

Ze lachten, hoewel ze beiden voelden dat er meer achter hun grapjes zat. Zeiz besefte dat hij de man die voor hem stond amper kende, maar hem toch als een onvoorwaardelijke vriend beschouwde. Iemand die je kon vertrouwen, ook al was hij je chef. Hoewel er nooit iemand in was geslaagd echt tot Lesage door te dringen, tenzij misschien zijn vrouw Véronique, met wie hij al veertig jaar samenleefde.

Zeiz vertelde waarom hij in Brussel was en hij gaf een kort overzicht van het moordonderzoek. Hij zei niets over het tuchtonderzoek en zijn problemen op de Hasseltse recherche.

Lesage luisterde, maar Zeiz had het gevoel dat hij er niet met zijn volle aandacht bij was.

'Jouw verslag wijkt enigszins af van wat ik heb gehoord,' zei hij ten slotte. Hij hief zijn hand omhoog. 'En vraag me niet waar ik het heb gehoord. Maar ik denk dat je je wel kunt verlaten op Jean-Pierre Lecocq.' Hij knipoogde. 'Hij is ook een goede politieman, geloof me.'

Lesage nodigde hem uit voor een koffie in het dienstrestaurant. Hij betreurde het dat hij maar even de tijd had. Maar Zeiz moest hem beloven dat hij opnieuw contact zou opnemen, binnen enkele dagen, als de 'mayonaisezaak' opgelost was.

Zeiz reageerde verbaasd. 'Binnen enkele dagen?'

Lesage lachte. 'Dat was een gokje, meer niet. Ik ken de feiten niet. Maar denk na, wat is volgens jou het sleutelwoord in deze zaak?'

'Sleutelwoord?' Zeiz keek zijn vroegere chef verward aan. Dit was nu weer zo'n typische Lesagevraag. Het begin van een rondje brainstormen, dat op het eerste zicht nergens toe leidde.

'Wraak?' probeerde hij.

Lesage zwaaide verachtelijk met zijn hand, alsof hij een kwalijk geurtje verjoeg. 'Dat is een motief, maar toch geen sleutelwoord. Dat jouw moordenaar of moordenaars wraak willen nemen, kan wel zijn. Maar daar heb ik het niet over. Wat maakt dat deze zaak zo verloopt en niet anders? Wat bepaalt dat de dader op deze manier tewerkgaat? Het motief is wat hem drijft naar zijn doel. De sleutel bepaalt de weg naar dat doel.'

Zeiz haalde zijn schouders op. 'Daar moet ik over nadenken.'

'En wat doe je als je geen sleutel hebt?' vroeg Lesage.

'Dan gebruik je een breekijzer,' antwoordde Zeiz.

Lesage lachte. 'Zo ken ik jou! Maar je zou er ook een slotenmaker bij kunnen halen.'

Plotseling legde hij zijn hand op die van Zeiz. 'Ik mis onze samenwerking, Kareem. Besef je wel dat dit de mooiste tijd van je leven is? Dossiers uitpluizen, verminkte lijken bewonderen en op moordenaars jagen. Er bestaat niets mooiers. Kijk naar mij, ze hebben me als oude man in een positie gepromoveerd die bestaat uit eindeloos palaveren en beslissingen declareren die elders zijn bedacht.'

Lesages gezicht viel in rimpels, alsof alle zorgen van de wereld over hem heen waren gevallen.

'Ik weet wat jij denkt,' zei hij na een lange stilte. 'Jij denkt dat ik kanker heb.'

Zeiz schrok. Dat had hij inderdaad gedacht. Er waren almaar minder mensen ouder dan zestig die daarvan gespaard bleven. En wat zijn uiterlijk betrof, beschikte Lesage over de juiste kaarten.

'Maar dat is niet zo,' ging Lesage verder. 'Het is erger dan dat. Veel erger.' Hij slikte en staarde naar het halflege kopje koffie. Met een lepeltje begon hij aan een zinloze overheveling van de resterende koffie naar het schoteltje. 'Véronique heeft kanker,' zei hij met verstikte stem. 'Ruggenmergkanker. De dokters geven haar nog enkele maanden. Volgende week stop ik met werken. Ik blijf thuis zolang het nodig is. En daarna... zien we wel.'

Enkele uren later, toen hij op de trein zat en naar het voorbijrazende landschap keek, schoot Zeiz te binnen dat Lesage niet naar Cathy had gevraagd. Wist hij dat ze uit elkaar waren? Van Lesage werd gezegd dat hij alles wist. Omdat hij van een andere planeet kwam en over paranormale gaven beschikte. Maar hij leefde op een planeet waar mensen kanker kregen.

En hij was in de val gelopen en had zich laten bevorderen tot hoofdcommissaris.

Zou hij met pensioen gaan nadat zijn vrouw was gestorven? Zeiz dacht aan zijn vader, die de tijd die hem restte vulde met curling bekijken en jointjes roken. Lesage had een dochter die in Zuid-Amerika werkte, herinnerde Zeiz zich. Véronique had hij ook een paar keer ontmoet. Geen moedertype, en ze paste ook niet echt bij haar man, althans wat zijn saaie ambtenarenuiterlijk betrof. Met haar gebruinde huid en haar doorrookte stem had ze hem altijd doen denken aan een Hollywoodactrice op haar retour.

Maar nu ging ze dus sterven. Welke angsten spookten door haar hoofd? vroeg Zeiz zich af. Hoe zou hijzelf reageren als hij hoorde dat hij nog maar enkele maanden te leven had. En wat ging er om in het hoofd van zijn vader? Hij nam zich voor om zijn vader te steunen in diens strijd tegen de kanker. Maar hij besefte dat dat weer een voornemen was.

Het eentonige schuren van de trein over de sporen deed zijn oogleden zwaar worden. Af en toe gleed een rilling door de trein, die de oude wagons onheilspellend deed rammelen. Ze passeerden een ouderwets stationnetje. In een flits zag hij de naam op het stationsbord staan: 'ALLELANDEN'. Hé, dacht hij, dit is de plek waar Ralf Ratzinger woonde, de bouwvakker die op de bouwwerf van het nieuwe gerechtsgebouw zijn behoefte ging doen en daarbij de dode Yusuf Hallil ontdekte.

Zeiz dacht aan de vernielde seininstallatie. Alle fouten die hij had gemaakt, werden in rekening gebracht. In Hasselt wachtte hem trouwens een nieuwe blaam vanwege de actie vanmorgen in Meulenberg. Dat hij zijn relatie met Moni had verzwegen, maakte de situatie alleen maar erger.

Terwijl hij daarover piekerde, bladerde hij in zijn agenda. Op 12 mei moest hij in Brussel voor zijn rechters verschijnen. Hij had nog veertien dagen de tijd om de zaak op te lossen. Wat volgens Lesage ruimschoots zou moeten volstaan. Maar zijn uren bij de Hasseltse recherche waren geteld.

Hij viel in slaap en werd pas wakker toen de trein in Luik-Guillemins stopte. Hij had zich verslapen en daardoor de overstap in Landen gemist. Vloekend stapte hij uit. Een gure wind verwelkomde hem. Hij stond onder een reusachtige witte koepel van staal, glas en beton. Dit was het nieuwe stationsgebouw van Luik. Zeiz huiverde. Was dit echt of was hij in een futuristische nachtmerrie terechtgekomen? Hij had geluk: enkele minuten later was er een trein naar Hasselt. Het was een rammelend regionaal treintje uit de vorige eeuw, met houten banken. Ergens op de grens tussen de provincies Luik en Limburg, in een groene zee bevolkt door rustig grazende koeien, viel de trein stil. Het viel Zeiz op dat aan de ene kant van de trein de koeien wit waren en bruine vlekken hadden terwijl ze aan de andere kant wit waren en zwarte vlekken hadden. Het oponthoud duurde bijna een uur. Niemand wist waarom. De conducteur liet zich niet zien.

Het was al na zeven uur toen Zeiz in Hasselt aankwam. Hij besloot niet meer naar het commissariaat te gaan. Waarom zou hij ook? Daar zat niemand op hem te wachten. Ze hadden hem niet gebeld. Hij werd niet gemist. Het moordonderzoek zat in een cruciale fase, maar hem hadden ze niet langer nodig.

In sombere gedachten verzonken wandelde hij naar zijn nieuwe studio aan de Kempische Steenweg. Toen hij voor de deur stond, ontdekte hij dat hij zijn sleutels was vergeten. Die lagen op zijn kamer in het huis van zijn vader. Hij belde naar zijn vader. Die nam meteen op.

'En, is de moordenaar jullie weer te snel af geweest?' riep de oude man. Hij had gedronken, dat hoorde Zeiz meteen.

'Ben je thuis?' vroeg Zeiz.

'Ik ben bij de Rat thuis. Wij bespreken net de politieke impasse in België, maar komen er ook niet uit.' Hierop volgde een hoestende lach.

Zeiz overwoog te vragen waar de Rat woonde, maar zag daarvan af en beëindigde het gesprek. Het licht in de gang ging uit. Op de tast zocht hij naar de schakelaar. Maar voor hij die had kunnen vinden, ging het licht weer aan. Voor hem stond een jonge vrouw met donkere sluikharen en een fijn Aziatisch gezicht. Toen herkende hij haar. Het was Pema, zijn bovenbuurvrouw.

'Kan ik u helpen, mijnheer Zeiz?' vroeg ze.

'Ik ben mijn sleutels vergeten,' zei hij. 'Maar dat is niet erg. Ik loop wel even terug om ze te halen.'

'Er is post voor u gekomen,' zei ze. Hij volgde haar naar boven. Haar slanke lichaam danste voor hem uit, gehuld in een strakke jeans en een krap T-shirt. Ze had kleine borsten en hij schatte haar gewicht op maximum vijftig kilo. Hij wachtte terwijl ze in haar kamer zijn post ging halen. Een zoete geur waaide naar buiten. Even later kwam ze terug en overhandigde hem een envelop.

'Hij lag beneden in de gang, ik heb hem voor u opzij gelegd, als u dat niet erg vindt.'

Hij bedankte haar en stak de brief in zijn zak.

'Ik hoop dat u de sleutels vindt,' zei ze. 'Belt u gerust aan als er nog een probleem is. Ik ben Pema.'

'Dat weet ik,' zei hij. 'Ik ben Kareem.'

Ze lachte. 'Dat weet ik ook. Het staat op uw brief.'

Hij verliet het gebouw met een erectie. Dat bezorgde hem een beetje een schuldgevoel. Want het was aan Moni te danken dat zijn post op zijn nieuwe adres was aangekomen. Zij had zijn adresverandering aan de postdiensten doorgegeven. Voor hij naar buiten ging, stopte hij in de hal. Ze had zelfs zijn naam op zijn brievenbus aangebracht, zag hij nu.

Doelloos liep hij door de Hasseltse straten. De winkels waren gesloten. Maar er waren nog mensen onderweg. Enthousiast bezichtigden ze de etalages.

Hij belde Moni. Ze nam op en begon meteen te huilen. Hij schrok. Hij raakte altijd in paniek als iemand in zijn aanwezigheid huilde.

'Sorry,' zei ze, 'maar ik ben zo blij je te horen. Ik ben in Voeren, bij mijn moeder. Het gaat niet goed met haar.'

'Is haar toestand zo slecht?' vroeg hij. Hij herinnerde zich dat ze verteld had dat haar moeder alzheimer had.

'Ze heeft een overdosis pillen genomen. Ze hebben haar maag leeggepompt. Ze is nu oké, fysiek althans. Maar ze wil niet meer verderleven, zegt ze.'

Hij wist niet wat hij moest zeggen. 'Kan ik iets voor je doen?' vroeg hij. 'Moet ik naar je toe komen?' Het was natuurlijk een zinloze vraag. En hij was opgelucht dat ze zijn voorstel afsloeg.

'Ik zit in mijn maag met dat verhoor van zondag,' zei Moni. 'Mijn moeder was er erg van onder de indruk. 's Nachts kreeg ze een angstaanval omdat ze dacht dat de politie mij kwam arresteren.' Ze snoot haar neus voor ze verder sprak. 'Wist je echt niet dat die collega van jou met mij kwam praten?'

Zeiz zei niets. Hij had niet de moed om nog eens te liegen.

'Nee, zeg niets,' zei ze. 'Jij bent een politieagent, je moet je werk doen. Maar ik wil dat je me vertrouwt. Jij bent nu mijn enige houvast. Zonder jou ben ik niets. Begrijp je dat?'

'Ja, dat begrijp ik,' zei hij. Hij kreeg een krop in de keel.

'Ik heb gehoord dat die twee jongens achter wie jij aan zat, zijn vermoord. Is dat niet verschrikkelijk? Houdt het dan nooit op?'

'Het houdt op,' zei Zeiz. 'We weten wie het volgende slachtoffer is. Of beter gezegd, we hebben een sterk vermoeden.'

'Als je weet wie die persoon is, kun je hem beschermen,' zei Moni. 'Dat doen jullie toch? Of gebruiken jullie hem als lokaas?'

'We hoeven hem niet te beschermen,' zei Zeiz. 'Hij zit nog enkele dagen in de gevangenis.'

'Ben je thuis, in ons appartementje?' vroeg ze.

Zijn hart sprong over. Ze had 'ons' gezegd, dat had hij goed gehoord. Hij besloot haar niet te zeggen dat hij zijn sleutel was vergeten. 'Ja, ik ben hier,' zei hij.

Ze begon weer te huilen. 'Ik had nu zo graag bij jou willen zijn,' snikte ze. 'Hoe is het daar? Voel je je al thuis?'

'Het is hier leeg zonder jou,' antwoordde hij.

'Ik moet nu weg, mijn moeder roept,' zei ze. 'Bel me morgen op mijn werk. Ik blijf vannacht nog bij haar. Ik hou van jou.'

Ze had opgelegd voor hij nog iets kon zeggen. Even overwoog hij om haar terug te bellen. Maar wat viel er nog te zeggen? Een steek van pijn ging door zijn maag. Hij was erger dan een huichelaar, hij was een lafaard. Diep in zijn hart had hij altijd geweten dat ze niets met de moorden te maken had. Waarom had hij haar niet vertrouwd? Waarom wantrouwde hij ook altijd de mensen van wie hij hield? Was het beroepsmisvorming? Of was het erger en was hij gewoon niet in staat tot liefde?

Maar hoe zat het met Vaes? vroeg hij zich af. De oude krijger had een strafblad, dat was bekend. Hij had in het verleden een aantal problemen met zijn vuisten opgelost. Maar Zeiz kon zich niet voorstellen dat hij een moordenaar was. Toch maakte Vaes zich verdacht door nu te verdwijnen.

Zeiz vond een Italiaans restaurant dat nog open was. Hij at een pizza en dronk een fles wijn, terwijl hij zich het hoofd brak waar hij vannacht zou gaan slapen. Plotseling wist hij de oplossing. Hij herinnerde zich dat Cathy een reservesleutel onder een steen in de parkeergarage had gelegd.

Het was donker geworden toen hij het restaurant verliet. Onderweg kocht hij in de nachtwinkel een fles wijn en een kurkentrekker.

De sleutel lag er nog. In een flits schoot hem Lesages vraag weer te binnen: 'Wat doe je als je geen sleutel hebt?'

Residentie De Kaai baadde in een modieus licht. Hij kwam niemand tegen in het trappenhuis. Op de eerste verdieping stonden twee fietsen, aan elkaar gekluisterd met een reusachtige ketting.

In het appartement rook het muf. De verlichting werkte niet. Maar hij had geen zin om in de zekeringenkast naar de oorzaak te gaan zoeken. Toen zijn ogen gewend raakten aan het duister, deed hij een rondgang door de lege kamers. Hij zette het raam van de slaapkamer wijdopen. Daarna dronk hij in snel tempo de fles wijn leeg. Hij deed zijn schoenen uit, ging op de grond liggen en legde een schoen onder zijn hoofd.

Toen hij en Cathy hierheen waren verhuisd, had hij gedroomd van een gezin en een vaste baan. Dat was amper een jaar geleden. In de tussentijd had hij het ene probleem op het andere gestapeld. Van zijn dromen was niets overgebleven.

Morgen moest hij Moni zien. Hij wilde met haar bespreken hoe het verder moest. Hij moest eerlijk tegen haar zijn. Alleen zo kon hun relatie standhouden. Wat er ook gebeurde, samen zouden ze een oplossing vinden.

Hij was doodop, maar de gebeurtenissen van de dag spookten nog door zijn hoofd. Hij staarde in de duisternis en moest denken aan Sterckx, die vanmiddag in de auto zo kwaad was geworden dat hij de autoradio naar buiten had gegooid. Hij schoot in de lach, het beeld was zo grappig dat hij niet meer kon stoppen. Lachend viel hij in slaap.

Dinsdag, 7u

Achter de grote berg lag het terras met uitzicht op het kanaal. Op sommige dagen hing de nevel zo laag dat je de boten niet kon zien. Je hoorde alleen het kreunen van hun romp. Het klotsen van het water. Het loeien van de scheepshoorn. En hoe de schippers naar elkaar riepen: 'Ahoi!' Als de wind uit het oosten kwam, steeg de warmte uit het dal langs de rotsen omhoog. De wind uit Holland, zeiden de mensen. Die rook naar drop en fritessaus.

Er was een tijd dat hij met de vrouw en de jongen op het terras overnachtte. Vooraf maakten ze een laatste ronde door het park, controleerden de touwen en de houten constructies, ruimden de rotzooi op, telden het geld.

Ze lagen in hun bivakzak. 'Slaap je al?' Ze kenden niets van de sterrenhemel en verzonnen constellaties: de Dikke Boerin met de Lange Tieten, het Eenogige Dienstertje, de Beer Zonder Ballen. Soms werden ze dronken van het lachen.

In het jachtseizoen hoorden ze de hoorns van de jagers. Op een dag dook een verdwaalde jachthond op. Een mooie gevlekte spaniël, die voor het avondeten bleef. De jongen moest huilen toen hij weer verdween.

En nu maakte hij de laatste ronde in zijn eentje. Hij controleerde de touwen en de constructies. Hij ruimde de rotzooi op. Hij telde het geld. Uit gewoonte. Voor de laatste keer.

Hij lag alleen in zijn bivakzak, de koude loop van het geweer tegen zijn borst, en hoorde de golven tegen de oevers klotsen.

De jacht was bijna ten einde. De laatste prooien wachtten.

'Ahoi. Hier ben ik! Waar zijn jullie?'

24

Net toen de Intercity Express op spoor één binnendenderde, krijste de dienster haar bestelling naar de patron achter de tapkast. De espressomachine siste als een heteluchtballon. Zeiz at een verse croissant en voelde met zinderend genoegen het vet over zijn tong glijden. In zijn linkerschouder zeurde de pijn van het nachtje op de harde vloer. Maar voor de rest voelde hij zich topfit. Hij had zoals altijd als een blok geslapen.

De dag kondigde zich nochtans niet hoopvol aan. Hoofdcommissaris Vanderweyden had hem vanmorgen proberen te bellen en ten slotte, omdat Zeiz niet opnam, een sms'je gestuurd: 'DIENSTORDER 9U PLENUM PROCEDURE'. In de gegeven omstandigheden had het ondoorzichtige ambtelijke jargon iets sinisters, als de aankondiging van een crematie. Was zijn schorsing een feit en werd hij nu opgevorderd om het vonnis officieel in ontvangst te komen nemen? Hij verdrong het sombere vooruitzicht en liet zijn lippen in het met chocoladeschilfers bestrooide schuim van zijn cappuccino zinken. Hij troostte zich met de gedachte dat het de kleine rituelen waren die het leven de moeite waard maakten.

Vanuit zijn ooghoeken zag hij iemand aan de hoek van de tapkast plaatsnemen. Het was de dikke ambtenaar die daar altijd ging zitten. Ook nu weer bestelde hij een biertje. Grijnzend liet hij Zeiz de voorpagina van Het Belang van Limburg zien. Er was een foto van het verbrijzelde hoofd van Rayan Baraka in de politieauto. Gelukkig waren Zeiz en Sterckx niet herkenbaar. Daarboven de titel: 'MAYONAISEKILLER SLAAT TWEEMAAL TOE'.

De dikke man verkondigde luid: 'Als dat zo doorgaat, zijn we binnenkort helemaal verlost van dat gespuis. Op een dag worden we wakker in een veilige wereld.'

De patron zette een glas bier voor hem neer, dat hij in één teug leeg dronk. Hij vouwde zijn krant op en klemde zijn tas onder de arm. In het voorbijgaan knipoogde hij naar Zeiz. Hij liet een boer en mompelde: 'De verlosser is onder ons.'

Zeiz betaalde en verliet enigszins gepikeerd het stationsbuffet. Hoe moest hij de woorden van de dikke ambtenaar begrijpen? Rekende hij Zeiz ook tot 'dat gespuis'? Het was dinsdag 26 april, bijna kwart over acht. Toen hij in de auto stapte, veegde een korte hevige stortregen het stationsplein schoon. Hij wachtte tot het weer was opgeklaard en startte de motor.

Vanderweyden had de rechercheploeg samengeroepen in zijn eigen kantoor, aan de grote tafel bij het raam, waar vroeger hun dagelijkse briefing placht door te gaan, voordat Lambrusco zijn ovale kamer in gebruik had genomen. Zeiz ging wat onwennig op zijn gewone plaats zitten, tussen Vanderweyden en Neefs in. Aan de andere kant van de tafel zaten onderzoeksrechter Engelen en commissaris Vonck van de Tactische Interventiegroep. De aanwezigheid van Vonck voorspelde actie.

Vanderweyden begon met een mededeling: 'Mijnheer Lambrusco laat zich verontschuldigen. Hij zal de eerste tijd verhinderd zijn om op onze briefings aanwezig te zijn. Maar hij volgt het onderzoek uiteraard van nabij.' Vervolgens knikte hij naar Vannuffel, die meteen van wal stak met een overzicht van de stand van zaken in het onderzoek naar de moorden op Rayan Baraka en Anwar Abbas. Er werd nauw samengewerkt met de Brusselse recherche, die eerstdaags iemand zou sturen ter versterking van de ploeg in Hasselt. De analyse van de sporen had voorlopig echter niets opgeleverd dat hen dichter bij de oplossing kon brengen. Tenzij misschien het wapen waarmee Rayan was gedood, een SVD, een scherpschuttergeweer van Russische makelij. Dit type wapen was eerder zeldzaam in het Belgische criminele milieu en zou erop kunnen duiden dat de dader een buitenstaander was. De getuigenissen over de nepwijkagent waren tegenstrijdig. Rahia's moeder was toch tot een gesprek bereid gevonden en had verklaard dat de politieman die zij had gezien groot was, een baard had en opvallend langzaam en duidelijk sprak. Een van de getuigen uit Meulenberg had een man gezien zonder baard, die sprak met een Hollands accent.

Vannuffels conclusie was: 'De acties waren grondig gepland. Ondanks de verschillen in modus operandi gaan we ervan uit dat de twee moorden het werk zijn van dezelfde moordenaar die Yusuf Hallil en Tarik Kanli op zijn geweten heeft. We kunnen ook niet uitsluiten dat hij een handlanger heeft.'

Neefs knoopte daarbij aan: 'Yusuf, Tarik en Rayan zijn op een andere manier om het leven gebracht. Rayan werd in het hoofd geschoten, maar toen was hij al dood. Anwar is neergeschoten, maar we gaan ervan uit dat de dader op het punt stond hem te wurgen toen Kareem en Adam opdaagden. Natuurlijk moeten we de volledige technische analyse nog afwachten.'

'Bovendien kenden de vier slachtoffers elkaar en duiken hun namen samen op in een aantal strafzaken,' ging Sterckx verder. 'Of ze een echte bende vormden, weten we niet. We zoeken nu uit of we de moorden kunnen linken aan een van die strafzaken.'

'Dat is een moeilijke piste,' vulde Vannuffel aan. 'Die jongens hebben natuurlijk meer op hun kerfstok dan wij weten.'

'De vraag is,' nam Vanderweyden over, 'wat de moordenaar nu gaat doen.' Is zijn doel bereikt of is zijn lijstje nog niet afgewerkt? We vermoeden dat ook Jisa Kanli, de neef van Tarik Kanli, deel uitmaakte van die bende. Hij ligt in het ziekenhuis en krijgt in elk geval politiebewaking. En dan is er nog Moussa Jawad, die nu in de gevangenis van Hasselt zit en binnenkort vrijkomt.'

'Komende vrijdag, om precies te zijn,' zei Sterckx.

Vanderweyden wendde zich tot Zeiz, maar vermeed hem in de ogen te kijken. 'Met andere woorden, we zijn jouw piste verder aan het uitdiepen.'

Roger Daniëls onderbrak hem. 'Toch is het spoor van White Revenge niet dood. Ondertussen weten we dat onze Viking op het forum van Noorderlicht met White Revenge communiceerde onder de naam Avondland. Driemaal in februari van dit jaar en driemaal in april. De laatste keren telkens een dag vooraf aan de moorden. De Viking beweert dat hij het zich niet precies meer herinnert, maar we kunnen ervan uitgaan dat hij toen de opdrachten ontving voor het versturen van de mails. Maar er is meer.' Hij zweeg en haalde diep adem voor hij verder sprak. 'Ik heb kunnen achterhalen dat in december van vorig jaar en januari van dit jaar White Revenge veelvuldig heeft gecommuniceerd met iemand die zich Meikyo noemt.'

'En wie is die Meikyo?' vroeg onderzoeksrechter Engelen.

'Dat weten we niet.'

'En kunnen we dat te weten komen?'

'Onwaarschijnlijk. Of beter gezegd onmogelijk.'

'Maar wat hebben we dan daaraan?' vroeg Vanderweyden.

Daniëls glimlachte. 'Misschien niets. Maar het zou erop kunnen duiden dat er, behalve de Viking, nog een derde persoon bij de zaak betrokken is. Bovendien stuurde Meikyo zijn eerste bericht naar White Revenge op tien december van vorig jaar.'

Vanderweyden schuifelde zenuwachtig heen en weer op zijn stoel. 'Dat is allemaal goed en wel, maar ik zie er op dit moment de relevantie niet van in. Er staat trouwens niets van in je verslag.'

'Ik heb het vannacht pas vastgesteld,' zei Daniëls.

'Ja, en hij heeft me meteen wakker gebeld,' zei Sterckx met een lang gezicht. 'Toen schoot me te binnen dat Rahia Kanli in een verhoor heeft verklaard dat op zekere avond haar broer gewond is thuisgekomen. Ik heb het nagekeken in een verslag van Kareem. Dat was begin december. Rond die tijd dus heeft Meikyo zijn eerste bericht naar White Revenge gestuurd.'

'Het kan natuurlijk ook toeval zijn,' zei Daniëls.

'Toeval bestaat niet,' zei Neefs. 'De vraag is of er een verband is. Dat weten we nu nog niet, maar het is een detail om in het achterhoofd te houden.'

'Walter Vaes is nog altijd onvindbaar,' zei Vannuffel. 'Niemand heeft er een idee van waar hij ergens rondhangt. Die kerel blijkt een strafblad te hebben. Een rare snuiter, daar is iedereen het over eens. Toch vreemd dat hij zo lang buiten beeld is kunnen blijven.'

'Vaes is tweemaal veroordeeld voor geweldpleging,' vulde Zeiz aan. 'Eenmaal tegen een man die zijn vriendin had bedreigd, een tweede maal wegens een uit de hand gelopen meningsverschil in een café. Hij heeft toen een paar meppen uitgedeeld. Niets ernstigs. Het staat allemaal in mijn rapport van meer dan een week geleden.'

'Hij is toch niet toevallig ook een vriend van jou?' vroeg Vannuffel met een vals lachje.

'Toch wel,' zei Zeiz. 'Een oude vriend. Maar ik weet dus ook niet waar hij is. Hij heeft in elk geval een motief.'

'Waarom duikt hij nu onder?' vroeg Vannuffel zich hardop af.

'De zoekactie loopt,' sprak Eefje Smeets plotseling.

Iedereen staarde haar verbaasd aan. Zeiz bedacht dat het voor het eerst was dat ze spontaan het woord nam in een vergadering.

'Maar nu ter zake,' zei Vanderweyden ernstig. 'De provinciegouverneur heeft gebeld om te zeggen dat hij er zijn buik vol van heeft. Vier moorden is genoeg, vindt hij.'

Dat was als grapje bedoeld en iedereen schoot spontaan in de lach, behalve onderzoeksrechter Engelen.

Zeiz keek de tafel rond. Zijn collega's zagen er vermoeid uit, wat niet verwonderlijk was na de voorbije dagen, die hectisch waren geweest. En toch hing er een strijdlustige sfeer. Zelfs Neefs leek er weer zin in te hebben.

Zeiz vroeg zich af wat er was gebeurd. Hoe zat het met zijn schorsing? Vanderweyden had gisteren gezegd dat de stuurgroep over zijn professionele attitude zou oordelen. Of had hij dat gedroomd? Gisteren nog werd hij aan de schandpaal genageld en nu deden ze allemaal alsof hun neus bloedde. Het opmerkelijkste was dat ze nu een onderzoeksspoor volgden dat ze enkele dagen geleden nog genegeerd hadden. Niemand leek zich te herinneren dat het eigenlijk zijn spoor was. En behalve Daniëls was er niemand nog echt geïnteresseerd in White Revenge.

Zeiz schraapte zijn keel. 'We moeten Moussa Jawad schaduwen als hij vrijkomt,' zei hij.

Vonck knikte. 'Daarom ben ik hier, neem ik aan.'

'Commissaris Vonck en zijn mannen gaan het schaduwwerk op zich nemen,' zei Vanderweyden.

'Dat zal niet makkelijk zijn,' zei Vonck. 'Jawad zal op zijn qui-vive zijn. Uit het verslag van Kareem heb ik kunnen opmaken dat hij weet dat hij gevaar loopt. Maar we zijn in actie geschoten. De voorbereidingen lopen al.'

'We moeten Jisa Kanli aan een verhoor onderwerpen,' zei Zeiz.

'Ik heb vanmorgen naar het ziekenhuis gebeld,' zei Sterckx. 'Jisa Kanli kan voorlopig niet verhoord worden. Hij is een paar keer kort bij bewustzijn geweest, maar nog altijd erg verward. Zijn geheugen lijkt gewist door de chemische rommel die hij heeft geslikt. En dat blijft de volgende dagen zo, volgens de dokter.'

Daarna nam Eefje Smeets weer het woord. Ze had een tijdsplan opgesteld. 'Yusuf Hallil sterft op 10 april, waarschijnlijk in de nacht van zaterdag op zondag. Op maandag 11 april wordt hij gevonden. Tarik Kanli sterft op woensdag 13 april, in de vroege namiddag, vlak nadat hij het politiekantoor heeft verlaten na een verhoor. Rayan Baraka sterft op 25 april, in de nacht van zondag op maandag. Anwar Abbas wordt diezelfde morgen rond 9 uur neergeschoten.' Ze keek met gefronste wenkbrauwen op uit haar papieren. 'Op het eerste zicht zit er geen systeem in de chronologie waarmee de dader tewerk gaat. Je zou haast denken dat hij impulsief beslist wanneer hij nog eens iemand gaat vermoorden. Persoonlijk denk ik dat hij geen vaste baan heeft en dus beschikt over veel vrije tijd. Maar waarom gaat hij precies zo tewerk en waarom niet sneller? Tussen de moord op Yusuf en Rayan liggen twee weken.'

'Daar is een goede reden voor,' onderbrak Zeiz haar. 'En die heb ik eerder al in een van mijn verslagen aangehaald. De dader wist niet waar Rayan en Anwar zich bevonden.'

'Net zo min als wij trouwens,' zei Sterckx.

'Rayan en Anwar zijn ondergedoken toen ze vernamen dat hun vrienden waren vermoord,' ging Zeiz verder. 'Tarik had die reflex niet. Hij twijfelde tussen weglopen en bekennen. Ik ben er zeker van dat hij een verklaring zou hebben afgelegd als die advocaat hem niet bij ons had weggehaald.'

'Een verklaring waarover?' vroeg Vannuffel.

'Hoe kan ik dat nu weten?' zei Zeiz. Hij deed geen moeite om zijn ergernis te verbergen. 'Precies dat proberen we uit te zoeken. Die jongens hebben samen iets op hun kerfstok, waarvoor ze nu de rekening krijgen gepresenteerd. Van die hypothese gaan we uit. We hebben hun strafdossiers uitgeplozen, maar niets gevonden dat een verband met deze zaak zou kunnen hebben. Maar ze kunnen ook iets uitgestoken hebben dat nooit werd aangegeven. Een grote drugsdiefstal bijvoorbeeld.'

Vannuffel schudde zijn hoofd en zei: 'Hypothese.'

Neefs hief zijn hand op om het woord over te nemen. 'Yusuf en Tarik werden uitgebreid gemarteld voor ze stierven. Vooral Yusuf. Waarom Rayan en Anwar niet?'

'De moordenaar heeft geen goesting meer,' zei Vonck. 'Hij is volgens mij ook geen psychopaat. Hij wil alleen wraak nemen en werkt nu snel het rijtje af.'

'Hier is iets dat niet klopt,' zei Zeiz. 'Het patroon tussen de eerste twee moorden en de laatste twee verschilt. Waarom?'

'Bovendien zijn de laatste twee moorden niet opgeëist,' zei Lieve Engelen. Ze bracht meteen haar hand voor de mond en kreeg een rode kleur. 'Natuurlijk niet,' zei ze toen. 'Ze werden aangekondigd. Stom van mij.'

Beschouw dit als niet gezegd zijnde.'

'Dat is helemaal geen stomme opmerking,' zei Vanderweyden, maar hij preciseerde niet waarom.

'We kunnen ons wel afvragen waarom de moordenaar iemand inhuurde om de moorden op te eisen,' zei Vonck.

'Om de aandacht af te leiden,' zei Zeiz.

'Terwijl hij rustig naar zijn prooien op zoek ging,' vulde Sterckx aan.

Zeiz schrok. Plotseling wist hij wat het sleutelwoord was waar Omer Lesage naar had gevist. Het had de hele tijd daar gelegen, vlak voor hem. Het lag voor het grijpen, maar hij had het niet gezien.

Het sleutelwoord was 'informatie'.

Hij zette in gedachten alles op een rijtje. Het patroon was duidelijk. Yusuf kwam als eerste aan de beurt, omdat hij zijn portefeuille was verloren en zo zijn identiteit had prijsgegeven. Hij had de namen van de andere bendeleden verklikt. Tarik was het volgende slachtoffer geweest, omdat hij op het punt stond alles aan de politie te vertellen. Er was een advocaat ingehuurd om hem vrij te krijgen. Ook met de andere twee moorden was iets vreemds aan de hand. De dader wist waar Anwar ondergedoken zat. En hij was de politie ook een stapje voor met Rayan. Hoe kwam hij aan die informatie? Het kon niet anders of hij zat heel dicht bij het onderzoek. Misschien kende hij dezelfde mensen die de politie informatie hadden verschaft. Zeiz rilde. Heel even kwam de idee bij hem op dat de informant hier aan tafel zat?

Maar hij besloot zijn gedachten niet uit te spreken in de recherchegroep. Misschien kon hij later Sterckx of Vanderweyden polsen. Het gevoel van een tijd geleden kwam terug: iemand hield hen in het oog en volgde het onderzoek op de voet.

Hij zag dat Sterckx naar hem keek en even had hij de indruk dat zijn jonge collega gedachten kon lezen.

Zeiz richtte zich tot Vanderweyden. 'Dan heeft niemand er nu nog iets op tegen om Interpol in te schakelen, neem ik aan?'

'Dat is al gebeurd,' antwoordde Vannuffel bars.

'Met twee weken vertraging,' snauwde Zeiz terug. Hij stond op en verliet het bureau zonder iets te zeggen. Pas toen hij buiten was, realiseerde hij zich wat de reden was voor zijn onverwacht slechte humeur. Hij was weer misselijk geworden. Hij had tijdens de vergadering zijn prismabril afgezet. Die moest nog op de tafel liggen, maar hij had geen zin om terug te gaan en hem te halen.

Terwijl Zeiz in zijn kantoor met de voeten op het bureau lag te wachten tot de misselijkheid zou overgaan, zwaaide zijn deur open. Een oude man die hem vaag bekend voorkwam, stapte binnen. Hij droeg een geruite pet en wreef in zijn handen alsof hij een handcrème inwreef.

'Ik kom een verklaring afleggen,' zei de man. 'Mag ik binnenkomen?'

'U bent al binnen,' zei Zeiz.

'Maar ik kan ook weer buitengaan,' zei de man. 'Weet u nog wie ik ben?'

'Ja,' zei Zeiz. Het was hem weer te binnen geschoten. 'U woont aan het station, klopt dat? Ik heb met u gepraat na die moord in het nieuwe gerechtsgebouw. Maar u had toen niets te melden.'

De man knikte. 'Ik ben Aimé Vermeulen en woon in de Grote Breemstraat nummer 7.'

'Dat was ik vergeten,' zei Zeiz, 'dat het nummer 7 was.' Hoe bent u eigenlijk hier binnengekomen?'

'Langs de achterdeur,' zei de man. 'Bij de voordeur was het zo'n drukte met al die journalisten. Dus ben ik maar langs achteren gekomen.'

'Dus u kent de weg hier?'

'Ik ben de agenten gevolgd. Ik dacht: die kennen de weg wel.'

Zeiz staarde de man aan. Het politiegebouw was met ontelbare camera's beveiligd. Buitenstaanders werden aan de hoofdingang aan een strikte controle onderworpen. Ze mochten zich in geen geval alleen in het gebouw verplaatsen. Ook voor de mensen die hier werkten, waren de veiligheidsvoorschriften bijzonder streng. Er werd zelfs overwogen een geautomatiseerd vingerafdrukcontrolesysteem te installeren, een idee van de coördinerend commissaris. Die achterdeur was een publiek geheim. Ook Zeiz had er weleens gebruik van gemaakt als de pers aan de hoofdingang samentroepte.

'Dus u wilt nu een verklaring afleggen?' vroeg hij. 'Herinnert u zich iets dat misschien belangrijk is voor ons onderzoek?'

'Ik niet. Mijn vrouw wel.'

'En waarom is uw vrouw dan niet hier?'

267

'Ze zit in een rolstoel, bij het slaapkamervenster, op de eerste verdieping. Ze is al vijftien jaar niet meer buitengekomen, begrijpt u?'

'Ik probeer het te begrijpen,' zei Zeiz. 'Uw vrouw heeft dus iets gezien of gehoord dat met de moord te maken heeft.'

'Ik weet niet of het met de moord te maken heeft, maar ze heeft wel iets vreemds gezien. Vanuit het venster heeft ze een mooi uitzicht op de parkeergarage.' Hij grijnsde. 'En ze heeft een verrekijker. Die heb ik voor haar gekocht, dan heeft ze iets om handen, begrijpt u?'

'Wat heeft ze gezien?' vroeg Zeiz.

'Ze heeft iemand langs de gevel naar beneden zien glijden.'

Zeiz ging met een ruk opzitten. 'Aha? Iemand gleed langs de gevel van de parkeergarage naar beneden?'

'Ja, abseilen of hoe noemen ze dat? Zoals een bergbeklimmer. Met een touw. Het ging heel snel, zei ze. Op enkele seconden was hij beneden. Daarna haalde hij het touw in, rolde het op en weg was hij.'

'Wanneer was dat?'

'Maandagmorgen vroeg, enkele uren voor u met mij heeft gepraat.'

'Bent u daar zeker van?' vroeg Zeiz.

De man schudde het hoofd. 'Nee. Ik heb het niet gezien. Mijn vrouw heeft het gezien.' Hij knipoogde. 'En bij vrouwen weet je nooit.'

'Heeft uw vrouw een beschrijving gegeven van die man die ze langs de gevel zag abseilen?'

'Het was een mooie man, zei ze.'

'Hoe zag hij eruit?'

'Hij leek een beetje op Clark Gable, maar dan in een oudere, magere versie. Kent u Clark Gable?'

Zeiz schudde het hoofd en noteerde de naam.

'Natuurlijk niet,' zei de oude man. 'U komt uit een andere cultuur, daar hebben ze andere idolen. Welke idolen hebben ze bij u?'

'Ik zit tussen twee culturen,' zei Zeiz verveeld, 'daar zijn geen idolen.'

'Ik moet van mijn vrouw aan u vragen of er een beloning aan vasthangt.'

'Een beloning waarvoor?'

'Voor het geven van een tip die naar de moordenaar zal leiden.'

'Daarvoor moet u langs de officiële weg gaan.'

'En waar is die officiële weg?'

'Bij de hoofdingang,' zei Zeiz.

Toen de oude man was vertrokken, startte Zeiz zijn pc en googelde 'Clark Gable'. Bij één foto van de acteur bleef hij lang stilstaan. Het was een profielfoto van Gable in een afgedragen leren pilotenjack en met vliegeniersmuts. De blik van de held was naar boven gericht, open en zonder vrees. Zeiz vroeg zich af of de moordenaar ook zo'n dun snorretje had.

De idee kwam bij hem op dat de man die ze zochten een militair was. Geen salonsoldaat, maar iemand die zijn sporen had verdiend op het terrein. De vraag was: op welk terrein? Hij had de pols van Tarik Kanli met een prusikknoop vastgemaakt, hij was langs de gevel van de parkeergarage abgeseild. Een bergbeklimmer? Een paracommando?

Hij controleerde zijn mailbox en zag dat er een bericht van Louis Das was binnengekomen. De oude politieman meldde dat het uniform van de agent vorig jaar was gestolen in de dojo van Walter Vaes. De precieze datum was 19 december. Het uniform noch het dienstpistool was teruggevonden. Zeiz ging bij het raam staan. Hield de diefstal verband met de zaak die ze onderzochten? Dat zou betekenen dat hij maanden van tevoren gepland was. En wat was de rol van Vaes? Vaes had Yusuf en Tarik in elkaar geslagen toen ze Moni aanrandden. Hij kende Moussa. En hij kende iets van wapens. Zeiz moest denken aan het geweer met de afgezaagde loop waarmee de karateka hem had ontvangen.

In gedachten verzonken tastte hij in zijn jaszak. Er zat een papier in. Het was de brief die zijn buurvrouw Pema voor hem opzij had gelegd. Hij bestudeerde de envelop. Hij kwam van het Centraal Bestuur van de federale politie in Brussel. Met tegenzin scheurde hij de omslag open. Eigenlijk wilde hij niet weten wat erin stond, zonder enige twijfel had het te maken met zijn dagvaarding voor de tuchtcommissie. Misschien was de zitting uitgesteld. Dat idee stemde hem somber. Hij was die hele affaire grondig beu. Er moest eindelijk duidelijkheid komen.

De inhoud betrof inderdaad zijn oproep tot verschijning voor de tuchtcommissie. Hij was glashelder en bestond uit twee korte zinnen: 'De Commissie heeft beslist de procedure tot tuchtonderzoek ten uwen titel niet op te starten. Gelieve de uitnodiging voor 12 mei dan ook als geannuleerd te beschouwen.' Een zekere Eva Raskin had in opdracht getekend.

Hij staarde ernaar, zich afvragend of iemand een grap met hem uithaalde. Hij bestudeerde de brief en de envelop, die beide het officiële logo van de federale politie droegen.

Hij nam de telefoon en belde naar het contactnummer. Hij kwam inderdaad op de centrale dienst van de federale politie terecht. Ze verbonden hem door met Eva Raskin. Hij moest zijn dossiernummer en zijn stamboeknummer doorgeven en enkele minuten wachten. Even later was ze weer aan de lijn. 'De zitting is inderdaad geannuleerd,' zei ze.

'Definitief?' vroeg hij.

'Het dossier is gesloten,' zei ze.

'Is daar ook een reden voor?'

'Daar kan ik geen informatie over geven,' zei ze. 'Dan moet u een schriftelijk verzoek indienen bij de administratieve diensten van de tuchtcommissie. Zij zullen u laten weten of uw vraag ontvankelijk wordt verklaard.'

Hij had de hoorn nog maar pas neergelegd of de telefoon ging. Het was Pamela Ooms, de trajectbegeleidingcoördinator van de gevangenis.

'Fijn dat ik u eindelijk tref, mijnheer Zeiz,' zei ze. 'Ik heb u vorige week proberen te bereiken, maar u was in ziekteverlof.'

Zeiz antwoordde niet. Hij staarde nog altijd naar de brief die voor hem op het bureau lag. Het was moeilijk te geloven, maar het was een feit: de tuchtprocedure ging niet door. Wat was er gebeurd? Hadden Vannuffel en Lambrusco hun klachten tegen hem ingetrokken? En als dat zo was, wat was daar dan de reden voor?

De stem van Pamela Ooms klonk in zijn oor. 'Hallo, mijnheer Zeiz, bent u er nog?'

'Excuseert u mij,' zei hij. 'Ja, ik ben er nog.' Maar de brief liet hem nog niet helemaal los. Ongetwijfeld waren zijn oversten op de hoogte van deze ontwikkeling. En dat verklaarde mogelijk ook waarom hij plots weer bij het onderzoek werd betrokken. Maar het leek zo onwerkelijk, dat hij het nog altijd moeilijk kon geloven.

'Bent u voldoende hersteld om met mij te praten?' vroeg Ooms op spottende toon.

'Ik neem aan dat u belt in verband met Moussa Jawad.'

'U bent een scherpzinnig speurder, mijnheer Zeiz. Inderdaad, het gaat over Moussa. In het licht van de recente gebeurtenissen is het voor u misschien interessant te weten waarom ik u vorige week wilde spreken. Moussa had woensdag een onderhoud met de directeur van de gevangenis, mijnheer Pauwels, en mij. Hij vroeg of het mogelijk was enkele dagen vervroegde invrijheidstelling te krijgen. Dat kon natuurlijk niet, dat hebben we hem ook gezegd. Het leek me bovendien een absurd verzoek. Als je drie maanden zit, komt het op twee of drie dagen toch ook niet aan, of wel? Maar hij kwam heel overtuigend over en ik had ook de indruk dat hij aangeslagen was. Hij zei dat u hem had bedreigd. U zou hem gezegd hebben dat hij bij zijn vrij-lating grote kans liep om vermoord te worden.'

Zeiz wist even niet wat zeggen. 'Toen wij Moussa verhoorden, waren twee van zijn vroegere kompanen vermoord,' zei hij. 'Ondertussen zijn er nog twee doden bijgekomen, ook vrienden van hem. Wij hebben hem gezegd dat hij mogelijk een risico loopt. Dat lijkt me eerder een waarschu-wing dan een bedreiging. Mijn collega was er trouwens getuige van.'

'U hoeft zich bij mij niet te verantwoorden, mijnheer Zeiz,' zei Ooms. 'Daarvoor belde ik ook niet. Ik wilde u eigenlijk het volgende zeggen: de dag voor zijn onderhoud met directeur Pauwels en mij heeft Moussa bezoek ontvangen. Ik weet niet of dit bezoek misschien verband houdt met zijn vraag om vroeger vrij te komen. Ik heb hier op het scherm een kopie van de identiteitskaart van de bezoeker. Die zal ik u doorsturen. Het gaat om een Nederlander, Oscar Hein heet hij.'

'Bedankt voor de informatie,' zei Zeiz. 'De kans is groot dat we nog eens met Jawad komen praten voor jullie hem loslaten.'

'Is dat een grapje, mijnheer Zeiz? Of heeft men u nog niet op de hoogte gebracht?'

Zeiz voelde een koude rilling door zich heen gaan. 'Waarvan?'

'Moussa is een uurtje geleden uit de gevangenis ontsnapt.'

25

Moussa Jawad stapte met lichte tred door de Stalenstraat in Genk. Hij wist dat hij voor iemand wiens leven aan een zijden draadje hing een merkwaardig ontspannen indruk maakte.

Dat hij net uit de gevangenis was ontsnapt, betekende echter niet dat hij op de vlucht was. Toen vorige week die grijze reus met zijn bekakte accent hem was komen vertellen dat hij hem ging vermoorden, wist Moussa wat hem te doen stond. Hij moest een aanval voorbereiden. En dan kun je maar beter een voorsprong nemen.

'Op 6 mei kom je vrij en dan zul je sterven,' had de Hollander gezegd.

Die ene zin, meer niet. Daarna was hij weer weggegaan.

De wreker was hem in hoogsteigen persoon in de gevangenis komen opzoeken. Hij had zich aan hem getoond. Hij had hem uitgedaagd.

Moussa vroeg zich niet af waarom, dat lag niet in zijn aard. Hij voelde alleen dat hij nu aan zet was. Dat Yusuf, Tarik, Rayan en Anwar ondertussen waren geliquideerd, maakte hem niet veel uit. Dat was verleden tijd. Hij moest nu aan zichzelf denken. De wreker had hem een boodschap gebracht. Puur informatief: ik heb ook jou ter dood veroordeeld.

Het zou natuurlijk kunnen dat de moordenaar hem wilde jennen. Daar wist Moussa alles van. Er is niets zo leuk als mensen bedreigen en dan zien hoe ze in gedachten al sterven.

Maar de waarheid was dat Moussa zelf geen angst kende.

Of beter gezegd: hij had een gecompliceerde verhouding met gevoelens in het algemeen. Ze waren niet welkom bij hem. Hij had ze min of meer aan de kant geschoven sinds hij als elfjarige verstekeling op een Spaanse vrachtboot in de ruwe handen was gevallen van bootsman Manuel. Voor zover hij zich herinnerde, was dat ook de laatste keer in zijn leven geweest dat hij had gehuild. Tijdens zijn zwerftocht door West-Europa was hij verkracht, vernederd, mishandeld en afgewezen. Tot hij sterk genoeg was om de rollen om te draaien. Tenminste als de situatie het toeliet.

Want soms ontmoet je mensen die sterker zijn dan jij. Die moet je ontwijken. Als je ze niet kunt ontwijken, zit er niets anders op dan het gevecht aan te gaan. En dan kan een kleine voorsprong een groot voordeel zijn.

Op het einde van de Stalenstraat, in de schaduw van een schachtbok van de oude steenkoolmijn, stond een nieuwbouwcomplex: Residentie Glück Auf. Moussa huurde er een garagebox. Daar woonde zijn Ducati Streetfighter. De sleutel plakte tegen een magneetje onder de garagepoort. Toen hij de motor startte, produceerde die een losse hoest die overging in patserig gegrom. Met een rustige 2500 toeren per minuut taxiede hij het straatbeeld in. Het monster tussen zijn benen liet een langgerekt gehuil horen toen hij het gashendel opendraaide.

Commissaris Vonck van de Tactische Interventiegroep had zijn huiswerk diezelfde dag nog gemaakt. Aangezien Moussa Jawad op 6 mei zou vrijkomen, restte er eigenlijk nog een dikke week om de nodige voorbereidingen te treffen. Maar Vonck had zijn mannen meteen aan het werk gezet. Bij een observatieopdracht was het schaduwen immers maar één onderdeel van het werk, en niet eens het belangrijkste. De kans dat ze Moussa zonder problemen ongezien zouden kunnen volgen was klein. Belangrijk was dus te voorspellen hoe en waarmee hij zich zou verplaatsen en waar hij zou kunnen opduiken als ze zijn spoor bijster waren. Dat hadden de aspirant-inspecteurs Maris en Wuyts in opdracht van Vonck nauwkeurig in kaart gebracht. Maris en Wuyts waren ambitieuze jonge politieagenten, die hun chef haast als een god vereerden. Ze hadden diezelfde middag nog de politie- en gerechtsdossiers van Moussa uitgepluisd en in volgorde van belangrijkheid een lijst gemaakt van de plaatsen waar hij in het verleden had verbleven of regelmatig was opgedoken. Zijn op afbetaling gekochte Porsche en het huis waren gerechtelijk in beslag genomen. Maar de garagebox en het huurflatje in de Stalenstraat stonden op naam van Joke Naes, een van zijn vaste liefjes, die hem in de gevangenis regelmatig was komen bezoeken. Ook de Ducati en de BMW in de garagebox waren officieel van haar en daarom niet in beslag genomen. Vonck hield er dus rekening mee dat Moussa daar zou kunnen opduiken, niet om zijn trouwe liefje in zijn armen te sluiten, maar om een stel wielen op te halen.

Het bleek een goede gok te zijn. Aspirant-inspecteurs Maris en Wuyts zaten hem in een anonieme politieauto op te wachten. Ze volgden hem, maar deden geen moeite om hem bij te houden toen hij als een kamikazepiloot door het drukke verkeer slalomde en ten slotte uit het zicht verdween. Ze wisten namelijk perfect waar hij heen ging. Het snelle werk had geloond, een paar uren voordien hadden ze onder zijn zadel een gps-systeem geïnstalleerd. Op de display in de politieauto konden ze zien waarheen hij suisde.

Op hetzelfde ogenblik was de voltallige rechercheploeg verzameld rond het zwaar ademende lichaam van Vannuffel. Op zijn pc-scherm volgden ze het traject van Moussa's motor. Van nu af aan mochten alle middelen worden ingezet. Onderzoeksrechter Engelen had de speurders carte blanche gegeven.

Blijkbaar had Moussa geen specifiek doel voor ogen. Het leek alsof hij zomaar wat aan het rondtoeren was. Eerst nam hij de E314, die hij een twintigtal kilometer volgde richting Nederland. Hij nam afrit 32 en begon aan een uurtje crossen door het natuurpark Hoge Kempen. Waarna hij weer de snelweg opreed en vlak voor de Nederlandse grens afrit 33 richting Lanaken nam. In Lanaken stak hij de Zuidwillemsvaart over naar Maastricht.

'Laten we hopen dat hij nu is uitgespeeld,' zei Sterckx.

'Hij schudt mogelijke achtervolgers van zich af,' zei hoofdinspecteur Jean-Pierre Lecocq met opgeheven neus.

Lecocq, bijna commissaris, was uit Brussel overgekomen om de Hasseltse speurders bij te staan. Het nieuws van zijn nakende promotie was hem vooruit gesneld en hij genoot zichtbaar van wat hijzelf 'een onaangenaam lek' noemde. Zeiz verdacht hem ervan zelf de veroorzaker van dat lek te zijn, maar dacht aan de woorden van Omer Lesage, die hem een bekwaam politieman had genoemd. Toch zag hij dat Lecocq een tweedjasje droeg, en lakschoenen, en hij gaf niet de indruk zijn handen vuil te willen maken.

'Nee, die jongen geniet,' zei Sterckx. 'Met zo'n motor zou ik ook van geen ophouden willen weten.'

Ondertussen wisten ze dat de man die Moussa in de gevangenis had bezocht, zich had gelegitimeerd met een identiteitskaart die niet de zijne was. De kaart was weliswaar echt, maar de eigenaar, Oscar Hein, leefde niet meer. Hij was een Nederlander geweest. Volgens informatie van de Nederlandse politie pleegde hij drie jaar geleden zelfmoord, op eenenvijftigjarige leeftijd. Hij was beroepsmilitair geweest en diende in een gevechtseenheid die in de jaren tachtig en negentig regelmatig werd ingezet voor VN-opdrachten. Zijn laatste opdracht als blauwhelm was in 1995 geweest, in Srebrenica, Bosnië. Enkele jaren later nam hij ontslag. In 2007 dienden enkele nabestaanden van de massamoord in Srebrenica een klacht in tegen Nederlandse militairen, omdat ze hen verantwoordelijk achtten voor de dood van hun familieleden. Ook adjudant Oscar Hein werd daarbij geviseerd. Hein wachtte de uitspraak van het openbaar ministerie niet af en pleegde zelfmoord.

De vragen die de rechercheurs zich stelden waren: wie was de geheimzinnige bezoeker? Hadden ze te doen met een Einzelgänger? En hoe kwam hij aan de identiteitskaart van Oscar Hein?

'Het ligt voor de hand dat de moordenaar himself Moussa is gaan opzoeken,' zei Sterckx.

'Waarom zou hij dat risico lopen?' wierp Vannuffel tegen. 'Hij is een scherpschutter. Hij had alleen moeten wachten tot Moussa de gevangenis verliet om hem vervolgens neer te schieten.'

Zeiz schudde zijn hoofd. 'Vanuit de gevangenis heeft Moussa kunnen volgen wat er met zijn vroegere kompanen is gebeurd. Hij wist wat hem te wachten stond als hij vrijkwam.'

'Waarom heeft hij die valse Oscar Hein dan niet aangegeven toen die hem in de gevangenis kwam bedreigen?' zei Vannuffel. 'Dan was zijn probleem namelijk opgelost.'

'De reden is simpel,' zei Zeiz. 'Door de moordenaar aan de politie uit te leveren, had hij zichzelf aan de galg gepraat.'

'Waarmee?' Vannuffel staarde Zeiz schaapachtig aan.

Lecocq liet een discreet kuchje horen. 'Met iets dat hij op zijn kerfstok heeft en waarvan wij nog niets weten. In elk geval een misdrijf dat zwaar genoeg was om hem nu te doen zwijgen. Ik zou zeggen: moord.'

Zeiz knikte. Blijkbaar had hij zijn Brusselse collega dan toch onderschat. Zijn eigen hypothese was dat Moussa en co betrokken waren bij een drugsdiefstal. Maar bloedwraak leek inderdaad een sterker motief.

'Blijft de vraag,' zei Vanderweyden, 'waarom de mysterieuze bezoeker het risico heeft genomen Moussa in de gevangenis op te zoeken.'

'We hebben te maken met een seriemoordenaar, een psychopaat,' zei onderzoeksrechter Engelen. 'Hij speelt een spelletje met zijn slachtoffers.'

'En blijkbaar ook met ons,' zei Vanderweyden.

Zeiz dacht na. Volgens hem was de dader een strateeg, die zijn pionnetjes plaatste en altijd een paar zetten vooruit dacht. Maar dat was maar één kant van zijn persoonlijkheid. Hij was tegelijkertijd bezeten van een verschroeiende drang tot doden. Niet in het wilde weg. Er was een oorzaak voor zijn bloeddorst en die was wraak. Hij moest en zou die jongens elimineren, omdat ze gestraft moesten worden. En die bezetenheid was misschien zijn zwakke punt.

'Dat klopt gedeeltelijk,' zei Lecocq op schoolmeesterachtige toon. 'Dat bezoekje aan de gevangenis was volgens mij een bewuste zet. Misschien was het zijn opzet om Moussa de gevangenis uit te lokken.'

Zeiz knikte. 'Precies. En Moussa is in het nauw gedreven. Hij weet dat vluchten geen zin heeft. Zijn enige kans is in de aanval te gaan.'

'Dan kent hij de moordenaar,' zei Eefje Smeets plotseling.

Iedereen keek haar verbaasd aan. Net op dat moment wenkte Daniëls hen terug naar het computerscherm.

'Onze kamikazepiloot bevindt zich nu vlak voor de grens,' zei hij. 'Hij beweegt niet meer.'

Op dat ogenblik kregen ze telefoon van Vonck, die persoonlijk de schaduwopdracht had overgenomen. Ze luisterden mee via de luidspreker en hoorden Vonck vertellen dat Moussa halt had gehouden in Smeermaas, bij frituur Lucienne.

Van die mededeling was iedereen even stil.

'Het ziet ernaar uit dat Moussa de grens gaat oversteken,' onderbrak Neefs de stilte.

'Prioritair is nu het natrekken van de entourage van Oscar Hein,' doceerde Lecocq.

Sterckx trok een gezicht alsof Lecocq net een oude grap had verteld. 'Daar zijn de collega's van de Nederlandse marechaussee al mee bezig,' zei hij.

Vanderweyden knikte. 'Commissaris Kosse van de Maastrichtse recherche is met het onderzoek belast. Het volledige dossier is hem toegezonden. Eén van zijn bijzondere aandachtspunten is de militaire kringen waarin Hein heeft...' Hij aarzelde even en bloosde. 'Nu kom ik toch niet op het woord, zeker.'

'Vertoefd,' zei Lecocq.

'Met dank aan de versterking uit Brussel,' mompelde Sterckx.

'Ik heb even zitten denken,' kwam Eefje Smeets tussenbeide. 'Stel dat de moordenaar ook VN-soldaat is geweest en samen met Oscar Hein in Bosnië heeft gediend. Misschien is er een verband met diens zelfmoord.'

Vannuffel haalde zijn schouders op. 'Dat gespeculeer helpt ons nu ook niet verder. Misschien zoeken we het te ver. Vergeet niet dat we een verdachte hebben. Walter Vaes. En die is van de aardbodem verdwenen. Er staan een paar vreemde toevalligheden in zijn dossier. Gaan we dat spoor nu verwaarlozen?'

Maar Eefje Smeets leek hem niet te horen. 'Die getuige uit de Grote Breemstraat heeft iemand op een professionele manier van de parkeergarage zien abseilen,' ging ze enthousiast door. 'En in een verslag van Kareem lees ik dat de moorden gepland zijn, stap voor stap, zoals een militair dat zou doen.'

Vannuffel gniffelde. 'Ik wil ze niet te eten geven, de beroepsmilitairen die net het tegendeel van dat gedrag... euh...'

'Tentoonspreiden,' vulde Lecocq aan.

'En ik niet de politieagenten,' zei Neefs.

Maar Eefje Smeets liet zich niet van haar stuk brengen. Ze had een en ander opgezocht en begon aan een historisch exposé. De Nederlanders hadden in 1995 een bataljon vredessoldaten in Srebrenica gelegerd, Dutchbat genaamd. Hun opdracht was om de vechtende partijen uit elkaar te houden. Ze moesten meer bepaald de moslims beschermen tegen de Serviërs. Die opdracht was geëindigd in een vreselijk drama: de Nederlanders hadden niet kunnen verhinderen dat de Serviërs duizenden moslimmannen hadden vermoord. In diverse nationale en internationale onderzoekscommissies was de rol van de Nederlandse blauwhelmen aan de kaak gesteld.

Eefje Smeets zweeg even. Iedereen was perplex. Zeiz waande zich een student op een historisch college. Toch had hij het gevoel dat wat ze vertelde ook belangrijk was voor hun onderzoek. Toen ging ze verder: 'Alle partijen die bij het drama betrokken waren, maakten zich schuldig aan een of andere vorm van racisme, namelijk het uitsluiten van een bepaalde bevolkingsgroep. De Nederlanders bijvoorbeeld keken neer op de Bosnische moslims, die ze geacht werden te verdedigen. Er is een theorie die zegt dat ze hen niet meer als volwaardige menselijke wezens beschouwden en daarom hun taak als beschermers verwaarloosden.'

'Ook in deze moordzaak speelt racisme een rol,' zei Neefs. 'Zeker bij de eerste twee moorden heeft de dader niet alleen blijk gegeven van een diepe haat, maar ook van minachting ten opzichte van zijn slachtoffers. Hij heeft ze letterlijk afgeslacht. Gecastreerd zelfs. Als varkens. Ik vermoed dat hij bij de laatste twee moorden in tijdnood zat en snel heeft moeten handelen.'

'We gingen er toch vanuit dat het motief wraak was,' zei Lecocq.

'Het ene hoeft het andere niet uit te sluiten,' zei Zeiz.

Eefje Smeets knikte. 'De Serviërs beschouwden de moslims als minderwaardig. Onderontwikkeld. Ongedierte dat uitgeroeid moest worden. De slachting die ze in Srebrenica hadden aangericht was echter ook wraak. Wraak voor wat de moslims hen in het verleden hadden aangedaan.'

Vannuffel onderbrak haar. 'Dat brengt ons voorlopig niet verder. We weten niet eens of onze moordenaar een militair is, laat staan dat hij ooit in Bosnië heeft gediend.'

'Hij kan in elk geval uitstekend met wapens overweg,' zei Sterckx.

Lecocq lachte scheef, alsof de opmerking van Sterckx hem buikkrampen bezorgde.

'We kunnen niet ontkennen dat er een racistisch sausje over de zaak ligt,' viel Daniëls in. 'Ik heb zitten graven in die extreemrechtse site Noorderlicht. White Revenge was al jaren eerder op hun forum opgedoken en mengde zich af en toe in de debatten over buitenlanders. Laten we aannemen dat het om dezelfde White Revenge gaat, dan hebben we te maken met een rechtse, racistische rakker. Trouwens, je gaat niet op zo'n forum als je het racistische gedachtegoed niet deelt. En van nogal wat gasten op het forum vermoed ik dat ze een militaire achtergrond hebben, dat kun je min of meer uit de mails afleiden. Ik heb die gegevens trouwens overgemaakt aan onze Nederlandse collega's. Als Oscar Hein zich in die rechtse kringen ophield, vinden zij in zijn entourage misschien iemand die een reden zou kunnen hebben om onze Marokkaanse boefjes te vermoorden.'

'Als, als, als...' mompelde Vannuffel.

Zeiz voelde woede in zich opstijgen. Hij richtte zich tot Vannuffel. 'Sinds wanneer mogen politieagenten geen veronderstellingen meer maken?' zei hij. Hij besefte dat hij beter zijn mond kon houden, maar vervolgde toch: 'Misschien had jij dat ook moeten doen, dan hadden we nu verder gestaan met het onderzoek.'

Vannuffel trok bleek weg. 'Jij moet mij hier niet de les komen lezen,' zei hij op lijzige toon. Hij wilde nog iets zeggen, maar bedacht zich, stond op en ging naar buiten.

Zeiz had meteen spijt van zijn uitval. Dit was niet het moment om zijn collega naar de keel te vliegen. Hij schaamde zich, maar het was te laat. Weer had hij zich door zijn frustraties laten meeslepen, zoals een verongelijkt kind.

Het was muisstil geworden in de kamer. Zijn collega's keken ongemakkelijk naar het tafelblad. Alleen Lecocq grijnsde. Hoofdcommissaris Vanderweyden was vuurrood aangelopen. Even leek het of hij uit zijn vaderlijke rol zou vallen. Maar hij haalde diep adem en zei: 'De observatie van Moussa is nu prioritair. Kareem en Adam gaan naar Maastricht om Vonck te ondersteunen en het object van nabij te volgen. Willy en Roger zijn stand-by.'

'Het ideale scenario is natuurlijk dat Moussa ons rechtstreeks naar de moordenaar voert,' zei Lecocq. 'Maar wat als dat niet zo is?'

'Je bedoelt dat hij de gps-zender ontdekt?' vroeg Daniëls.

'Hij kan ook van vervoermiddel wisselen,' zei Lecocq.

'We kunnen alleen maar hopen dat onze Nederlandse collega's snel een link vinden naar de dader,' zei Vanderweyden.

De stemming op het commissariaat was gespannen, maar ook vastberaden. Iedereen was ervan overtuigd dat ze dicht bij een oplossing stonden.

Zeiz bedacht dat de afwezigheid van Alexander Lambrusco daar voor iets tussen zat. Zijn irritante bemoeienissen en gevit waren vaak een domper op de werklust geweest. De coördinerend commissaris had zich ook nu weer laten verontschuldigen. Hij moest de eerstvolgende dagen verstek laten gaan wegens 'urgente professionele besognes van het allerhoogste niveau'. Die gezwollen boodschap, overgebracht door Vanderweyden, was door de rechercheploeg op onverschilligheid onthaald. Maar Zeiz twijfelde er niet aan dat zijn collega's, Vannuffel uitgezonderd, opgelucht waren. Toch gaf Lambrusco's afwezigheid te denken. Waarom trok hij nu zijn handen af van de recherche? Wat stak er achter deze demarche?

Zeiz voelde geen opluchting, eerder een soort beklemming. Hun lot werd bepaald door een duistere logica van superieuren die zich in een parallelle wereld bewogen, waar niet werklust en bekwaamheid maar networking en politieke invloed bepalend waren.

Plotseling overviel hem de twijfel. Stel dat ze toch op een dood spoor zaten. Misschien leidde Moussa hen niet naar de moordenaar, maar zocht hij gewoon een onderduikadres. Dan bleef alleen de link met de gestorven Oscar Hein over. Het gevoel liet hem niet los dat er iets was dat ze over het hoofd hadden gezien.

Voor hij vertrok nam hoofdcommissaris Vanderweyden hem apart.

'Ik ben blij dat je mijn raad hebt opgevolgd en een advocaat hebt ingeschakeld,' zei hij, 'of toch tenminste iemand met kennis van zaken het terrein hebt opgestuurd.'

Zeiz wist even niet waarover het ging. Toen begreep hij dat zijn chef het over de afgelaste tuchtprocedure had. 'Ik heb helemaal niets gedaan,' zei Zeiz.

'Vanzelfsprekend,' grijnsde Vanderweyden samenzweerderig. 'Ik wilde alleen maar even zeggen dat je dit goed hebt aangepakt. Met een uitstekende timing trouwens.'

'Eerlijk gezegd is het mij ook een raadsel,' probeerde Zeiz nog.

Vanderweyden knipoogde. 'Ja ja, dat zou ik ook zeggen in jouw plaats. Maar sommige mensen weten nu dat ze je niet zomaar aan de kant kunnen schuiven.'

Zeiz knikte. Hij besloot zijn chef niet meer tegen te spreken.

'We maken tabula rasa,' ging Vanderweyden verder. 'Ik heb ook aan de corpscommandant duidelijk gemaakt dat je een uitstekende rechercheur bent. Wel vind ik dat we intern een aantal zaken moeten afspreken, zodat persoonlijke vetes de efficiënte werking van de dienst niet in de weg staan. Je begrijpt wel wat ik bedoel. En dan is er die zaak van die vernielde seininrichting. We zitten met het getuigenis van die agent. De boer op de tractor had jou wel zien staan, maar die heeft niets zien gebeuren. Een beetje vervelend, want de agent blijft bij zijn verklaring. Het is dus zijn woord tegen dat van jou. Enfin, daar vinden we wel een oplossing voor.'

Zeiz had met groeiende argwaan naar zijn chef geluisterd. Was het werkelijk zo dat ze de spons veegden over zijn flaters? Die onverwachte ommezwaai bezorgde hem kippenvel. Het kon bijna niet anders of iemand had het voor hem opgenomen. Even dacht hij aan zijn vroegere chef, Omer Lesage, maar de functie van hoofdcommissaris woog zeker niet zwaar genoeg om een gevaarte als de tuchtcommissie van koers te doen veranderen. Er waren andere krachten in het spel. En welke gevolgen had deze wending voor hem? Hij was op een raadselachtige manier uit een schijnbaar hopeloze situatie geraakt. Maar waren daarmee alle problemen van de baan? Of kwamen er andere in de plaats?

'En dan is er nog iets,' zei Vanderweyden. Hij overhandigde hem een document.

'Dat is een nota van de afdeling logistiek. Zij beweren dat er een radio ontbreekt in dienstwagen zeventien. De laatste die ermee gereden heeft, ben jij. Weet jij daar misschien iets van?'

Dinsdag, 19u

Op die ene vage foto van de compound die hij met zijn wegwerptoestel had gemaakt, zag je het gat in het hek waarlangs de dag daarop de vluchtelingen zouden binnenkruipen. De vrouwen en de kinderen. De mannen niet. Mededogen heeft zijn grenzen. Want ze zouden alles meebrengen wat een beschaafd mens missen kan: domheid, luizen, stank en haat. Vooral haat.

In het nest van de haat legt de wreedheid haar eieren.

De foto's lagen in archeologische volgorde. Zoals ze in de doos waren terechtgekomen. Die volgorde moest je respecteren. De kaarten worden geschud en er is niemand die twijfelt aan wat hij in handen krijgt. Een boek van beelden, uit het leven gegrepen. Naast de foto van hem, de vrouw en de jongen op het militaire defilé in Den Haag lag de foto, gemaakt vanuit de eerste observatiepost, waarop je zag hoe de vrachtwagens over de lijken reden. Dat was net buiten het dorp, op de weg naar Checkpoint Yellow Bridge. In zijn herinnering was de brug niet geel maar rood, gekleurd door het bloed van de varkens.

Op de achtergrond zag je de bergen. De rotswanden in onwezenlijk groen. 'Kijk, daar is een plateau, groot genoeg voor ons, om ons tentje op te slaan.' Later, als de wreedheid is uitgeraasd, het bloed door de regen weggespoeld en alleen nog schoonheid overblijft. In een droom kun je de spelregels wel veranderen.

Maar op de voorgrond dus het bloed. De haat.

Het beest dat je moet voeden. Dat groter en sterker wordt en nooit verzadigd raakt. Je bent er niet trots op. Maar het is jouw beest en je zorgt ervoor.

26

Het onweer had zich aangediend met een duistere hemel, die kwam opzetten pal boven Maastricht en die het gedonder van kanonnen met zich
meevoerde. Maar even snel als het offensief van start leek te gaan, werd
het ook weer afgeblazen. De zon had de hemel heroverd. Zeiz en Sterckx
hadden postgevat op de top van de heuvel, vanwaar ze een weids uitzicht
hadden op het dal dat zich uitstrekte langs de beide oevers van het Albertkanaal. Links zagen ze Fort Eben-Emael liggen, met zijn medaille van bun-
kers in het groen. Ooit bejubeld als het sterkste fort ter wereld, in 1940
door een handvol Duitse para's veroverd in amper een kwartier tijd. Een
reclamewegwijzer kondigde een kilometer verder AdventureCave aan, 'EEN
ADEMBENEMENDE EN AVONTUURLIJKE TOCHT DOOR DE GROTTEN
VAN KANNE'. Rechtsonder gleed het water als een vloeibaar mes tussen de
witte mergelwanden.

Moussa Jawad had een tweede tussenstop gehouden in het centrum van
Maastricht. Daar was hij twee uren spoorloos geweest, nadat hij zijn motor in de stationsbuurt had geparkeerd. Maar uiteindelijk was hij toch weer
opgedoken en had hij zijn tocht verdergezet. Vonck wist te melden dat hij
nu een zwarte rugzak droeg. Groot genoeg voor een automatisch geweer.
Ze twijfelden er niet aan dat hij zich was gaan bewapenen. Uit de gerechtelijke dossiers was gebleken dat hij over contacten beschikte in het criminele
milieu van Nederlands-Limburg. Moussa croste nu als een terminator in de
richting van de Belgische grens. Ditmaal volgde hij een rustige landweg die
tussen bloeiende velden recht naar het kanaal voerde.

'Hij komt eraan,' riep Sterckx, die met zijn verrekijker had postgevat. 'Hij
is nu bij de watermolen en rijdt in de richting van de jachthaven.'

Zeiz bestudeerde de topografische kaart die hij op de motorkap van de
dienstwagen had uitgespreid. Als Moussa dit traject bleef volgen, zou hij
ten zuiden van AdventureCave uitkomen en was er geen risico dat ze elkaar
in de armen liepen.

De vraag was wat hij uitgerekend hier te zoeken had. Vannuffel, die de
operatie vanuit Hasselt volgde, opperde, meer om tegen te wringen dan om

het onderzoek werkelijk te dwarsbomen, dat Moussa in Maastricht gewoon een portie drugs was gaan inkopen en nu voor een alternatieve terugweg naar België koos, door drugstoeristen 'de weedweg' genoemd, het idyllische tracé door de Oost-Limburgse heuvels, waar de kans klein was om op een politiepatrouille te stuiten. Maar die piste werd niet au sérieux genomen.

Als hun vermoeden klopte, had Moussa niet veel tijd meer. Misschien was het nieuws van zijn ontsnapping al door een lokale radio bekendgemaakt. Het zou hoe dan ook snel op de internetsites van de kranten verschijnen en mogelijk door de moordenaar worden opgepikt. Moussa wilde zijn tegenstander bij verrassing pakken. Dan mocht hij geen tijd verliezen.

Zeiz probeerde in het web van lijnen te bepalen welke uitvalswegen Moussa had vanuit de jachthaven. Hij tuurde over het mozaïek van velden en weilanden, dat doorspekt was met zwart-witte koeien. Ze bevonden zich op tweehonderd meter van grenspaal 48, waar het Albertkanaal een bocht maakte om een halve lus rond Maastricht te leggen. Weer overviel hem de twijfel. Alles oogde zo vredig. Er school geen kwaad in het rustgevende, glooiende landschap. Misschien hadden ze het toch bij het verkeerde eind en was Moussa gewoon in paniek geraakt. Een in het nauw gedreven bok maakt vreemde sprongen. Hij schudde de twijfels van zich af. Lecocq had gelijk, de moordenaar had Moussa uit de gevangenis gelokt. Door te ontsnappen dacht Moussa uit zijn vizier te blijven. Maar hij liep juist in de val.

Zeiz verstarde. Hier klopte iets niet. Ze gingen ervan uit dat de moordenaar op de hoogte was van hun plannen en bijgevolg wist dat ze Moussa zouden observeren als hij vrijkwam. Maar hoe was hij aan die informatie geraakt?

Weer moest hij denken aan zijn vroegere leermeester Omer Lesage, die naar het sleutelwoord van deze zaak had gevraagd. Het antwoord wist hij intussen: informatie. De dader kreeg informatie waardoor hij hen telkens een stap voor was.

Het idee dat er een lek was bij de rechercheploeg, kwam weer bij hem op. Wie kon daar zijn voordeel mee doen? Of zat iemand van het team in een extreemrechts complot? Maar hij kon het niet geloven, al viel die mogelijkheid natuurlijk niet volledig uit te sluiten. Hij hield het erop dat de moordenaar over hun schouders meekeek. In zijn macabere plan speelde de politie de rol van aangever.

Op zijn gsm kwam een sms-bericht van Vonck binnen. Hij had via de nationale weg N619 het centrum van Kanne bereikt en zat op een caféterrasje de komst van het observatieobject af te wachten. Even later belde hij om te melden dat Moussa was voorbijgeraasd, het kanaal was overgestoken, maar zich bedacht had en over de brug terugreed naar de dorpskern.

Zeiz vouwde de kaart op en riep Sterckx, die lenig als een kat uit zijn observatiepost naar beneden klom. Ze stapten in de wagen. Sterckx zat achter het stuur en liet de banden gieren toen hij vertrok. Zeiz ergerde zich een beetje aan het machogedrag van zijn jonge collega. Maar hij was toch blij dat hij hem aan zijn zijde had. Ze vormden een sterk team, zeker als het spannend werd.

Het leek onwerkelijk. Amper een dag geleden geloofde hij nog dat zijn baan in Hasselt ten einde liep. En nu zag de toekomst er compleet anders uit. Iedereen leek zijn plaats in het rechercheteam weer vanzelfsprekend te vinden. Aan zijn visie op de moordzaak werd niet langer getwijfeld. Gisteren nog werden zijn onderzoeksdaden haast unaniem op hoongelach onthaald, vandaag volgden zijn collega's dat spoor enthousiast, alsof ze er zelf al die tijd in hadden geloofd. Meer nog, alsof het hun aller verdienste was en niet die van hem. De protagonisten hadden met een stalen gezicht hun oorspronkelijke plaatsen weer ingenomen.

Maar wat hem nog het meest verbaasde, was de vanzelfsprekendheid waarmee hij dat alles zelf accepteerde. Weliswaar stoorde het hem dat een externe kracht zijn lot bepaalde, maar hij verzette zich ook niet. Er was iets vreemds aan de hand. Wie was de mysterieuze deus ex machina die alle gemaakte plannen in de war stuurde en mensen deed bewegen alsof het marionetten waren?

Op de display van de boordcomputer zag hij dat Moussa door het centrum van Kanne reed. Het stipje bewoog haast onmerkbaar traag. Naderde hij zijn doel? Of was dit een tussenstop en zocht hij enkel naar een parkeerplaats? Zeiz twijfelde er niet aan dat hier ergens het eindstation van hun achtervolging lag. Het voorgevoel dat ze de ontknoping naderden was alleen maar sterker geworden.

Het bericht kwam binnen dat een derde observatiewagen van de Tactische Interventiegroep had postgevat aan de westelijke uitvalsweg van het dorp. Bovendien hielden plaatselijke politiepatrouilles aan beide zijden van het kanaal zich klaar om in te grijpen.

Vonck bracht met tussenpozen verslag uit van Moussa's doen en laten. Hij had zijn motor langs de Grenadiersweg geparkeerd en ging nu een krantenwinkel binnen. Even later kwam hij weer buiten en ging een eindje verder het restaurant 'In Kanne en Kruike' binnen. Hij koos een tafel bij het raam. Tien minuten later werd zijn eten geserveerd, meldde Vonck.

'Wat zou hij aan het eten zijn?' vroeg Sterckx zich hardop af.

Alsof hij het gehoord had, stuurde Vonck enkele seconden later het volgende bericht: 'Pasta.'

Ze grinnikten beiden. Zeiz begon ook honger te krijgen. Het was van vanmiddag geleden dat ze nog iets hadden gegeten.

Maar geen van beiden maakte aanstalten om hun post te verlaten. Ze moesten alert blijven, het welslagen van de operatie kon van details afhangen. Met een beetje geluk bracht Moussa hen naar de moordenaar. Wat had hij anders te zoeken in een landelijk dorpje aan de Belgisch-Nederlandse grens? Hij was niet twee dagen voor zijn vrijlating uit de gevangenis ontsnapt om in 'In Kanne en Kruike' pasta te gaan eten.

Zeiz en Sterckx hadden intussen ook de jachthaven bereikt en parkeerden de wagen op het parkeerterrein onder de brug. Ze mochten Moussa niet te dicht naderen, want hij zou hen herkennen. Zeiz stapte uit en toetste Moni's nummer in op zijn gsm. Ze nam niet op. Even later kwam er een sms'je van haar: 'Kan nu niet praten. Ben bij moeder. Het gaat heel slecht met haar. Bel je later. X'

Toen hij weer in de wagen stapte, zei Sterckx: 'Ik wil me niet bemoeien met je privéleven.'

Zeiz keek hem spottend aan. 'Je wilt over Moni praten, neem ik aan?'

Sterckx grijnsde. 'Niet echt. Monica Desutter mogen we van het lijstje van de verdachten schrappen. Nee, ik wil het hebben over die karateleraar, Walter Vaes. Als ik het goed begrepen heb, ken jij hem persoonlijk?'

'Ik heb jaren geleden karatelessen bij hem gevolgd.'

'Vaes heeft als jongeman, voor hij ging studeren, twee jaar in het Vreemdelingenlegioen gediend, als paracommando. Wist je dat?'

Zeiz keek op. 'Nee, dat wist ik niet. Zo goed ken ik hem nu ook weer niet. Hij was mijn leraar, niet mijn vriend.'

'Vaes en Desutter zijn héél goede vrienden. Hij was haar persoonlijke trainer toen ze Europees kampioene werd.'

Zeiz snoof. 'Ik dacht dat je het over mijn privéleven wilde hebben?' zei hij. 'Dit lijkt wel een kruisverhoor. Denk je dat ik informatie over Vaes heb achtergehouden? Ik was bezig met het onderzoek, in mijn eentje. Niemand van jullie was toen geïnteresseerd in het alibi van Vaes. Blijkbaar vonden jullie toen andere zaken belangrijker.'

'Vaes heeft een alibi opgegeven voor de eerste twee moorden. Dat stond in jouw rapport. Maar...'

Zeiz onderbrak hem. 'Dat had ik inderdaad nog niet gecontroleerd. Daar was ik nog niet toe gekomen.'

'Maar ik heb het gecontroleerd,' zei Sterckx. 'Alvast voor de eerste moord heeft hij geen sluitend alibi.' Hij wachtte even en ging toen verder. 'Vaes beweerde dat hij dat weekend op een karatestage in Glasgow was. Dat was weliswaar gepland, maar de stage is zonder hem doorgegaan. Hij lag ziek in zijn hotel. Niemand kon zeggen wanneer hij weer naar België is afgereisd. Het hotel was vooruitbetaald.'

'Dan staan we nog even ver,' zei Zeiz fijntjes. 'Het kan dus best zijn dat hij dat hele weekend toch in Glasgow was.'

'Niet alles wat Vannuffel zegt is dom,' ging Sterckx verder. 'Er staan inderdaad een paar eigenaardige toevalligheden in het dossier van Vaes. Hij heeft een militaire achtergrond. Het uniform van de nepagent werd uit zijn dojo gestolen. Moussa Jawad heeft bij hem getraind. Monica Desutter, een van de slachtoffers van Yusuf en Tarik, was zijn vriendin. En als we op het punt staan om hem aan de tand te voelen, verdwijnt hij.'

Zeiz haalde zijn schouders op. 'Het doet me echt plezier om te zien met welke ijver jullie plotseling mijn spoor volgen.'

Sterckx trok een geërgerd gezicht. 'Sommigen, onder wie ik, zijn jou blijven steunen tot Vannuffel ons een andere opdracht gaf,' antwoordde hij. 'Dat weet je goed genoeg. Anderen twijfelden aan het spoor dat je volgde en je hebt niet de nodige steun gekregen. Oké, je bent onrechtvaardig behandeld. Maar dat is nog geen reden om te blijven janken.'

'Ik stel alleen vast dat jullie nu kritiek hebben op een onderzoek dat jullie zelf hebben verwaarloosd,' antwoordde Zeiz.

Maar Sterckx had de juiste conclusies getrokken, dat moest hij toegeven. Toch bleef hij met een raar gevoel in zijn maag zitten. Zou het kunnen dat iemand de moorden in de schoenen van Vaes wilde schuiven? Of hem als

afleider wilde gebruiken? Dat paste in de modus operandi van de moordenaar. Tot twee keer toe had hij de politie op een vals spoor willen zetten,
door advocaat El Moodi in te schakelen en door de Viking de opdracht
voor de mails te geven.

Zeiz zuchtte. Zijn zelfbeklag leverde inderdaad niets op. Ze hadden
getracht hem aan de kant te schuiven, maar hij had hen ook alle kansen
daartoe gegeven. Hij moest eindelijk leren om zijn frustraties te bedwingen.

Sterckx wees naar de boordcomputer. 'Moussa is weer op pad.' Hij
startte de auto.

Op de display zagen ze dat Moussa zich van het dorpsplein verwijderde.
Het signaal werd zwak, flikkerde even en verdween vervolgens helemaal.

Vonck belde meteen via de autotelefoon. 'Ik weet niet wat er gebeurd is,
maar het signaal is weg. Hoe zit dat bij jullie?'

'Wij hebben ook geen signaal meer,' zei Zeiz. 'Kunnen jullie hem zien?'

'Hij is buiten beeld. Mogelijk in een zijstraatje. We patrouilleren in het
dorp en bewaken de uitvalswegen.'

Even later belde Vanderweyden. 'Wat is er gebeurd?'

'Het signaal is weg, maar hij moet hier ergens in de buurt zijn,' zei Zeiz.

'Ze zijn hem kwijt,' hoorden ze Vannuffel op de achtergrond zeggen.

Vanderweyden stelde het volgende voor: hij zou de lokale politie alsook
de Nederlandse collega's van de omliggende gemeenten op de hoogte brengen van Moussa's signalement. De kans dat hij ongezien kon verdwijnen,
was klein.

'Ondertussen blijven jullie ter plaatse,' zei hij.

Zeiz vond dat een vreemd en overbodig bevel. Hij vroeg zich af wat ze
anders hadden moeten doen. Maar hij slikte zijn commentaar in.

Terwijl ze wachtten op nieuws van Vonck, zocht Sterckx op de boordcomputer een plattegrond van het dorp.

'Het is maar een zakdoek groot,' zei hij. 'Niet echt makkelijk om in te
verdwijnen, en zeker niet met al die politieagenten in de buurt.'

Vanuit het niets was plotseling mist komen opzetten. Niet vanuit de
hemel, zoals je zou verwachten, maar vanuit de bedding van het kanaal. De
mist kwam stiekem omhooggekropen en wikkelde in enkele minuten tijd
alles in een doorschijnende donsdeken.

De mist maakte de situatie gecompliceerder. Het was kwart voor zes. Ze hadden erop gerekend Moussa nog een poosje visueel te kunnen volgen. De zon zou pas rond een uur of negen ondergaan. Dat voordeel viel nu weg.

Bovendien moesten Zeiz en Sterckx noodgedwongen wachten. Ze mochten niet het risico lopen dat Moussa hen zag. Zeiz liet de rugleuning van zijn autostoel neer, sloot zijn ogen en luisterde naar de geluiden van het dorp, die gedempt klonken als kwamen ze uit de diepe romp van een schip.

In de korte, schimmige droom die hij had, dook zijn vader weer op met zijn scheve pruik en zijn sarcastische glimlach. Zijn roerloze verschijning kwam over als het statement van een verstotene, een pestlijder op het strand van het eiland waarheen hij was verbannen.

Zeiz werd gewekt door de stem van Vonck op de autotelefoon. Hij keek op zijn horloge. Hij had een half uur geslapen.

'Hij is weg,' hoorde hij Vonck zeggen.

'Waar zijn jullie nu?' vroeg Sterckx.

'Bijna overal. Als hij is ontsnapt, dan niet via een van de uitvalswegen. Die worden allemaal bewaakt.'

'Dan moet hij nog in het dorp zijn?'

'Hij kan natuurlijk altijd via een landweggetje weggeglipt zijn. Dat is niet echt uit te sluiten met die dichte mist. Maar we blijven zoeken.'

Zeiz en Sterckx wachtten zwijgend naast elkaar. Er kwam een oproep uit Hasselt, maar geen van beiden nam op. Er viel niet veel te zeggen. Was de gps-verbinding met Moussa's motor verbroken vanwege een technisch defect? Of had hij de zender ontdekt? Zat hij ergens in de buurt onder-gedoken? Was hij ongezien door het cordon van de politie kunnen glippen? Ze konden alleen maar wachten op nieuws van Vonck.

Dat kwam een half uur later. 'We vinden hem niet meer,' meldde die. 'In het dorp is hij blijkbaar niet. Of hij zou zich hier ergens moeten verstop-pen.'

Even later belde Vanderweyden. 'Jullie zijn hem dus kwijt?'

Zeiz onderdrukte zijn ergernis. 'Daar ziet het voorlopig toch naar uit,' zei hij.

'Jammer, dat van die zender was een goed idee. Maar Moussa is geen beginneling. Waarschijnlijk heeft hij gemerkt dat hij werd gevolgd.'

'Dat weten we niet. We kunnen het alleen maar veronderstellen.'

'Maar daar ziet het wel naar uit. We moeten realistisch zijn. Twee mannen van Vonck blijven vanavond nog in de buurt patrouilleren. De anderen komen terug naar Hasselt.'

'Ik weet het niet,' probeerde Zeiz nog. 'Mijn gevoel zegt me...'

'We moeten onze strategie herzien,' onderbrak Vanderweyden hem. 'We blazen de actie af.'

'Dat is te snel,' wierp Zeiz tegen. 'Sterckx en ik blijven nog. Volgens mij is Moussa ergens in de buurt.'

Even was het stil aan de andere kant van de lijn. 'En waarop is dat gebaseerd?'

'Op mijn gevoel,' zei Zeiz. Hij besefte dat dit een zwak argument was, maar het was hem ernst, hij zou in geen enkel geval nu naar Hasselt terugkeren.

Weer bleef het even stil. Toen zei Vanderweyden: 'Oké, maar ik verwacht een directe rapportering.'

Zeiz zuchtte en verbrak de verbinding. Uit gewoonte tastte hij in zijn zak naar de Rennietabletten, maar die was hij natuurlijk weer ergens vergeten. Hij stootte op het document van de dienst logistiek over de verdwenen autoradio in dienstwagen 17. Hij overhandigde het aan Sterckx.

Die las het en begon te gniffelen. Zeiz kon zijn lach ook niet meer bedwingen. Zijn hele lichaam schokte mee en vanuit zijn ooghoeken zag hij dat Sterckx met hetzelfde probleem kampte. Er kwam een telefonische oproep binnen uit Hasselt, maar ze waren niet in staat op te nemen. Minuten later voelde Zeiz zijn lichaam weer tot rust komen. Hij ademde zwaar en in zijn middenrif sluimerde een drukkende pijn als herinnering aan de ontlading.

Zeiz loerde door het beslagen autoraam naar de gesluierde buitenwereld. De mist was best wel grappig. Zonder toestemming te vragen had hij alles ingepakt. En iedereen onderging de mist, alsof het de normaalste zaak van de wereld was. Hij hapte naar adem. Het scheelde niet veel of hij was weer in lachen uitgebarsten.

En dat ondanks het feit dat Moussa Jawad van de aardbodem was verdwenen. En de observatieactie als een soufflé in elkaar was gezakt.

Woensdag, 16u

Hoor de valk. Hij wenst de uil een goede dagrust toe.

Hij was uit zijn hol gekropen, voor de laatste keer. Zo voelde hij zich, als een dier dat nog één keer naar buiten sluipt om de lucht te proeven en alles op te snuiven waar hij zo van heeft gehouden.

Vanaf de top van de heuvel, waar hij zijn kijker had geïnstalleerd, observeerde hij de omgeving. Nu, zo kort voor het einde, besefte hij waarom hij hier altijd graag had geleefd. De tijd stond stil, de mensen volgden onzichtbare patronen. Er liep een grens die geen grens was. De Grote Grot, waarvan de ingang zich op Belgisch grondgebied bevond, strekte zich uit tot de historische muren van Maastricht – met zoiets futiels als staatkundige grenzen hield de grot zich niet bezig.

Het had te maken met die oude stad van koele, vochtige galerijen onder de pedante wereld van de mensen, die zorgde voor het gevoel nergens bij te horen en toch thuis te zijn.

Hij had de hele dag hier gewacht en de invalswegen in het oog gehouden. Het was niet moeilijk geweest om zijn prooi te spotten. Die was op klokslag 17 uur het dorp binnengeraasd.

Hij demonteerde de kijker en ruimde het kamp op. Nadat hij alles had ingepakt, gespte hij zijn rugzak om. Hij verheugde zich op de laatste stevige wandeling naar beneden.

Hij verheugde zich op de verlossing.

De verschroeiende pijn waarvan hij binnenkort verlost zou zijn.

27

Moussa was inderdaad van de aardbodem verdwenen. Om heel precies te zijn: hij bevond zich eronder. Wat verklaarde waarom het signaal van het gps-systeem was uitgevallen.

Tot die conclusie kwamen Zeiz en Sterckx tijdens hun gesprek met de verkoopster van het krantenwinkeltje, waar ze nog net voor sluitingstijd waren binnengeglipt.

De oude dame met het hollywoodpermanentje, gekleed in een vuurrode folkloristische jurk, herinnerde zich de man die zij identificeerden als Moussa Jawad nog goed. 'Een akelige buitenlander,' zei ze. 'Ik heb niets tegen buitenlanders,' voegde ze daar onmiddellijk aan toe na een geschrokken blik op Zeiz te hebben geworpen. 'Ik kom namelijk zelf uit Nederland.' Ze moest glimlachen bij die handige vondst. 'Maar van die man kreeg ik de rillingen.' Ze wees naar een open kast waarin een paar folders lagen uitgestald. 'Ik vroeg of ik hem kon helpen. Maar hij ging zonder iets te zeggen naar de folders, nam er een en vertrok weer. Misschien verstond hij me niet.'

'Weet u welke folder hij heeft meegenomen?' vroeg Zeiz.

'Over de mergelgrotten. Dat zijn de enige die we hebben,' zei ze. 'De meeste toeristen willen informatie over de mergelgrotten. Dan geef ik ze zo'n folder. Maar ik zeg ook altijd dat ze naar Riemst moeten gaan, daar is het toeristisch bureau.' Ze aarzelde. 'Maar ik heb hier nog nooit een buitenlander gehad die informatie vroeg over de grotten. Ik bedoel, mensen met een bruine huid.'

Zeiz keek haar verbaasd aan. 'Aha? U bedoelt, bruine mensen gaan niet in de grotten?'

'In onze grotten blijkbaar niet.' Ze bloosde. 'Het spijt me, maar het is echt zo.'

'Bruine mensen zie je niet in het donker,' zei Sterckx met een uitgestreken gezicht.

'Is er gps-ontvangst in de grotten?' vroeg Zeiz.

'Dat is een vreemde vraag,' zei de vrouw.

Zeiz knikte. 'Het is voor mij ook de eerste keer dat ik die vraag stel aan een blanke vrouw. Maar misschien kunt u toch proberen een antwoord te geven.'

'Ik weet het niet.'

'Wie weet dat wel?'

'Een gids?' Ze staarde nadenkend voor zich uit. 'Ik bel mijnheer Pairoux. Die heeft altijd tijd.'

'Zeg hem dat hij zich haast,' zei Sterckx. 'De bruine politieman heeft namelijk niet veel tijd.'

Mijnheer Pairoux was vijftien minuten later ter plaatse. Hij was een ernstige heer met het verweerde gezicht van een oude matroos en de open blik van een gepensioneerde ambtenaar met een zee van tijd. Hij luisterde aandachtig naar Zeiz' vraag. Maar in plaats van te antwoorden, begon hij meteen te hengelen naar de aard van hun onderzoek.

'Het onderzoek is geheim,' zei Sterckx.

Pairoux knikte samenzweerderig. 'Als ik het goed begrijp, heeft u iemand geschaduwd.'

Zeiz was onder de indruk. 'Waar leidt u dat uit af?'

'U heeft een signaal achtervolgd en bent het hier kwijtgeraakt. En nu vraagt u zich af of dat iets met de grotten te maken heeft. Klopt dat?'

'Mijn complimenten, mijnheer Pairoux,' zei Zeiz. 'U had bij de politie moeten gaan.'

Pairoux glimlachte minzaam. 'Ik was bij de douane, vijfendertig jaar dienst. Bij de Vliegende Brigade. Kent u die?' Hij zwaaide met zijn hand. 'Maar daar gaan we het nu niet over hebben. U heeft niet veel tijd, heb ik begrepen. Om op uw vraag te antwoorden: 'In de grotten is er soms geen ontvangst. Dat geldt uiteraard ook voor andere mobiele toestellen, die een signaal van buiten moeten ontvangen. Maar ook op sommige andere plaatsen hier in het dorp, buiten de grotten, kan de ontvangst problematisch zijn.'

Hij bracht hen naar de rand van het plein, waar een vaste kijker was opgesteld om het dal te bewonderen. Hij wees naar de plaats waar het kanaal een bocht maakte. 'In het voorste deel van de Grote Grot, waarvan u de ingang hier kunt zien, bevindt zich een restaurant.' Hij genoot van hun verbaasde blikken. 'Ja ja, u hoort het goed, een restaurant in de grotten. Het is één van onze toeristische attracties. Er heerst een heel speciale sfeer en u kunt er nog lekker eten ook. Er staat een zendantenne boven op de rotsen, die voor telefoonontvangst zorgt.'

Hij wees naar een witte rotswand die enkele honderden meters verder boven het kanaal uit rees. 'Daar is de achterzijde van AdventureCave, dat zich eigenlijk onder de kanaalspiegel bevindt en waar geen bereik mogelijk is. Mijnheer Vliegenaar, de uitbater van AdventureCave, maakt gebruik van een grotradio op lage frequentie, die op batterijen werkt, waarmee hij telefonisch contact met de buitenwereld kan houden.'

Zeiz wees hem op de kaart de plaats aan waar het signaal was weggevallen: achter het dorpsplein, in een zijstraatje dat naar het kanaal voerde. 'We hebben daar gezocht,' zei hij, 'maar niets gevonden.'

Pairoux wees naar de weiden en bossen die zich uitstrekten op de beide flanken van het kanaaldal. 'De kalkrotsen zijn niet altijd zichtbaar, maar zitten overal in de ondergrond. Ik kan me voorstellen dat op dat terrein de ontvangst hier en daar problematisch is. Officieel spreekt men van mergelgrotten, maar in werkelijkheid zijn het kalkrotsen. Daar is ook een verklaring voor...'

Zeiz onderbrak hem. 'Het zou dus kunnen dat de persoon die wij zoeken zich daar ergens bevindt.'

'Maar hoe kan hij daar zijn geraakt?' vroeg Sterckx.

Pairoux haalde zijn schouders op. 'Daar kan ik moeilijk op antwoorden als ik niet weet wie u zoekt en hoe die persoon zich verplaatst.'

Zeiz verduidelijkte. 'De persoon die wij zoeken verplaatst zich op een motor die uitgerust is met een gps-ontvanger. Het gaat om een jongeman van het Noord-Afrikaanse type.' Hij bedacht dat ze er alleen maar voordeel bij konden hebben Pairoux in vertrouwen te nemen en voegde eraan toe: 'Mijn collega en ik zijn hier in het kader van een moordonderzoek. De persoon die we zoeken geldt als bijzonder gevaarlijk. Ik wil appelleren aan uw vroegere functie van douanier. U zult begrijpen dat deze informatie uiterst confidentieel is. Mag ik u vragen om hier met niemand over te communiceren?' Hij stond zelf verbaasd van de voorname toon die hij aansloeg en durfde niet naar Sterckx te kijken, uit schrik weer in lachen te zullen uitbarsten.

Pairoux knikte, zijn gezicht was doortrokken van een onaantastbare ernst. Hij genoot zichtbaar van de eer ingewijd te worden in de geheimen van een lopend moordonderzoek.

Hij haalde een topografische kaart uit zijn rugzakje en spreidde die op de grond. Ze knielden erbij. 'Kijk hier, heren. Er loopt een wandelroute naar beneden in het dal, een onderdeel van de GR 5.' Pairoux wiegde nadenkend het hoofd. 'Er zijn ooit klachten geweest van buurtbewoners tegen mountainbikers, herinner ik me. Die gebruiken het pad, hoewel het verboden is. Ik kan me dus voorstellen dat een behendige motorrijder hier een eind naar beneden kan rijden.'

Hij vouwde de kaart op en overhandigde die aan Zeiz. 'U mag deze hebben. Alle grotingangen van Kanne en omstreken staan erop, behalve de kleine. Er zijn er in totaal meer dan honderd, moet u weten. Het betreden van de grotten zonder deskundige begeleiding is niet ongevaarlijk, dat wil ik u ook nog zeggen. Elk jaar zijn er mensen die verdwalen, soms met noodlottige afloop.'

Voor ze afscheid namen, gaf hij Zeiz zijn naamkaartje. 'U kunt mij altijd bellen, 24 uur op 24.'

Sterckx grijnsde. 'Als er bereik is, tenminste.'

Terwijl ze het wandelpad naar beneden liepen, vroeg Zeiz zich af of ze inderdaad toch niet beter naar Hasselt waren teruggekeerd. Wat zou een zware jongen als Moussa Jawad hier te zoeken hebben? Mogelijk had hij gemerkt dat hij werd geschaduwd. Vervolgens had hij van de dichte mist gebruik gemaakt om door het cordon van de politie te glippen. Kanne was niet meer dan een tussenstop geweest op zijn terugreis. Misschien stapte hij op dit moment weer door de gevangenispoort van Hasselt om de laatste dagen van zijn straf uit te zitten. Vanderweyden had gelijk om iedereen terug te roepen en vanuit het commissariaat het onderzoek verder te voeren. Het zag ernaar uit dat dit een fout spoor was. Zeiz besefte dat zijn collega's zich weer zouden ergeren aan zijn koppigheid.

Maar waarom was Moussa in de krantenwinkel een folder van de mergelgrotten gaan halen? Best mogelijk dat hij op een stratenplan van het dorp had gezocht naar kleine wegen om zijn achtervolgers te ontwijken. Maar Zeiz twijfelde aan die piste. Hij gleed bijna uit over een gladde steen, die een plotseling niveauverschil van een halve meter moest overbruggen. Dit was geen geschikt traject voor een motor. Maar ook al was dit een helling van minstens vijftien graden, hij achtte Moussa onverschrokken genoeg om hier naar beneden te rijden.

Halverwege de helling doken ze min of meer onder de wolken door. Het zicht bleef troebel, maar reikte nu tot net aan de overkant van het kanaal, waar een houten windrad op de aanlegsteiger moeizaam draaide en een klagend geluid maakte. Vlakbij het water, waar de bodem vochtig was, ontdekten ze voor het eerst sporen van banden, die naar een opslagplaats van kano's en kajaks voerde. Zeiz voelde zijn hart sneller kloppen. Hij keek op zijn gsm. Er was hier geen bereik.

Het was Sterckx die de motor ontdekte. Hij lag achter de stapelpaats van de boten. Het motorblok was nog warm. Maar Moussa zelf was nergens te bespeuren. Sterckx begon met zijn zakmes het zadel los te schroeven. Dat verliep moeizaam, hij vloekte, maar uiteindelijk lukte het toch. De gps-zender zat nog op de plaats waar de mannen van Vonck hem hadden bevestigd. Zeiz liep ermee naar de container van de botenfirma, die dienstdeed als kantoor. Op een bord achter het raam las hij dat de verhuur van boten pas van start ging op 1 mei. Op de zender begon een rood lampje te knipperen. Hier was dus wel bereik. Hij zwaaide met de zender naar Sterckx, die als antwoord zijn duim opstak. Zeiz keek op zijn gsm. Ook die had weer bereik. Hij schrok toen de beltoon klonk. Op de display zag hij dat Vonck het was.

'We hebben zonet weer een signaal opgevangen,' riep Vonck.

Toen klonk de stem van Vanderweyden: 'Kareem, waar zit je ergens?'

Zeiz kon zich voorstellen hoe Vanderweyden daar nu zat, met een van spanning rood aangelopen gezicht. 'We hebben de motor gevonden,' zei Zeiz, 'bij de oever van het kanaal.' Van Moussa is geen spoor.'

'We komen eraan,' riep Vanderweyden. 'Jullie wachten op versterking,'

Zeiz antwoordde niet en schakelde zijn gsm uit. Uiteraard eiste Vanderweyden dat ze op versterking zouden wachten. Maar het zou minstens een half uur duren voor iedereen weer ter plaatse was. Hij had het gevoel dat ze zolang niet konden wachten.

'Ze hebben het signaal ontvangen en komen hierheen,' zei Zeiz tegen Sterckx.

'En wat moeten wij doen?'

Zeiz haalde zijn schouders op. 'De verbinding viel uit. Ik stel voor dat we Moussa gaan zoeken.'

Hij ging zitten op een steen naast het water en vouwde de kaart uit die hij van Pairoux had gekregen. 'Moussa is tot hier gereden. Maar waarom precies hierheen?'

'Hier is niets,' zei Sterckx. 'Misschien is hij met een van die bootjes naar de overkant gevaren.'

Ze keken naar de boten, die wanordelijk gestapeld lagen. Het was moeilijk uit te maken of er een ontbrak.

Zeiz bestudeerde de kaart. 'De wandelroute loopt langs de oever naar deze brug. Ik schat dat het ongeveer twee kilometer is. Als hij tot hier is geraakt, had hij ook verder kunnen rijden met de motor. Tenminste als...'

Sterckx rende naar de motor en tikte op de benzinebak. 'Hij is niet leeg,' riep hij.

'Hij is dus hier het kanaal overgestoken,' redeneerde Zeiz verder. 'Daar mogen we wel van uitgaan. Het was makkelijker voor hem geweest als hij de brug in het centrum had genomen, maar dat heeft hij dus niet gedaan. Hij is hier met een bootje overgestoken. Waarom eigenlijk?'

Hij keek naar de overkant en vervolgens weer op de kaart. 'Er zijn daar twee grotingangen. Maar het zijn geen echte ingangen, want ze liggen zo'n vijftien meter boven het water. Het is niet de bedoeling dat je langs daar die grotten binnengaat. Dat doe je aan de andere kant van de heuvel.'

Sterckx keek mee over zijn schouder en wees op de kaart. 'Hier is de officiële ingang van AdventureCave. En daar ergens moet het grotrestaurant zijn waar Pairoux het over had.'

'Maar Moussa heeft voor de achteringang gekozen,' zei Zeiz.

'Wat gaat hij daar doen?' vroeg Sterckx zich af. 'Hij heeft pas gegeten.'

Ze trokken een kajak uit het rek en liepen ermee naar het water. Op de bodem waren inderdaad glijsporen en voetstappen te zien. Ze lieten de kajak te water. Zeiz nam voorin plaats en hield de boot in evenwicht, terwijl Sterckx zich achter hem installeerde. Met veel moeite wrong hij zich door het enge gat. Zeiz herinnerde zich dat hij ooit als jongen met zijn vader een boottochtje had gemaakt op de Lesse, een rivier in de provincie Luxemburg. Ze waren met een hels tempo stroomafwaarts gevaren, tussen gladde rotsen en over stroomversnellingen. Van bij de aanvang had hij een slecht gevoel gehad, het kille snelle water boezemde hem angst in. Uiteindelijk was het onvermijdelijke gebeurd: ze waren bij het passeren van een watervalletje gekanteld. De boot was daarbij volledig omgekiept en Zeiz had een halve liter water geslikt voor zijn vader erin geslaagd was hem uit de benarde positie onder de boot te bevrijden. Die ervaring had hem opgezadeld met een diep wantrouwen voor water, waar hij nooit helemaal van verlost was geraakt.

Die verre herinnering leek hem nu echter vermakelijk. Het water van het kanaal vertoonde niet één rimpeling. Zeiz ademde de vochtige lucht gretig in. Een gevoel van rust ging door hem heen. Het was alsof ze van het ene moment op het andere in een parallelle wereld waren terechtgekomen. Was dit wel echt? vroeg hij zich af. Vol vertrouwen omklemde hij de peddel. Hij schatte dat ze niet meer dan vijf minuten nodig zouden hebben om de overkant te bereiken.

'Bruine Bever maakt mij nat,' hoorde hij Sterckx achter zich mopperen. 'Hij moet zijn peddel dieper in het water steken.'

Zeiz liet zijn peddel met opzet over het oppervlak scheren, zodat een golfje water Sterckx frontaal trof. 'Sorry, Kleine Bever,' zei hij.

Hij hoorde zijn collega vloeken en onderdrukte de aanzet om weer in lachen uit te barsten. Wat zou coördinerend commissaris Lambrusco denken als hij hen nu zag? Zou hij het grappige van de situatie inzien? Zeiz betwijfelde het. Lambrusco was doordrongen van een narcistische ernst, die geen ruimte liet voor relativering. Strikt genomen was het ook absurd: ze peddelden hier als kleine jongetjes het kanaal over, terwijl ze net zo goed de omweg over de brug hadden kunnen maken. Veel tijd spaarden ze met deze avontuurlijke onderneming niet uit. Zeiz liet de peddel even rusten en genoot van de stilte om hem heen. Alleen de beide oevers waren nu zichtbaar. Ze bevonden zich in een cocon van mist, die een gevoel van geborgenheid gaf. Plotseling leken de professionele problemen waar hij de voorbije weken mee had geworsteld futiliteiten in vergelijking met de problemen in zijn persoonlijke leven. Hij realiseerde zich dat hij de mensen van wie hij hield had verwaarloosd. Ondanks het gemis overstroomde hem een gevoel van geluk. De spanningen van de voorbije dagen gleden van hem af. De toekomst zag er rooskleurig uit. Nu twijfelde hij niet meer, aan de andere oever wachtte de oplossing. Zijn analyse was de juiste geweest: Moussa zou hen naar de moordenaar brengen. Het einde van de jacht was eindelijk in zicht.

Ze waren ongeveer halverwege de overtocht toen een rilling door het water gleed, alsof er diep onder de aarde iets verschoof. Zeiz en Sterckx keken intuïtief naar rechts, waar uit de mist een reusachtig zwart gedrocht opdook, dat onafwendbaar op hen afstevende. Het was de romp van een binnenschip. Het ratelen van de motor en het malen van de schroef waren nu duidelijk hoorbaar. Het monster droeg twee ankers op zijn boeg, die als slagtanden voor het schip uit werden geduwd.

Zeiz' adem stokte. Sterckx slaakte een betekenisloze kreet. Ze konden niet terug. Maar verdergaan leek al even zinloos. Met de moed der wanhoop begonnen ze te peddelen, in een ultieme poging om de aanvaring te vermijden. Dat leek een wanhoopsdaad. De druk van het door het schip verplaatste water wierp hen vooruit en trok hen vervolgens als een magneet weer aan, zodat ze aanvankelijk ter plaatse peddelden. Golven sloegen over hun bootje. Uiteindelijk lukte het hen toch uit de kolkende maalstroom te ontsnappen. Een laatste golf katapulteerde hen buiten het bereik van de scheepsromp. Op de oever aangekomen hesen ze zich uit de boot en staarden het monster na, dat in de mist verdween. Zeiz zag de naam van de boot op de achterboeg: 'PRESIDENT DELMER'. Alleen nog de dansende golven en het luide, monotone geluid van de scheepshoorn herinnerden hen aan de voorbije nachtmerrie.

'De grote Manitou heeft ons gered,' hijgde Sterckx, die zwaar ademend op zijn rug lag. Zijn kleren waren kletsnat.

'Houd daarmee op,' kon Zeiz er met moeite uit brengen. Hij trok zijn jasje uit, dat ook nat was geworden. De rest van zijn kleren was gelukkig min of meer droog gebleven.

Hij staarde omhoog naar de witte kalkrotsen. Op ongeveer twintig meter hoogte bevond zich een smal plateau. Hij liep naar de rotsen.

'Wat ga je doen?' vroeg Sterckx.

'Ik ga een kijkje nemen,' zei Zeiz. Hij begon te klimmen, maar zijn pistool hinderde hem. Hij trok de holster uit en gooide zijn wapen naar Sterckx. Het was een steile wand. Voor wie ook maar een beetje hoogtevrees had, moest dit waanzin lijken. Maar Zeiz had in zijn paracommandotijd vaak geklommen. De grepen waren ruim en er waren brede richels, waar hij zijn voeten kon plaatsen. Terwijl hij zich naar boven werkte, gleed enkele meters boven hem de schaduw van een vogel over de wand. Het was een valk, Zeiz herkende hem aan zijn roep, die deed denken aan het droge monotone geluid van een mitrailleur. Hij vroeg zich af of dit een voorteken was.

'Je bent gek,' hoorde hij Sterckx zeggen.

Woensdag, 18u15

Het onverwachte had zich weer aangediend. Zoals verwacht.

Gedurende enkele minuten volgde hij met zijn ogen de figuur die de wand naar het plateau beklom. Hij had de politieman meteen herkend. Zijn naam was Kareem Zeiz. Een bijzondere man, ondanks zijn huidskleur. Hij bezat alles wat die bruine ratten, die tweederangse landverhuizers die het Avondland overspoelden, niet bezaten: intelligentie, doorzettingsvermogen en moed. Jammer dat hij een man van dat kaliber als zijn tegenstander moest beschouwen. In andere omstandigheden hadden ze misschien vrienden kunnen zijn.

Maar een sterke vijand is ook een geschenk.

Hij zag hoe de valk uit zijn nest op de rotsrichel dook, zijn machtige vleugels spreidde en een klaaglijk strijdlied aanhief om de indringer duidelijk te maken dat hij niet welkom was.

Vreemd genoeg voelde hij geen spijt dat het voor hem hier zou eindigen en dat hij de afwerking aan iemand anders moest overlaten. De missie kwam niet in gevaar. Het scenario moest alleen een aanpassing ondergaan.

De haat had hun lichaam en geest vergiftigd. Er was geen weg terug. Hij sloeg een kruisteken, nam zijn gsm en toetste het nummer in.

28

Vanaf het moment dat hij de donkere spelonk binnenkroop, had Zeiz het gevoel dat zijn leven hier ophield en dat hij een voor niet-ingewijden verboden gebied betrad waaruit hij nooit meer zou terugkeren. De heldere, koele schimmelgeur herinnerde hem aan de kruipkelder onder het grote familiehuis in de heuvels van Aïn Draham, waar zijn grootvader zijn dadelwijn bewaarde.

Hij was op handen en voeten achter zijn grootvader aangekropen, vurig biddend: 'Bismillah ir rahman ir rahiem. Alle lof zij Allah, de heer der werelden, meester van de dag des oordeels, u alleen aanbidden wij en u alleen smeken wij om hulp. Leid ons op het rechte pad.' De flikkerende lantaarn die de oude man voor zich uit schoof, tekende abstracte monsters in het gele zand, waaruit op sommige plaatsen water was gesijpeld. Zeiz had zich voorgesteld dat ze zich vlak bij een onderaards meer bevonden, en dat elk moment het water door de mulle muren kon breken en hen overspoelen. Het was allemaal zo lang geleden. Maar de angst voor de duisternis en de verstikking had hem nooit meer verlaten.

En nu was hij alleen. Dit gat, waarlangs hij naar binnen kroop, was uiteraard niet de officiële ingang van de grot. De opening op het plateau, waar hij na zijn klimtocht belandde, was veel groter, maar afgesloten met een hek. Hij vermoedde dat de donkere gang erachter naar het grottenrestaurant leidde. Een korte inspectie van het verroeste ijzer was echter voldoende om vast te stellen dat Moussa niet langs daar naar binnen was gegaan. Zeiz manoeuvreerde zich over de richel naar links. Onderweg ontdekte hij gaten die mogelijk naar de grot voerden, maar die met bakstenen waren dichtgemetseld. Uiteindelijk belandde hij bij de spelonk onder het spandoek van AdventureCave. Tot zijn opluchting was die open. Ondertussen moest hij de aanvallen van een torenvalk pareren. Waarom het dier zo agressief was, begreep hij pas toen hij vlak onder het nest passeerde.

Sterckx stond hem van beneden met een van angst vertrokken gezicht te observeren. Zeiz vroeg hem op de kaart te kijken waar het gat heen voerde.

Het duurde even voordat Sterckx hun positie had bepaald. 'Welk gat?'

vroeg hij. 'Er staan er hier minstens tien op. En ze leiden volgens mij allemaal naar binnen.'

Zeiz belde Pairoux. Die nam meteen op.

'Langs de kant van het kanaal kunt u onmogelijk in de grot geraken,' zei Pairoux.

'Maar er is een gat in de wand,' zei Zeiz.

'Ja, dat is het schijtgat.'

'Het schijtgat?'

'De vroegere arbeiders van de mergelgroeve gebruikten het als toilet. Er waren nog andere gaten, maar die zijn intussen dichtgemetseld. De eigenaar van de grot heeft dat ene gat behouden als luchtkoker. Ik heb hier in mijn archief nog oude foto's liggen van de arbeiders die met hun broek op hun enkels en de billen naar het kanaal gericht hun behoefte zitten te doen.'

Heel even was Zeiz uit het lood geslagen. In zijn geest dook plots het beeld op van de arbeider die in het nieuwe gerechtsgebouw aan het station van Hasselt tijdens het kakken het lijk van Yusuf Hallil had ontdekt. Ratzinger. Zijn volledige getuigenis ontbrak nog altijd in het onderzoek.

'Als u in de grot wilt geraken, heeft u niets aan dat gat,' ging Pairoux verder. 'Het zit onbereikbaar op vijftien of twintig meter hoogte.'

'Maar het voert wel naar binnen?'

'U bent toch niet van plan om daar naar boven te klimmen? Dan moet u goed gek zijn. Trouwens, ik denk niet dat Vliegenaar dat goed zou keuren.'

'Wie is Vliegenaar?'

'Marten Vliegenaar is de uitbater van AdventureCave. Als u wilt, regel ik een afspraak met hem. Hij zal u met plezier ontvangen als hij hoort dat u van de politie bent.'

'Waarom denkt u dat?' vroeg Zeiz.

'Omdat ik hem ken,' zei Pairoux. Hij is een man van law and order, als ik het zo mag zeggen. Denkt u dat we hem moeten waarschuwen?'

'Waarvoor?'

'U vertelde me dat u achter een gevaarlijke crimineel aan zit. Iemand die zich met een motor verplaatst, dat klopt toch? Heeft u hem gevonden?'

Zeiz aarzelde en besloot te liegen. 'Nee, maar we onderzoeken voor alle zekerheid nog even de omgeving en dan gaan we terug naar Hasselt. Die crimineel is blijkbaar langs een andere weg ontsnapt.'

'Niet moeilijk met die mist,' zei Pairoux. 'Maar mag ik u een aanbod doen? Ik ben altijd bereid u een rondleiding in onze grotten te geven. U zult versteld staan van de omvang van onze onderaardse wereld.' Hij lachte. 'Bel me en we maken een afspraak. Die grot van Vliegenaar alleen al is een curiosum. En dan heb ik het niet over het avonturenparcours, dat is immers maar een deel...'

Zeiz onderbrak hem. 'Is Vliegenaar een vriend van u?'

'Niet echt. Maar sinds hij zijn zaak hier startte, vijftien jaar geleden, zien we elkaar geregeld. Zijn grot vormt een vast onderdeel van mijn rondleiding.'

'Hij woont hier?'

'Zijn vaste woonplaats is in Maastricht. Maar de voorkant van de grot heeft hij ingericht als woning. Eenvoudig en sober, zoals het een echte soldaat past.'

Zeiz' adem stokte. 'Hij is militair?'

'Ex-militair. Waarom wilt u dat weten?'

Zeiz deed zijn best om onverschillig te klinken. 'Ik was gewoon even nieuwsgierig,' zei hij. 'Ik ben in een vroeger leven zelf militair geweest, ziet u. Ik neem later inderdaad graag nog contact met u op.'

Hij beëindigde het gesprek en staarde naar beneden. De confrontatie met de hoogte deed hem heel even duizelen en hij greep zich vast aan een scherpe richel. De mist rond het kanaal had zich in een mum van tijd opgelost en heel in de verte zag hij de achtersteven van de kanaalboot die hen enkele minuten geleden nog bijna had geramd.

'Hoelang ben je eigenlijk nog van plan om daar te blijven staan?' riep Sterckx hem toe.

Achter het loket van AdventureCave bevond zich een ruimte die karig was bemeubeld met een houten tafel, een paar stoelen en twee relaxzetels van Ikea. Die laatste herkende Sterckx omdat hij enkele maanden geleden zelf zo'n zetel in de Zweedse winkel was gaan kopen, maar dan een rood exemplaar in plaats van een beige.

Een groot reclamebord verwelkomde hier de bezoeker: 'AVONTUREN ONDER DE GROND. TOUWPARCOURS. OBSTAKELLOOP. KLIMMUREN. DEATHRIDE. SPELEO. ORIENTATIELOOP.'

Toen Zeiz in de grot verdween, stak Sterckx het kanaal weer over en wandelde via de brug naar de voorzijde van de grot, waar de officiële ingang van AdventureCave was. Onderweg schafte hij zich droge kleren aan. Er waren niet veel winkels in het dorpje en bovendien waren die al gesloten, maar met een beetje geluk vond hij een buurtwinkeltje waar de eigenaar, een grijze man in een grijze kiel, nog bezig was zijn etalage op te ruimen. Tussen het allegaartje van gebruiksvoorwerpen vond Sterckx een in vermolmd plastic verpakte, uit baalkatoen vervaardigde overal, die doordrongen was van een mottenballengeur. De kleur was hemelsblauw en de maat was 56. Hij voelde zich een tweederangsclown in een mislukte tragedie en hoopte dat hij zo weinig mogelijk mensen met zijn verschijning zou moeten confronteren.

Hij drukte op de ouderwetse belknop en wachtte. Tot zijn opluchting kwam niemand opdagen. Op de glazen wand van het loket hing een bordje met de tekst: 'Wegens omstandigheden tijdelijk gesloten.' Maar de poort naar de ingang van de grot stond op een kier. En in de woonruimte achter het loket speelde zachtjes een radio.

Sterckx ging naar de poort en duwde die verder open. Een vochtige keldergeur waaide hem tegemoet. Er brandde een zwak licht. Hij kwam tot zijn verbazing terecht in een tien meter hoge hal die in de rotsen was uitgehakt en die de afmetingen had van een basketbalveld. Tegen de muren lagen kleurige stapels materiaal: houten balken, rollen touw, metalen kabels, panelen, klemmen en musketons in alle afmetingen.

Een geruis deed hem opschrikken. Uit de schaduw maakte zich een figuur los, een man van middelbare leeftijd in outdooroutfit. Hij had een dun snorretje en een open blik en monsterde Sterckx geamuseerd van kop tot teen.

'Waarmee kan ik u helpen, jongeman?' vroeg hij.

Aan het accent te horen was de man een Nederlander. De stem was vriendelijk maar dwingend. Sterckx kon zich niet van de indruk ontdoen dat de man die op hem af kwam op zijn hoede was. De krachtige, zelfzekere manier van lopen had iets roofdierachtigs. Om een of andere reden voelde hij dat het zinloos was om een verhaaltje te verzinnen. Hij haalde zijn politiebadge uit zijn zak en stak die voor zich uit, alsof hij zo een naderend gevaar wilde bezweren.

'Nou nou, de politie,' zei de man spottend. 'In disguise, neem ik aan?' Toen Sterckx niet reageerde, ging hij verder, terwijl hij de omgeving afspeurde: 'Ik ben toch niet in een of ander verborgen cameraprogramma terechtgekomen, hoop ik. Hoe dan ook een vreemd toeval. Ik ben Marten Vliegenaar, de eigenaar van deze keet.'

Sterckx stelde zich voor. 'We zijn op zoek naar een man op een zware motorfiets.'

Vliegenaar knikte. 'Een man van het Noord-Afrikaanse type op een Ducati Streetfighter. Klopt dat? Heb nog overwogen om jullie te bellen. Die mooie jongen heeft zich hier bij mij aangemeld.' Hij keek op zijn horloge. 'Een paar uurtjes geleden. Rond een uur of vijf. Hij was op zoek naar de goagrot.' Hij glimlachte bij de vragende blik van Sterckx. 'Nu vraagt u zich af wat een goagrot is, mijnheer Sterckx?'

Sterckx knikte. De man kwam arrogant over, maar maakte een perfect geloofwaardige indruk. Bovendien klopte de timing. Bij het binnenrijden van Kanne was Moussa inderdaad langs AdventureCave gepasseerd. Op het radarscherm van de gps-zender waren korte tussenstops niet altijd duidelijk te zien.

'In een goagrot gaan goafeestjes door,' legde Vliegenaar uit. 'Een soort van houseparty's met veel drugs en drank. Illegaal, trouwens. Niets voor mensen van mijn leeftijd, mij zie je daar dus niet. De meeste grotten zijn afgesloten. Maar ik heb gehoord dat er nog eentje open is langs het kanaal. Die kun je alleen bereiken met een bootje. Maar dat heb ik hem natuurlijk niet gezegd.'

'En u stond op het punt om ons te bellen?' vroeg Sterckx. 'Mag ik u vragen waarom? Gedroeg die motorrijder zich dan verdacht?'

Vliegenaar snoof verachtelijk. 'Ik heb gewoon een hekel aan die illegale feestjes in onze grotten. En ik niet alleen hier in de streek. Die fuivers laten een boel rommel en vuilnis achter. Wist u dat wij op de werelderfgoedlijst van de UNESCO staan?'

Sterckx dacht na. Was Moussa uit de gevangenis ontsnapt om hier te komen fuiven en was hij eerst drugs gaan inkopen in Maastricht? Het leek absurd, maar uit ervaring wist hij dat de werkelijkheid de verbeelding vaak overtrof. Volgens Zeiz' oorspronkelijke theorie hielden de moorden verband met een megadrugdiefstal. Klopte die theorie dan misschien toch?

Moussa was geen kleine garnaal, hij had over veel geld beschikt.

'Welke kant is hij opgereden?' vroeg Sterckx.

Vliegenaar wees naar rechts. 'Ik heb hem de verkeerde kant opgestuurd. Die goagrot zou ergens in de bocht van het kanaal zijn, ergens halverwege de twee bruggen. Sinds wanneer jaagt de Hasseltse politie goafuivers op?'

'Waarom denkt u dat ik van de Hasseltse politie ben?' vroeg Sterckx.

'Uw outfit en uw accent verraden u,' antwoordde Vliegenaar. 'En nu moet u mij verontschuldigen. Ik heb nog het een en ander te doen. Hij grijnsde. 'Ik verwacht namelijk klanten voor een teambuildingsessie. Ik moet zorgen dat mijn marteltuigen in perfecte staat zijn.'

Sterckx zag Vliegenaar in de schaduw van de hal verdwijnen. Hij hoorde een deur dichtvallen. Het duurde even voor hij besefte dat er geen enkel geluid te horen viel. De stilte was akelig perfect. Net op tijd weerstond hij de neiging om Vliegenaar achterna te gaan. Hij tuurde om zich heen in het schemerlicht. Om een onverklaarbare reden had hij het gevoel dat er in de grot camera's geïnstalleerd waren en dat Viegenaar hem observeerde.

Sterckx ging naar buiten, stapte in zijn auto en reed een paar honderd meter in de richting van het dorp, tot voorbij de volgende bocht, waar de witte rotsen overgingen in groene, glooiende weiden. Daar parkeerde hij de auto en wandelde terug. Een akelig vermoeden was tot hem doorgedrongen: de man met wie hij zonet had gesproken was de moordenaar naar wie ze al weken zochten.

Er was nochtans geen reden om dat zelfs maar te vermoeden. Vliegenaar gedroeg zich niet verdacht. Maar hij had een stomme fout gemaakt. Hij had beweerd dat Sterckx met een Hasselts accent sprak. Een bewering die geen steek hield en strikt genomen zelfs beledigend was, want Sterckx was een geboren en getogen Genkenaar en woonde al zijn hele leven in de Genkse wijk Sledderlo, met in zijn achtertuin de Fordfabriek. En daar hadden ze een grondige hekel aan dat bekakte dieventaaltje van de Limburgse hoofdstad.

Maar er was nog iets dat zijn wantrouwen had gewekt. Vliegenaar zei dat hij klanten verwachtte, terwijl op het bordje op de deur stond dat de zaak tijdelijk was gesloten. Bovendien had Sterckx bij het buitengaan de kleine ruimte achter het loket bestudeerd en een foto van de man gezien, in uniform, met blauwe baret.

Het toeval bestond niet, placht Johan Neefs te zeggen. Was Vliegenaar de man die Jawad in de gevangenis had opgezocht?

Aan de rand van het parkeerterrein, tegen de rotsen aangebouwd, stond een metalen loods. De poort was afgesloten met een zwaar hangslot. Maar Sterckx vond een kiertje waarlangs hij naar binnen kon loeren. Er stond een grijze bestelwagen. Er was geen twijfel mogelijk: het was een Mercedes Vito.

Hij nam zijn gsm en tikte het nummer van de Hasseltse recherche in.

Het vreemde was dat plotseling het licht aanging. Dat gebeurde net op het moment dat Zeiz begon te wanhopen. Hij was op de tast doorgedrongen in de grot en realiseerde zich te laat dat hij een zaklamp had moeten meebrengen. Hij had geen benul van de tijd, hij zag geen hand voor ogen, hij wist niet waar hij heen ging en hij wist niet meer waar hij vandaan kwam. Wat had Pairoux ook weer gezegd: elk jaar opnieuw waren er waaghalzen die in de grotten verdwaalden en sommigen overleefden het niet. Enigszins geruststellend was dat Sterckx wist waar hij naar binnen was gekropen en hulp zou roepen als hij niet meer kwam opdagen. Maar de duisternis en het onbekende terrein zadelden hem op met een verpletterende angst. Het gevoel bekroop hem dat er onvoldoende zuurstof was en dat hij misschien zou gaan stikken.

En toen had iemand dus besloten hem te redden en op de schakelaar te duwen. Zo van: wacht, ik help je even, dan ben je vlugger bij mij. Een rilling ging door hem heen. Hij wist nog niet waarom, maar het licht was geen geruststelling.

Zonder het te weten was hij in een immense galerij terechtgekomen. Hij stond aan de voet van een touwenparcours. Een touwladder leidde naar een vijf meter hoger gelegen plateau. De enige manier om uit de galerij te raken was naar het plateau te klimmen en via de touwbrug naar de overzijde te traverseren, naar een hogergelegen doorgang. Er waren verscheidene openingen in de rotswand. Boven de piste was een extra touw gespannen, dat vermoedelijk diende om je te beveiligen met een leeflijn en een musketon. Zeiz haastte zich naar boven. Hij moest het zonder beveiliging doen, maar de onderneming vergde moed noch grote inspanning. De galerij ging over in een volgende galerij, die zo mogelijk nog indrukwekkender was en die grotendeels overspoeld was. Hoe diep het binnenmeer was, viel moeilijk te bepalen. Het traject voerde over paaltjes van ongeveer tien centimeter doorsnede, die boven het water uitstaken. Zeiz rende verder. Er was geen andere weg. Als Moussa hier was, moest ook hij dit traject volgen.

Ergens voor hem klonk een monotoon geruis, dat aanzwol naarmate hij verderging. De oorzaak van het geruis waren twee langgerekte watervallen die in donkere metersdiepe gaten verdwenen. Het waren geen natuurlijke waterlopen en de constructie van de imitatierots had iets kitscherigs. Dan volgde een afdaling langs een loodrechte wand. Het neerstortende water maakte een hels lawaai, dat door de weerkaatsing van de muren pijn deed aan de oren. De death ride was buiten gebruik. Zeiz legde het naar beneden glooiende gladde terrein af in looppas. Eén keer gleed hij uit, maar hij kon zich nog net staande houden. Moussa had een voorsprong van ongeveer twee uur, schatte hij. Ergens moest een einde komen aan het galerijenstelsel. Zeiz kreeg het gevoel dat hij in een goedkoop videospelletje was terechtgekomen. Hij durfde er niet aan te denken dat het licht weer uit zou gaan.

Hij schatte dat er ongeveer een half uur was verstreken sinds ze aan de oever van het kanaal de motorfiets terugvonden. Sterckx zou zich nu aan de ingang van AdventureCave bevinden en heel snel zouden ook de politiediensten ter plaatse zijn. Pas nu besefte Zeiz dat hij onaangekondigd een privé-terrein was binnengedrongen. Als later zou blijken dat Moussa niet de grot was binnengegaan en langs een heel andere weg was ontsnapt, maakte hij zich voor de zoveelste maal belachelijk.

De galerij die hij nu betrad, baadde in een flou licht. De muren waren beschilderd met taferelen die hem deden denken aan de oude tarzanfilms waar zijn grootvader zo verzot op was. Zeiz dacht met weemoed terug aan de zomeravonden in het huis in Aïn Draham waar hij op de oude zwart-wittelevisie naar Johnny Weismüller had gekeken. Zijn grootvader rookte ondertussen zijn waterpijp, die de kamer met een zoete vanillegeur vulde. Zijn gezicht klaarde op als Cheeta ten tonele verscheen.

'Die aap is slimmer dan zijn baasje,' zei de oude man altijd.

Misschien lag het aan het onwerkelijke kinderachtige decor, dat een perverse onschuld uitstraalde en dat zijn aandacht deed verslappen. Toen hij de overkant bereikte, merkte hij het gevaar bijna te laat op. De weg leidde naar boven. Een van bonte grepen voorziene klimmuur, waarvan hij de hoogte op ongeveer vijftien meter schatte, pronkte voor hem. Zonder na te denken klauterde hij naar boven, waar een kunstmatig terrasje naar de volgende

...iz..... ....de. Toen zag hij in een flits Moussa, die in een smalle lage gang
doe... Hij nad ook het wapen herkend dat de man in zijn hand hield: het
was een Glock 17, een 9 mm-pistool dat door de Nederlandse politie werd
gebruikt.

Spontaan tastte Zeiz naar zijn holster. Hij was ongewapend. Hij had zijn
pistool bij Sterckx achtergelaten.

Moussa had hem niet gezien. Gebukt liep Zeiz achter hem aan. De gang
leidde naar een nieuwe open ruimte. Zijn verrassing was groot toen hij daar
aankwam: het was de galerij met het touwenparcours. Hij was dus terug bij
het begin. Tot zijn ontzetting zag hij dat de smalle gang aan de overkant
waarlangs hij de grot binnen was gekomen nu was afgesloten. Iemand had
in de tussentijd het metalen hek van het schijtgat dichtgedaan.

Een akelig vermoeden kwam bij hem op. Hij en Moussa Jawad zaten
gevangen als gladiatoren in een kooi.

29

Toen hij er zeker van was dat Moussa hem niet meer kon horen, liep Zeiz naar het hek. Hij rukte eraan, maar het rammelde vrolijk, alsof het hem uitlachte. Hij bestudeerde het zware smeedwerk. Er was geen mogelijkheid om het te forceren. Zijn laatste twijfels waren verdwenen: het was duidelijk dat Marten Vliegenaar de man was die hij al die weken op de hielen had gezeten. Hij had hem dan nu wel gevonden, maar was tezelfdertijd in het web van deze gevaarlijke gek verstrikt geraakt.

Zeiz ontdekte dat in elke ruimte van het grottenstelsel camera's waren geïnstalleerd, ook in de galerij van het touwenparcours waar hij zich nu bevond. Die camera's hingen daar uiteraard om veiligheidsredenen, namelijk om de gebruikers van het indoorpark in het oog te houden. Maar het betekende ook dat Vliegenaar perfect wist wie zich op dit ogenblik in zijn grot bevond en waar. Hij had Moussa en Zeiz langs het gat naar binnen zien kruipen en hij volgde hen nu op een monitor. Zeiz dacht koortsachtig na. Het was Vliegenaars bedoeling om Moussa te vermoorden. Dat zou voor hem geen probleem vormen, Moussa's komst was gepland. De vraag was hoe hij het onverwachte bezoek van Zeiz in zijn moordscenario zou inpassen.

Zeiz maakte zich geen illusies. De man had niets te verliezen. Hij was ontmaskerd. De politiediensten zouden weldra arriveren. Er bleef hem niets anders over dan Moussa zo snel mogelijk te elimineren. En hij zou ook geen pardon hebben voor Zeiz, nu die in de weg dreigde te lopen.

Het gevaar kwam niet alleen van Vliegenaar. Zeiz had zonet gezien dat Moussa een wapen bij zich droeg. Ook die man zou niet aarzelen geweld te gebruiken tegen iedereen die hem voor de voeten liep. En zelf was Zeiz ongewapend. Zijn enige voordeel was dat de anderen dat niet wisten.

Met tegenzin vervolgde Zeiz zijn tocht, terwijl hij zich het hoofd brak over de situatie waarin hij verzeild was geraakt. Hij moest proberen om de ingang te vinden, misschien maakte hij dan een kans. De ingang moest gecamoufleerd zijn, want hij herinnerde zich niet tijdens zijn tocht door de grot ergens een deur te hebben gezien. En hij moest proberen om uit het zicht van de camera's te blijven. Terwijl hij in horizontale richting over de touwenbrug kroop, speurde hij aandachtig de omgeving af. Hij ontdekte dat de camera's vooral gericht waren op het avonturenparcours zelf. Er waren dus dode hoeken.

En toen ging het licht uit. De stilte die er al die tijd al was geweest, viel nu als een vochtig ruikende deken over hem heen.

Zeiz omklemde in paniek de touwen. Buiten zijn wil om begonnen zijn benen te trillen. Hoe moest hij hier uitraken? Onder hem wachtte een donker gat van minstens vijf meter diep. De meest logische weg was verder te klauteren. Teruggaan was haast onmogelijk. Om van de touwen weer op het platform te komen, moest hij in het duister een sprong van meer dan een meter ver wagen. Had Vliegenaar met opzet gewacht tot Zeiz zich in deze oncomfortabele positie bevond?

Hij nam een besluit. Als hij uit de handen van Vliegenaar en Moussa wilde blijven, moest hij een onverwachte zet doen. Hij haalde diep adem en trok zich op aan de kabel die het touwenparcours met de rots verbond. Tegelijkertijd katapulteerde hij zich terug naar het platform. Het was een gok, de kans dat hij zou slagen was gering, maar tot zijn grote opluchting kwam hij op handen en voeten terecht. Zijn hart klopte zo luid in zijn keel dat het leek alsof de echo ervan door de grot galmde. Het was gelukt. Hij bewoog een hand enkele centimeters naar voren en ontdekte dat hij zich vlak bij de rand bevond. Hij herinnerde zich dat achteraan op het platform een aantal kalksteenblokken opgestapeld stond, overblijfsels vermoedde hij van de werkzaamheden van de mergelkappers. Hij vond ze terug op de tast. De zware blokken stonden ongeveer dertig centimeter van de muur verwijderd. Hij slaagde erin om een paar blokken te verschuiven, zodat een smalle doorgang ontstond. Hij liet zich in het gat glijden en trok met kleine rukjes de blokken weer naar de muur toe. Als hij helemaal rechtop ging staan, kwam hij er nauwelijks bovenuit. Pas toen begon hij zich af te vragen waarom hij in deze artificiële spelonk was weggekropen. Hij kon geen zinnige reden bedenken. Een primitieve reflex tot zelfbehoud, een wanhoopspoging van een in het nauw gedreven dier?

Een stem galmde door de ruimte en deed hem verstijven. Het was een mannenstem met een sterk Hollands accent, die zo luid klonk dat de echo de verstaanbaarheid hinderde. Zeiz vermoedde dat hij zich niet ver van de luidspreker bevond en het duurde even voor hij de woorden kon ontcijferen.

'Ik herhaal,' zei de stem, 'hier volgt een dienstmededeling: in de grotten-galerijen bevinden zich springladingen van elk twee kilogram semtex, die in exact vier minuten en dertig seconden één voor één tot ontploffing zullen worden gebracht. Mag ik u verzoeken zich omwille van uw eigen veiligheid naar de uitgang te begeven.'

Zeiz slikte. De man, ongetwijfeld Vliegenaar, moest gek zijn. Hij had zijn macabere boodschap verpakt in een zakelijke mededeling. Er zat geen greintje gevoel in de woorden. Had hij de waarheid gesproken en zouden ze echt binnen enkele minuten de lucht in vliegen? En waar was de uitgang?

Alsof de man Zeiz' gedachten kon lezen, vervolgde hij: 'De uitgang be-vindt zich in zaal 1, naast de klimmuur.' De stem werd plotseling grimmig: 'Maar ik moet u in alle eerlijkheid opbiechten dat de deur helaas gesloten is. Ik weet dat u toch zult proberen daarlangs te ontsnappen, het is de enige uitweg, misschien slaagt u erin het slot te forceren. Houd er dan alstublieft rekening mee dat u op uw weg daarheen boobytraps zult vinden.'

Zeiz vroeg zich af of dit alles echt was. Maar hij twijfelde niet aan de ernst van de situatie. De man die dit scenario ineen had gestoken, was waan-zinnig en tot alles in staat. Dat vermoeden werd alleen maar bevestigd door het vervolg van de mededeling.

'Het spijt me, mijnheer Zeiz,' ging de zakelijke stem verder, 'maar de spelregels gelden ook voor u. Ik heb u niet uitgenodigd. U bent hier op eigen initiatief. Maar misschien maakt u nog een kans. Als zo meteen het licht aangaat, zult u ontdekken dat u zich in de onmiddellijke nabijheid van mijnheer Jawad bevindt. Schakel hem uit, dan gooi ik u de sleutel toe. Maar u zult snel moeten zijn. Ter informatie: er is nog iets meer dan drie minuten te gaan.'

Vliegenaar ging er dus van uit dat Zeiz zich net als Moussa beneden in de galerij bevond. Zijn laatste woorden hadden vreemd geklonken, alsof ze zich van de luidsprekers hadden afgekeerd en hun normale klank hadden aangenomen. Toen rook Zeiz het zweet. Zijn eerste gedachte was dat het zijn eigen angstzweet was. Maar dat was niet zo, de geur kwam van iemand anders. En die persoon bevond zich vlak bij hem. Als hij zijn hand door de spleet stak, zou hij hem kunnen aanraken.

'U moet geen medelijden hebben met deze man, mijnheer Zeiz,' ging de stem verder. 'Bedenk dat hij u zonder verpinken zou vermoorden. Hij kent zelf ook geen medelijden. Maar hij zal hoe dan ook sterven, net als zijn vrienden voor hem.'

Plots galmde de stem van Moussa door de ruimte: 'Vuile Hollander, *fils de pute*, laat je zien.' Zijn stem sloeg over.

Zeiz hapte naar adem. Het leek alsof er onvoldoende zuurstof in de lucht zat. De enge ruimte achter de kalkblokken, waarin hij verborgen zat, veroorzaakte bij hem een beklemming die zijn hartslag de hoogte in joeg. De ongemakkelijke houding kroop in zijn spieren en knoken.

Vreemd genoeg slaagde hij erin helder te denken. De toestand was ondanks alles simpel. Hij moest zo snel mogelijk in actie komen, de kalkblokken opzij schuiven en Vliegenaar proberen te overmeesteren. Waarom deed hij dat niet? Was het de angst voor de twee mannen, de moordenaar en zijn prooi? Of besefte hij dat een gevecht zinloos was? Zelfs als hij erin slaagde beide mannen uit te schakelen, was zijn lot bezegeld. Er restten hem slechts enkele minuten. Hij zou stikken. Door de explosie zou de grot instorten en hem onder de stenen bedelven. In het beste geval stierf hij meteen. Maar het kon ook anders. De ervaring in de kruipkelder van zijn grootvader kwam weer naar boven. Ook toen was hij verstijfd geweest van de angst geen zuurstof meer te krijgen. Hij herinnerde zich zijn paniekaanval als een regelrechte vernedering. Maar het gevoel te stikken was reëel geweest, ook al was het gevaar inbeelding. Zijn grootvader had op hem ingepraat, rustig, zonder zijn stem te verheffen, als zei hij zijn vrijdaggebed op, terwijl hij Zeiz naar buiten had gesleept.

Daar hadden zijn moeder en zus hen opgewacht, als het ontvangstcomité van een expeditieteam dat met lege handen weer thuiskwam.

'Sta op,' had zijn moeder gezegd, 'en gedraag je als een man.' Ze had de verachting in haar stem niet kunnen verbergen.

'Karrie heeft in zijn broek gepist,' had zijn zusje opgemerkt. Ze droeg een splinternieuw hoofddoek, een kleurloos vod; dat niet bij haar ondeugende snoetje paste en dat waarschijnlijk de keuze van hun moeder was geweest.

De schande voelde hij nu nog. Zijn broek was nat geworden van in de vochtige aarde te liggen, maar hij was niet in staat geweest de vrouwen tegen te spreken.

Zijn moeder had gelijk gehad. Hij was geen echte man, hij was een lafaard.

Verkrampt in zijn stenen gevangenis wachtte hij hier nu het einde af. Hoeveel seconden hadden ze nog? Plotseling besefte hij dat hij zich al die tijd had vergist. Ten onrechte had hij gedacht dat Jisa Kanli in gevaar was. Nu bleek duidelijk dat Moussa Vliegenaars laatste slachtoffer was. Hij had de ene fout op de andere gestapeld. Hij had zelfs getwijfeld aan Moni. Pas toen vaststond dat ze een alibi had, was ze in zijn ogen gezuiverd van elke verdenking. De tranen sprongen in zijn ogen als hij aan haar dacht. Zij hoorden bij elkaar. Maar van zijn droom om met haar een nieuw leven te beginnen, zou niets meer in huis komen. Hij besefte dat dit het einde was. Hij staarde in het duister naar de onzichtbare man die op het punt stond de grot de lucht in te jagen. De eenzame wraakengel had ook deze afrekening tot in de puntjes gepland. Hij had Moussa naar zijn grot gelokt om samen met hem te sterven. Zijn missie was volbracht.

Ook de moordzaak was opgelost. Maar dat zou niets opleveren, bedacht Zeiz. Nog even en iedereen was dood, hijzelf inbegrepen. En hij zou nooit precies weten wat het motief van Vliegenaar was geweest.

Door de spleet tussen de kalkblokken flitste een lichtbundel op. Er klonk een metalen klap, gevolgd door een kreet, die door merg en been ging.

Het licht ging aan. 'Ach, mijnheer Jawad,' zei Vliegenaar op spottende toon, 'bent u de onfortuinlijke?' Leuk dat u het bent en niet mijnheer Zeiz. De simpele boobytraps zijn de venijnigste. Ter informatie, het is een klassieke berenklem. Bespaart u zich alstublieft de moeite, u kunt hem onmogelijk met uw handen openkrijgen.'

Zeiz zag de rug van de spreker. Hij stond inderdaad vlak voor de kalkblokken. Toen de man bewoog, werden het hoekige gezicht, de grijze haren en de snor zichtbaar. Een vertrouwen uitstralende figuur in een blauw uniform was hij. Hij hield iets voor zijn mond. Het was een microfoon.

Toen Zeiz zich oprichtte, zag hij beneden in de galerij Moussa liggen, zijn gezicht vertrokken van de pijn. Blijkbaar zat zijn ene voet vast in de bodem. Hij richtte zijn pistool naar Vliegenaar. Zeiz had geen ruimte om weg te duiken. Hij hoorde de kogels op de rotsen trommelen. De schoten zetten een keten van echo's in werking. Eén kogel was ingeslagen enkele centimeters boven zijn hoofd.

Vliegenaar lachte schamper. 'Idioot. Je draagt een wapen, maar je kunt er niet mee omgaan. Domme Marokkaan, wat kun je eigenlijk wel? Heb je ooit iets geleerd? Mijnheer Zeiz, zie die rat daar liggen. U bent zelf een Noord-Afrikaan, maar u zat wel op het goede spoor. Die minderwaardige soortgenoot van u en zijn vriendjes hadden een hele goede reden om te sterven. Ze moesten worden uitgeroeid. Niet om onze maatschappij tegen hen te beschermen. Het kwaad was namelijk al geschied, ziet u. Ze hadden de maatschappij al onherstelbaar beschadigd.'

Vliegenaar boog het hoofd en barstte in tranen uit.

Jawad schoot nog eens, maar ook die kogel miste zijn doel. Zeiz zag hoe Vliegenaar met zijn mouw de tranen wegveegde en een geweer aan zijn schouder bracht.

'Mijnheer Zeiz, luister goed, er is geen enkele reden waarom u zou sterven. Als u die bruine rat afmaakt, geef ik u nog een kans. Dan gooi ik u de sleutels toe.'

Zeiz voelde zich misselijk worden. De angst verlamde hem. Hij was er zeker van dat Vliegenaar loog. De man was een perfectionist. Door Zeiz in leven te laten zou hij op de valreep zijn missie in gevaar kunnen brengen. Hij zou geen enkel risico lopen en zowel Moussa als Zeiz vermoorden. Of was er nog een andere reden waarom hij loog? Waarom drukte hij niet op de knop en blies hen niet allemaal meteen de lucht in? Plots wist Zeiz wat er aan de hand was. Er was helemaal geen knop waarmee Vliegenaar hen in de lucht kon jagen. En als die er toch was, dan bevond die zich op een andere plaats. Vliegenaar blufte. Moussa neerschieten zou voor hem geen probleem vormen. Vliegenaar was een uitstekende schutter, dat had hij al eerder bewezen. Maar Zeiz had het vermoeden dat hij niet het risico wilde lopen levend in de handen van de politie te vallen. En daarom moest zo snel mogelijk ook die vervelende politieagent uit de weg worden geruimd.

Hij nam een besluit en haalde diep adem. Met al zijn kracht duwde hij de bovenste laag kalkblokken voor zich uit. Wat dat betrof had hij geluk.

Een blok kantelde en viel naar beneden. Vliegenaar slaagde er maar net in het blok te ontwijken door opzij te springen. Het volgende ogenblik duwde Zeiz zich uit zijn schuilplaats omhoog en maakte zich klaar om zich op de man beneden hem te storten.

Maar hij was te laat. Vliegenaar had zijn evenwicht teruggevonden en richtte zijn wapen nu op Zeiz. Zijn gezicht vertoonde geen enkele emotie. De onverwachte wending leek hem niet van zijn stuk te brengen. Een schot daverde door de ruimte. Tot Zeiz' verbazing verloor Vliegenaar zijn evenwicht en viel op zijn knieën. De linkerkant van zijn hals kleurde rood.

Toen begreep Zeiz dat Moussa op Vliegenaar had geschoten en zijn doel had getroffen. Zeiz sprong naar beneden, trok het geweer uit Vliegenaars handen en gooide het in de smalle richel achter de rotsblokken. De man had iets laten vallen, zag hij. In een reflex raapte hij het op. Het was een gsm die hij in zijn zak stak. Een snelle blik op de gewonde man maakte hem duidelijk dat die het bewustzijn had verloren. Het bloed gutste uit de wonde. Maar er was geen tijd om nu eerste hulp te bieden. Moussa schoot niet meer. Zeiz ging ervan uit dat het magazijn van zijn pistool leeg was. Maar de kans was groot dat hij een extra lader bij zich had. Dat betekende dat Zeiz maar enkele seconden had om tot bij hem te komen.

Met doodsverachting wierp Zeiz zich op de touwenconstructie en klauterde met snelle verre sprongen naar beneden. Daar wachtte hem een verrassing. Hij was ervan uitgegaan dat Moussa in een boobytrap was getrapt en geblokkeerd zat en hij wist ook ongeveer waar, maar toen hij zijn voeten op de bodem zette, was Moussa weg. Ze hadden de Marokkaan onderschat. Blijkbaar had hij gesimuleerd dat hij in de boobytrap was vastgeraakt. In een reflex wierp Zeiz zich opzij. Op hetzelfde moment voelde hij iets langs zijn rechteroor zoeven. Een zware slag trof zijn schouder. Toen zag hij Moussa, die zich klaar maakte om de volgende aanval uit te voeren. De geblokte geweldenaar straalde een soort primitieve kracht uit. Hij hield zijn pistool als een hamer met de loop vast en haalde uit. Maar het volgende ogenblik trapte Zeiz het uit zijn hand. Moussa's ogen waren bloeddoorlopen en hij ademde zwaar. Hij is stoned, dacht Zeiz, apestoned. Toen zag hij dat Moussa's linkermotorlaars gehavend was. Er sijpelde bloed uit. De berenklem had hem dan toch gevangen, maar de zware laars had de schade beperkt. Moussa haalde uit met zijn voet, maar zijn aanval eindigde in de lucht. Zeiz voelde de druppels bloed in zijn gezicht spatten toen hij de aanval afweerde. Het was een trap die hij kende, uit het boekje van de karatetrainer Vaes. Met een rauwe kreet stortte Moussa zich op Zeiz. Dat ging dan weer helemaal in tegen de regels van Vaes. Zeiz kon de maaiende vuisten ontwijken en een snelle tegenaanval lanceren. Twee keer trof hij Moussa hard tegen het hoofd. Die leek het nauwelijks te voelen en deed een poging om Zeiz bij de keel te grijpen. Maar ook nu weer was hij niet snel genoeg. Zeiz weerde de hand af, liet hem nog een beetje dichterbij komen en plaatste een perfect getimede elleboogstoot tegen diens kin. Er klonk het droge geluid van brekend bot. Geluidloos stortte Moussa neer. Hij ademde snel en staarde met wijdopen ogen naar Zeiz, alsof diens aanwezigheid hem verbaasde. Het volgende ogenblik draaide Zeiz hem op de rug en deed hem de handboeien om.

Achter hem klonk plotseling een stem. 'Mijn complimenten, mijnheer Zeiz. Voor een Afrikaan gaat u erg efficiënt te werk.'

Zeiz draaide zich om. Enkele meters van hem vandaan stond Vliegenaar tegen de rotswand geleund. Rond zijn hals zat een doek, die doordrenkt was van het bloed. In zijn hand hield hij een doosje dat veel weg had van de afstandsbediening van een televisietoestel. Over een wapen leek hij niet te beschikken.

Vliegenaar lachte schamper en ging verder: 'Maar u bent dan ook geen echte Afrikaan, u bent eigenlijk een Vlaming. Of moet ik zeggen een Belg? Wat zei Julius Caesar ook weer: horum omnium fortissimi sunt Belgae. De Belgen zijn de dappersten onder de Galliërs.'

'U weet hoe het Caesar is vergaan, mijnheer Vliegenaar,' riep Zeiz. 'Laten we deze waanzin stoppen. Het is genoeg geweest.'

Vliegenaar zuchtte diep, wankelde, maar wist zijn evenwicht te herstellen. 'Voor mij is het al te laat, mijnheer Zeiz. Ik ben al gestorven, maanden geleden al. Een viertal kilometer hier vandaan, in het centrum van Maastricht, meer bepaald aan de Zuidkaai.' Hij wees naar Moussa. 'Tweehonderd meter van de weedboot, waar dat varken en zijn handlangers hun portie drugs gingen inkopen.' Zijn stem sloeg over. 'Die zwijnen hebben mijn jongen gemarteld, vermoord. Ze hebben hun vunzige sigaretten op hem uitgedrukt en hem zijn portie patat in het gezicht geduwd.' Hij hapte naar adem. 'Hendrik ging een avondje uit, een onschuldig afspraakje met zijn vriendinnetje. Op de terugweg kwam hij dat tuig tegen.' Vliegenaar kon zijn tranen niet bedwingen. 'Hendrik belde me. Hij vertelde me waar hij was. Zijn gsm stond aan terwijl ze met hem bezig waren... de varkens. Ik heb hem horen sterven.'

'Wat hij u ook heeft aangedaan,' zei Zeiz, 'als u hem laat leven, moet hij voor de rechtbank verschijnen en zal hij zijn straf moeten ondergaan.' Hij moest proberen tijd te winnen. Vliegenaar had zoveel bloed verloren dat hij elk ogenblik het bewustzijn kon verliezen.

Vliegenaar herpakte zich en glimlachte flauw. 'Daarvoor is het te laat. Ik geef u enkele seconden om de grot te verlaten.'

Hij haalde iets uit zijn zak, dat hij Zeiz toewierp. Die ving het op. Het was een sleutel.

'Dat is de sleutel van het hek voor het schijtgat, het gat waarlangs u mijn grot bent binnengekomen. U bent een verstandig man. Dus ga nu.'

'Is Moussa Jawad echt de laatste die moet boeten voor wat hij u heeft aangedaan? Jisa Kanli hoorde ook bij de bende.'

Vliegenaar schudde zijn hoofd. 'U heeft het nog altijd niet begrepen, mijnheer Zeiz. Ik ben niet een van uw domme boefjes. Ik ben een soldaat. Ik weet wat mijn opdracht is en ik voer die uit. Iedereen heeft zijn taak. U heeft zich uitstekend van die van u gekweten.' Hij lachte wrang. 'Mijn dank voor uw medewerking. Maar mijn opdracht eindigt hier. En maak nu dat u hier weg bent.' Hij richtte het doosje naar boven.

Zeiz week achteruit. Op hetzelfde ogenblik stond Moussa op en strompelde achter Zeiz aan. Een plotse beving, die door de grot voer, gaf aan dat Vliegenaar niet had gewacht tot Zeiz weg was, maar zijn dreigement meteen ten uitvoer had gebracht. Zeiz rende nu. Heel even keek hij achterom. Moussa volgde hem nog altijd met de handen op de rug gebonden, zijn gezicht vertrokken van de angst. In een flits zag Zeiz de rotswand breken en over Vliegenaar heen storten. Het web van touwen verhinderde dat Zeiz en Jawad werden getroffen door de brokstukken die door de explosie naar binnen werden geblazen. De luchtverplaatsing stuwde hen vooruit. Er klonk geen knal, er was helemaal geen geluid meer. En het licht ging uit. Zeiz voelde hoe een droge dikke massa zijn lichaam binnendrong langs mond en neus.

Zeiz droeg het masker van de dood. Zijn ziel was door de vrouwen in schone doeken gewikkeld. Daar was de afgrond, het einde van de wereld, met beneden de weg van het water, die het levende met het levenloze verbond. Ze sleepten hem ernaartoe. Zijn huid schuurde over de rotsbodem.

'Tijd voor het gebed,' riep zijn grootvader.

'Oh Allah, Heer der werelden, Meester van de dag des oordeels, leid mij op het rechte pad, het pad aan wie gij uw gunsten hebt verleend, niet dat van hen op wie uw toorn is nedergedaald.'

Iemand gaf hem een klap in het gezicht.

'Allah schiep de dood en het leven voor u, om u te beproeven.'

De telefoon ging. Met veel moeite slaagde hij erin de gsm uit zijn zak te prutsen en hem aan zijn oor te brengen. Eerst hoorde hij niets, toen hoorde hij een stem die 'hallo' prevelde. Het was een vrouw, ze bevond zich in de moskee, in het vertrek van de vrouwen achter het zware gordijn. Ze praatte zacht om het gebed niet te storen. Er zat sleet op zijn reacties, alles kwam met vertraging. Met een schok realiseerde hij zich dat het de stem van Moni was. Wat had Moni te zoeken in een moskee? Hij wilde het haar vragen, maar er was iets dat hem het spreken belette. Het masker van de dood zat in de weg. Het voelde aan als rubber. Hij rukte het van zijn gezicht.

Maar toen was ze weg, de verbinding was verbroken.

Toen hij zijn ogen opendeed, wist hij dat hij nog leefde. Iemand boog zich over hem heen en grijnsde breed.

'Wakker worden, Bruine Bever!'

Het was de duivel in zijn ouderwetse juten pak, die in de gedaante van Sterckx aan hem was verschenen.

30

Toen Zeiz Kanne verliet, kon hij zich niet meteen herinneren wat er tijdens die laatste seconden in de droommoskee was gebeurd. Er was iets op het randje van zijn geheugen blijven liggen, iets dat belangrijker was dan al het andere en dat dringend geregeld moest worden. Alsof het drama dat zich had voltrokken maar een voorhoedegevecht was geweest. Uiteindelijk slaagde hij erin het gepieker uit te schakelen. Met een wrang gevoel realiseerde hij zich dat Cathy gelijk had gehad toen ze hem had verweten dat hij de speciale gave had om nooit tevreden te zijn en niet in staat was om echt gelukkig te worden.

Waarom kon hij zichzelf niet een beetje trots gunnen? Het was zijn spoor geweest dat hen naar het succes had gevoerd. Ze hadden de moordenaar gevonden. De zaak was opgelost. En hij leefde nog. Behalve een dof gevoel achter zijn trommelvliezen en een pijnlijke schouder had hij geen letsels overgehouden aan het avontuur.

Het was nochtans een dubbeltje op zijn kant geweest. Vliegenaar had in de verschillende galerijen springladingen geplaatst, die gelijktijdig tot ontploffing waren gebracht. De galerij waar Zeiz zich bevond, was niet volledig ingestort, zodat hij het schijtgat had kunnen bereiken. De sleutel die Vliegenaar hem had toegeworpen, had hij niet hoeven te gebruiken, want Sterckx en enkele andere agenten waren erin geslaagd het slot van het hek te forceren. Zeiz had meteen zuurstof toegediend gekregen. Maar dat was een overbodige maatregel gebleken, hij was alleen een beetje bevangen van de explosie en het stof. Moussa had minder geluk gehad. In zijn rush, met de handen op de rug, naar het andere einde van de grot, was er een rotsblok op hem neergestort en dat had enkele ruggenwervels verbrijzeld. Hij was meteen met de ambulance weggevoerd.

Naar Vliegenaar werd nog gezocht, maar de kans dat ze hem levend zouden terugvinden was zo goed als onbestaande. De Nederlander had het einde zo gepland, daar gingen ze vanuit. Hij was vrijwillig de dood in gestapt.

Commissaris Kosse van de Maastrichtse recherche had Marten Vliegenaar doorgelicht en snel de link met Oscar Hein gevonden. Vliegenaar was in 1995 bataljonscommandant geweest in het Nederlandse regiment blauwhelmen in Bosnië. Ook Hein was daar gelegerd geweest, als verbindingsonderofficier. Hein en Vliegenaar waren na hun gedwongen repatriëring vrienden geworden. Ze hadden beiden ontslag genomen uit het leger toen de omvang van de genocide in Srebrenica duidelijk werd.

Hoe Vliegenaar aan Heins identiteitskaart was geraakt, bleef onduidelijk.

Kosse had Vliegenaars privéleven uitgepluisd. De man was weduwnaar, zijn vrouw Jennie was enkele jaren voordien aan kanker overleden. Kosse had ook de dramatische gebeurtenis in het leven van Vliegenaar ontdekt, die het motief leverde voor de moorden. Vliegenaars zoon, Hendrik, was in de nacht van 7 december 2010 het slachtoffer geworden van een aanranding in het centrum van Maastricht. Hij werd door onbekenden in elkaar geslagen en mishandeld en was ter plaatse aan zijn verwondingen overleden. Vliegenaar, die door zijn zoon was opgebeld, kwam te laat. Kosse ging ervan uit dat hij bij het levenloze lichaam van zijn zoon de portefeuille van Yusuf Hallil had gevonden. In plaats van de politie in te schakelen, had hij het recht in eigen handen genomen en de moordenaars van zijn zoon berecht. De mayonaise waarmee hij zijn slachtoffers had ingesmeerd verwees naar de fritessaus op het gezicht van Hendrik. De beulen hadden de jongen voor de fun het bakje frieten in zijn gezicht geduwd. Alle puzzelstukjes vielen op hun plaats. Vliegenaar was een Einzelgänger. Niets wees erop dat hij van iemand anders steun had gekregen. Timmy Meus, alias de Viking, was enkel ingehuurd om de dreigmails te versturen.

Hoofdcommissaris Vanderweyden had de voltallige rechercheploeg opgevorderd aanwezig te zijn op de evaluatievergadering. Die zou na het afsluiten van het plaatselijke onderzoek doorgaan in het ontmoetingscentrum van Kanne, dat voor de gelegenheid werd ingericht als coördinatiecentrum. Ook leden van de Nederlandse recherche zouden daarbij aanwezig zijn. Later op de avond zou er een persconferentie plaatsvinden.

Coördinerend commissaris Alexander Lambrusco was opeens uit de coulissen te voorschijn gekomen, met aan zijn zijde het woordmeisje, in een kort geruit lolitajurkje, speciaal om 'zijn' politieagenten in dit finale moment van het moordonderzoek bij te staan. Hierbij etaleerde hij ook zijn bijzondere talent om op te duiken in het vizier van de televisiecamera's. Zeiz had zich door hem laten verrassen. Lambrusco had onverhoeds zijn hand gegrepen en hem uit de grond van zijn hart gefeliciteerd met het uitstekende werk.

Alsof wat gebeurd was eenvoudig onder de mat kon worden geschoven en ze nu vrienden voor het leven waren geworden. En daar misschien zelf nog in dienden te geloven ook.

Waarop Zeiz had besloten te verdwijnen. Hij waste zijn handen grondig, borstelde het zand min of meer van zich af en perste het stof uit zijn neus.

Daarna stapte hij in de auto. De gedachte aan Moni liet hem niet meer los. Zijn geliefde wachtte op hem. Hij mocht geen tijd meer verliezen.

Het was een prachtige lenteavond toen hij naar Voeren reed. Er waren amper drie uren voorbijgegaan sinds hij door het schijtgat in de grot van Vliegenaar was gekropen, maar het leek een eeuwigheid geleden. Een staalblauwe hemel hing boven het eindeloos glooiende landschap van weiden en velden. Hij had Moni proberen te bellen, maar ze had niet opgenomen. Hij veronderstelde dat ze nog in het verzorgingstehuis bij haar moeder was en hij had besloten naar haar toe te rijden.

Maar een plotse ingeving deed hem langs de kant van de weg stoppen. Hij haalde uit zijn zak de gsm die Vliegenaar in de grot was verloren. Door de explosie en de drukte erna was hij die helemaal vergeten. Het was een Nokia, precies hetzelfde, intussen ouderwetse model dat hij zijn vader jaren geleden cadeau had gedaan. Hij checkte de binnengekomen oproepen. Er was een laatste oproep geweest om tien over zeven. Dat was op het moment dat hij uit de grot werd geëvacueerd. Nu herinnerde hij het zich weer: hij had het apparaat uit zijn zak gehaald en de oproep beantwoord. Dat was dus geen inbeelding geweest. En hij had gedroomd dat hij Moni's stem had gehoord. Maar dat kon natuurlijk niet waar zijn. Het idee was gewoon absurd. Wat was er dan in werkelijkheid aan de hand? De beller had geen nummer achtergelaten. Hij overliep het telefoongeheugen. Vliegenaar had om vijf voor zes zijn laatste telefoontje gepleegd. Zeiz probeerde het nummer. Niemand nam op, de beltoon ging over in een mysterieus geruis.

Hij sloot de ogen. Een grondig onderzoek van alle nummers in het telefoongeheugen zou iets kunnen opleveren, maar daarvoor was er nu geen tijd.

Hij belde via de autotelefoon naar Sterckx. Het duurde even voor die opnam.

Tussen vlagen muziek door klonk een stem. 'Kareem, ouwe jongen, waar ben je?' vroeg Sterckx. 'We missen je hier.'

'Waar zit jij? Op café?'

'Nee, maar het scheelt niet veel,' grinnikte Sterckx. 'We bivakkeren met de hele ploeg in ontmoetingscentrum "Onder de kerk". Gezellig, ik heb al aan Vanderweyden voorgesteld om ons hoofdkwartier naar hier te verhuizen. De lucht is hier gezonder.'

'Heb je gedronken?'

'De bar is inderdaad ook open. Mag dat niet? De ramadan is voorbij.'

'Zijn jullie online? Je weet dat Moni's moeder in een verzorgingstehuis in Voeren verblijft. Zoek uit welk tehuis, neem contact op en kijk of Moni daar is. Bel me terug. Haast je, het is dringend.'

Zeiz verbrak de verbinding. Hij startte de wagen en reed terug naar het kruispunt waar hij vandaan kwam. Daar wachtte hij langs de kant van de weg.

Even later belde Sterckx. 'Jouw Moni is op dit ogenblik niet in Voeren,' wist hij te melden. 'Haar moeder woont in rusthuis De Heilige Familie. Of beter gezegd: woonde. In de nacht van zondag op maandag is ze overleden.'

Zeiz hapte naar adem. 'Dat is vreemd,' zei hij. 'Maandagmorgen heeft Moni me gebeld. Ze was toen bij Jisa Kanli in het ziekenhuis. Maar ze heeft me niet gezegd dat haar moeder was overleden. En vandaag nog, toen we in Kanne aankwamen, sms'te ze dat ze in Voeren was en dat het slecht ging met haar moeder.'

Sterckx floot tussen zijn tanden. 'Ze heeft dus tegen jou gelogen,' zei hij. 'Waarom?'

'Ik ga terug naar Hasselt,' zei Zeiz en hij verbrak de verbinding.

Zijn besluit stond vast. Hij draaide de wagen en volgde de wegwijzer richting Hasselt. Hij reed over een verlaten weg, die kaarsrecht door het landschap sneed. De zon was net achter de horizon verdwenen. De gloed bleef nog even over de velden en weiden hangen. Hij moest zo snel mogelijk naar Hasselt terugkeren. Het drama was nog niet voorbij, dat wist hij plotseling heel zeker.

Alles draaide om informatie, dat was hij uit het oog verloren. Vliegenaar had zijn slachtoffers immers niet op een presenteerblaadje gekregen. Yusuf had hij bij verrassing kunnen grijpen, maar de anderen had hij moeten zoeken, voordat de politie hen vond. En iemand had hem daarbij geholpen. Zeiz voelde een rilling door zich heen gaan. Wat had Vliegenaar ook weer tegen hem gezegd? 'Bedankt voor de medewerking, mijnheer Zeiz.' En even daarvoor: 'Iedereen heeft zijn taak.'

De politiebewaking van Jisa Kanli mocht niet worden opgeheven, besefte hij. Als zijn vermoeden klopte, was de jongen in groot gevaar.

Op dat ogenblik ging de autotelefoon weer. Het was Sterckx. 'Ik heb nagelezen wat Vannuffel over Monica Desutter heeft ontdekt. Haar alibi's lijken in orde. Maar ik ben op een vreemde toevalligheid gestoten. Weet je met welke kata zij in 1996 Europees kampioene karate werd? Meikyo. Dat is de schuilnaam van de mysterieuze onbekende met wie White Revenge op het forum Noorderlicht heeft gechat.'

Zeiz antwoordde niet. Ondanks zijn vermoeden drong wat zijn collega net had verteld maar langzaam tot hem door.

'Ik heb haar signalement doorgegeven,' ging Sterckx verder. 'En voor alle zekerheid ook nog eens dat van Walter Vaes. Zelf vertrek ik nu naar het Virga-Jesseziekenhuis. Eefje is bij me.'

'Jisa Kanli...' begon Zeiz.

'Heb ik al voor gebeld,' onderbrak Sterckx hem. 'De bewaking was opgezegd, maar Das heeft een combi met drie agenten gestuurd. En Vonck is onderweg. Ook het ziekenhuis is gewaarschuwd. Dus laten we bidden.'

Terwijl hij verder reed zonder te weten waar hij zich precies bevond, moest Zeiz denken aan zijn jonge collega, die ook nu weer bewees dat je op cruciale momenten op hem kon rekenen. Adam Sterckx was een uitstekende politieagent. Soms gaf hij ook het gevoel een vriend te zijn. Maar was dat wel zo?

De zon was weg en een schaduw trok over het land. Ergens achter hem flitste een controlecamera. Hij vloekte en duwde het gaspedaal nog wat dieper in.

De contouren van het monsterlijke drama werden almaar duidelijker. Moni had hem niet alleen belogen. Ze had hem ook misbruikt. Met voorbedachten rade had ze haar web rond hem gesponnen. En hij was met zijn verliefde ogen in de val gelopen. Al die tijd had ze over zijn schouder meegekeken als hij zijn theorieën en plannen in zijn rode boekje noteerde. Ze had met haar charme Rahia ingepalmd en haar kostbare informatie ontfutseld, die ze niet aan hem maar aan Vliegenaar had doorgespeeld. Zo was het gegaan. Zij was het die Vliegenaar op het spoor van Rayan en Anwar had gezet. Zij had hem naar Houthalen en Elsene geloodst. Had zij ook dat uniform gestolen?

Zeiz had de tekens niet herkend, ook niet toen Sterckx hem erop had gewezen. Moni had niet gepast in het profiel van de moordenaar dat hij had uitgetekend. Eén ding stond vast: het onderzoek naar haar alibi moest worden overgedaan. En wat was de rol van Walter Vaes? Was hij medeplichtig of tenminste op de hoogte geweest?

Een haast ondraaglijke woede maakte zich van hem meester. Hoe blind had hij kunnen zijn? Hij was verliefd geweest. Na Cathy had hij ook Moni blindelings vertrouwd. Maar ook zij had hem bedrogen. De verbittering maakte hem radeloos. Wie kon hij nog vertrouwen? Misschien was het zijn lot om, zoals zijn vader, gekwetst en eenzaam achter te blijven.

Agenten in uniform wachtten hem op bij de ingang van het ziekenhuis. Een jonge agent, die hij nog nooit eerder had gezien, rende met hem langs de trap naar boven. Wat er precies was gebeurd, wist de jongeman niet. Maar er waren schoten gevallen en de volledige verdieping waar Jisa Kanli lag, was geëvacueerd en afgesloten. De liften waren geblokkeerd. Buiten adem bereikten ze de achtste verdieping.

De eerste die Zeiz zag was hoofdinspecteur van de lokale politie Louis Das, die met getrokken wapen en een getergde blik tegen de muur leunde, als een soldaat die de oorlog grondig beu is. De deur van kamer 808 was open. In de deuropening stond de versteende figuur van commissaris Vonck van de Tactische Interventiegroep. Alleen zijn kaken bewogen, hij kauwde op iets. Hij hield de armen voor zich uitgestrekt, naar de kamer gericht. Zijn handen omklemden een pistool. Vanuit zijn ooghoeken loerde hij naar Zeiz.

Toen Zeiz voorzichtig naar voren stapte, zag hij Moni staan. Ze leek hem en Vonck niet op te merken. Ze bevond zich aan het voeteneinde van een bed en hield ook een pistool vast, dat ze op iemand richtte. Met een schok herkende Zeiz Rahia, die geknield op het bed zat en met haar lichaam een andere persoon beschermde. Het duurde even voor Zeiz de angstig in elkaar gedoken figuur herkende. Het was Jisa Kanli. Naast het bed lag Mustafa, Jisa's vader, zijn hemd was doordrenkt van het bloed. Hij leefde nog, maar staarde in shock naar de gewapende vrouw.

'Ze dwongen me om toe te kijken,' riep Jisa, zijn gezicht verborgen achter Rahia's rug. Hij herhaalde deze zin eindeloos, als een mantra.

Niemand was van plan hem te onderbreken. Ze keken allemaal naar Moni en hielden hun adem in.

Ze bewoog zich langzaam achterwaarts naar het open raam toe, terwijl haar pistool op Rahia gericht bleef. Haar bewegingen waren ingetogen, als in een slow die ze met zichzelf danste. En ze lachte geluidloos. Zeiz had haar altijd nog mooier gevonden als ze lachte. Het was geen theater dat ze opvoerde, ze was echt gelukkig.

Misschien is dat nog het ergste, bedacht Zeiz, die overtuigde glimlach van gelukzaligheid op haar gezicht.

Woensdag, 20u40

Ze wist wat haar te doen stond.

Om vijf voor zes was zijn laatste bericht gekomen: 'HET IS VOORBIJ VOOR MIJ. DOE WAT JE MOET DOEN. AJU VRIENDIN'. Marten schreef zijn sms'jes altijd in hoofdletters.

Het was ook voorbij voor haar. De herinnering deed haar huiveren. Ze had Yusuf en Tarik geslacht als varkens. Wat had ze verwacht, dat hun bloed haar pijn zou verzachten?

Maar deze jongen zou ze in leven laten. Misschien was ook dat gerechtigheid.

Sorry, Marten, ik kan het niet meer.

Nochtans was dit één van de plaatsen die ze samen hadden 'gescreend', zoals Marten dat noemde.

Ze wist wat de mogelijkheden waren. Het venster ging open.

Dat had ze van hem geleerd: het verwachte voorbereiden, het onverwachte respecteren.

Ze moest denken aan die keer toen ze voor de fun met hem was gaan parachutespringen in Zeeland. Toen waren hun plannen nog vaag geweest.

Maar de kiem was er al. De kiem van de haat, die zich in hun geesten en lichamen had genesteld. Daaraan hadden ze elkaar herkend.

Hij was de enige man in haar leven geweest van wie ze niets te vrezen had. Hij was niet geïnteresseerd in seks, zei hij. Niet meer. En daar hield hij zich aan. Misschien kwam hij van een andere planeet.

Hij was de enige aan wie ze ooit had verteld wat die bruine varkens met haar hadden gedaan, met hun penissen en hun schroevendraaiers. Hoe ze in haar hadden gekerfd. Hoe ze haar onherstelbaar hadden beschadigd. Zoals hun minderwaardige werkstukken in het werkhuis. Alsof ze geen mens was, maar een ding zonder ziel.

Ze hadden van haar een mens zonder ziel gemaakt.

Dat had ze Marten verteld, zodat hij begreep waarom ze zo tekeer was gegaan met het mes. Waarom ze hen moest aandoen wat ze haar hadden aangedaan. Oog om oog, tand om tand.

Maar hij begreep haar ook zo. Hij zei: een soldaat heeft altijd een opdracht en een mes bij zich.

Ach Marten, jij met je eeuwige spreuken!

328

Ze hadden een vrije valsprong gedaan. Zij had gebeefd over haar hele lichaam. Maar hij had haar over de angst heen geholpen. 'Angst is slechts een symptoom, geen motief,' had hij gezegd.

Ooit hield ze van dat soort mannen. Gevoelige macho's zoals die bruine politieman die als dat nodig is hun verstand op nul kunnen zetten.

Kareem!

'Kijk,' riep ze hem toe, 'ik kan het nog.'

Ze stapte op de vensterbank. De stad pronkte met zichzelf als een neergestorte sterrenhemel. Hoog boven al het andere uit torende het nieuwe gerechtsgebouw. Er woonde nog niemand, maar alle lichten waren al aan.

Voor wie bouwen ze dat? wilde Marten weten.

Voor de verzamelde blinden, doven en stommen? Voor de schurken en de goddelozen?

Achter zich hoorde ze geroep. Stemmen in koor. Van wie?

Ze lachte. Ze keek niet meer achterom.

Ze spreidde haar armen boven haar hoofd, zoals ze het van Marten had geleerd. Het vergt enige kracht om dat vol te houden, om niet als een bal gehakt naar beneden te suizen. Maar schreeuwen helpt, dat had ze dan weer van Walter geleerd. Ki ai. Energie en doel zijn één.

Zo.

Toen sprong ze.

Iemand had het licht uitgedaan. Het geluid was ook afgezet. De ruimte was geen werkelijkheid meer.

Het gevoel volkomen vrij te zijn.

Waarom had ze daar niet eerder aan gedacht?

31

Het gegorgel dat diep uit de aarde leek te komen deed Zeiz denken aan de hoest van zijn grootvader als die te lang aan de waterpijp had gehangen. De trein van elf uur naar Brussel was net vertrokken. Zeiz stond aan de tapkast van het stationsbuffet zijn cappuccino te drinken en keek naar buiten. Pema wachtte in de auto die voor het raam op een taxistandplaats stond, met het bordje 'POLITIE' op het dashboard. Ze hield niet van cafés, had ze gezegd. Onbevangen staarde ze voor zich uit, als een hondje dat op een commando van haar baasje wacht om weer in beweging te komen.

Haar asielaanvraag was afgewezen. Ze had zijn vader ontmoet toen die in de flat van Zeiz aan het klussen was. Ze waren in gesprek geraakt en hij had zijn hulp aangeboden. Daarmee bedoelde hij natuurlijk zijn politieke vrienden. Zeiz had de indruk dat Pema met het voorstel had ingestemd, al twijfelde hij eraan of ze volledig had begrepen wat de bedoeling van deze onderneming was. Ze gaf de indruk dat ze alles accepteerde, zolang haar uitwijzing maar op de lange baan werd geschoven.

Zeiz' vader had het plan opgevat om naar een 1 mei-drink te gaan in Café Germinal, waar hij Pema wilde voorstellen aan 'mensen met invloed'.

De oude man had hem na het ochtendjournaal gebeld. Zeiz had met tegenzin ingestemd om als chauffeur te fungeren. Hij troostte zich met de gedachte dat hij een arme Tibetaanse van de deportatie redde.

'Ze hebben de moordenaar,' wist de oude man ook nog te vertellen. 'Maar dat wist je misschien al. Dankzij de Brusselse en de Maastrichtse politie.'

'Wij waren er ook bij,' zei Zeiz.

Over de rol van Moni in de moordzaak hadden ze maar even gepraat. Ze hadden beiden hun ongeloof en verbijstering uitgedrukt en er verder over gezwegen. Alsof ze zich schaamden en er dus maar beter meteen een taboe van maakten. Zeiz besefte eens te meer hoe emotioneel gehandicapt hij en zijn vader waren, niet in staat om te praten over het persoonlijke drama dat hen beiden had getroffen. Ze hadden Moni vertrouwd, elk op hun manier zelfs van haar gehouden, ze hadden haar in hun eenzamemannenlevens binnengehaald en zich aan haar warmhartige vriendschap vastgeklampt. Maar zij had hen van meet af aan bedrogen.

Nu veroordeelden ze elkaar ertoe die zware slag elk in hun eentje te verwerken. Als vanouds. Want vreemd genoeg voelde Zeiz geen behoefte om die patstelling te doorbreken, hoe zwaar deze teleurstelling ook voor hem was. Zo was hij opgegroeid. Het was nooit anders geweest.

Zeiz betaalde zijn cappuccino en verliet het stationsbuffet. Toen hij naar zijn wagen liep onthaalden de taxichauffeurs hem op een claxonconcert. Ze ergerden zich er natuurlijk aan dat hij één van hun standplaatsen in beslag had genomen. Onaangedaan wenkte hij terug. Pema zei de hele rit niets.

Hij was haar gaan oppikken na de dienstbespreking op het commissariaat.

Zijn collega's hadden goudviskiller Vannuffel genegeerd toen hij weer begonnen was over Zeiz' vermeende relatie met Monica Desutter. De commissaris werd niet meer ernstig genomen. Behalve Sterckx kon niemand vermoeden dat Zeiz al die tijd ongewild het lek was geweest. Inspecteur Roger Daniëls was erin geslaagd om met behulp van Brusselse experten het chatverkeer tussen Meikyo en White Revenge op de extreemrechtse site Noorderlicht bloot te leggen. Het was duidelijk dat Meikyo de schuilnaam was van Monica Desutter, en White Revenge die van Marten Vliegenaar. Uit hun openhartige mailverkeer bleek dat ze elkaar hadden gevonden in de haat, als gevolg van het onrecht dat hen was aangedaan. Ze hadden elkaar een eerste keer ontmoet in de dojo van Walter Vaes. Uit het onderzoek bleek voorts dat Vliegenaar de moorden op Rayan en Baraka op zijn geweten had. Hij had Yusuf en Tarik ontvoerd en naar zijn grot in Kanne gebracht, waar ze door Monica Desutter waren gemarteld. Beide jongens waren naar Hasselt teruggebracht om daar te worden afgemaakt.

Dat het zijn Moni was geweest die de jongens had gemarteld, had Zeiz met ontzetting geslagen.

Het was verbijsterend voor hem om vast te stellen hoe weinig hij van haar wist. En ook hoe weinig moeite hij had gedaan om meer over haar te weten te komen. Ze was enig kind, dat wist hij, en ze had haar vader op vijfjarige leeftijd verloren. Nu hoorde hij dat haar vader zelfmoord had gepleegd. Volgens de psychologe, bij wie Moni in therapie was gegaan na de verkrachting, leed ze aan een posttraumatisch stresssyndroom. Ze was een onherstelbaar gekwetste ziel. Al zijn pogingen om haar vertrouwen te winnen waren tot mislukken gedoemd geweest. Hij was een illusie achterna gerend. Blijkbaar was het zijn lot om op de verkeerde vrouwen verliefd te worden.

Walter Vaes bleef onvindbaar. Het gerucht deed de ronde dat hij in zijn eentje in het natuurgebied Hoge Venen kampeerde 'om zich te herbronnen'. Het was wachten tot hij weer opdook. Maar voor de speurders vormde hij geen prioriteit meer. Er waren geen aanwijzingen dat hij betrokken was bij de moorden.

Zeiz had zijn verslag van de gebeurtenissen van de vorige dag en de finale synthese van het onderzoek 's nachts geschreven en naar zijn collega's doorgemaild.

De rest van de dag had hij vrijgenomen. De persconferentie in Hasselt, die naar verwacht zou worden bijgewoond door de internationale pers, moest maar zonder hem gebeuren. En voor de drink in het commissariaat, aangeboden door coördinerend commissaris Lambrusco, om het succesvolle moordonderzoek te vieren, had hij ook bedankt. Terwijl hij de auto door het slome verkeer loodste, realiseerde hij zich dat hij bijna dertig uren niet had geslapen. Toch voelde hij zich niet moe. De wereld openbaarde zich aan hem in een langzamer wordende herhaling van rituele handelingen.

Terwijl Pema in de auto wachtte, ging Zeiz zijn vader ophalen. Hij trof hem aan voor de televisie in zijn regulier uitgangstenue, een afgedragen seventieskostuum, dat hij in zijn jonge jaren van Gerry Rafferty had afgekeken. Hij was naar een curlingwedstrijd aan het kijken.

'Ik kom uit een tijd dat afspraken nog heilig waren,' begroette hij Zeiz. 'Maar ik heb me voorgenomen daar niet meer over te zeuren.'

Zeiz antwoordde niet. Hij was er zeker van dat ze om halftwaalf hadden afgesproken, en het was nog maar tien voor halftwaalf. Maar misschien brachten die tien minuten dat hij te vroeg was zijn vader in verwarring en kon hij voortaan beter net iets te laat komen.

De oude man wees naar het scherm. 'Het voordeel is dat ik zo die laatste stone niet hoef te missen. Let op, Lincoln maakt van elke shot een kunstwerk.'

Zeiz keek. Een man gekleed in een ouderwets polotruitje en lange broek met frontale vouw lanceerde een rode schijf over de ijsbaan, terwijl aan de zijlijn een identiek uitgedoste man aanwijzingen stond te roepen. Twee andere klonen achtervolgden de steen, terwijl ze met een borsteltje onzichtbare hindernissen wegveegden. De rode schijf raakte een blauwe schijf, die op zijn beurt weer een andere schijf raakte, enzovoorts. Het resultaat was dat de verzameling schijven op het ijs een volstrekt andere constellatie kreeg. Het publiek rond de ijsbaan barstte in gejuich los. De presentator stootte onverstaanbare kreten uit. De spelers begonnen aan een wilde dans op het ijs.

Zeiz' vader sprong op en verklaarde: 'De Zweden hebben de beker binnen.' Daarna draaide hij zich om. Zijn gezicht betrok toen hij Zeiz zag.

'Aha, ben je eindelijk hier,' zei hij.

Ze reden over de Groene Boulevard. Er was geen file. De stad ademde verveling uit. Toch hadden weer verrassend veel mensen de moeite genomen om de etalages van de gesloten winkels te komen bewonderen. Misschien hoopten ze alsnog op een wonder om ergens een deur open te vinden.

Het viel Zeiz op dat na al die jaren in café Germinal nog niets was veranderd. Althans, dat was de indruk die werd gewekt. Belangrijke en minder belangrijke partijbonzen verbroederden in het ongezellige stamcafé, waar een pint bier maar de helft kostte van wat gangbaar was in de stad. Status mocht geen criterium zijn. Rijk of arm, machtig of behoeftig, iedereen dronk hetzelfde goedkope bier en at dezelfde kleffe sandwiches. Kortom, het klassieke hypocriete sfeertje, stelde Zeiz vast.

De opgeloste moordzaak beheerste de gesprekken. Op een groot scherm werd de persconferentie van de Hasseltse politie rechtstreeks uitgezonden. Eerst gaf het woordmeisje in haar ontwapenende stijl een vaag maar verrassend fris overzicht van de finale gebeurtenissen. Daarna was er een interview met commissaris Vannuffel, die werd gepresenteerd als 'onderzoeksleider'. Op de vraag hoe ze uiteindelijk het juiste spoor hadden gevonden, antwoordde Vannuffel minzaam glimlachend: 'Intuïtie.'

De nieuwsuitzending bevroor met het beeld van de zwaarlijvige held die het magische woord uitsprak.

'A la bonheur,' hoorde Zeiz zijn vader roepen. 'Klare en duidelijke taal.' De oude man, die al enkele glaasjes op had, knikte goedkeurend. 'Je mag een man niet beoordelen op zijn uiterlijk, dat blijkt ook nu weer,' zei hij. Hij wees naar het beeld van Vannuffel op het scherm en keek Zeiz vorsend aan. 'Ken je die man?' vroeg hij.

Zeiz schudde het hoofd. 'Oppervlakkig,' zei hij.

De kakofonie van stemmen en het gerinkel van glazen deden zijn hoofd duizelen. Hij werd zich bewust van de vele mensen om hem heen. Een gevoel van claustrofobie overviel hem. Hij dwaalde naar de uitgang toen iemand hem bij de arm nam. Het was een gedistingeerde man van middelbare leeftijd met een snorretje en een onwaarschijnlijk groot gouden brilmontuur.

'Mijnheer Zeiz, het doet me plezier u hier te mogen ontmoeten,' zei de man achter het montuur. 'Ik heb het pas nog met de excellentie over u gehad en hem verzekerd dat alles in orde is. Ik bedoel, alles is nu toch in orde, of niet?'

'U bedoelt...' zei Zeiz.

'Ja, ja, precies. Die onaangename zaak van de tuchtcommissie. Ik denk dat u daar geen problemen meer van te verwachten heeft, mijnheer Zeiz.' De man glimlachte flauw. 'Nu nog die kwestie van uw bevordering... maar ik twijfel er niet aan dat we ook dat snel kunnen regelen.'

Zeiz voelde een steek in zijn maag. Een brandend gevoel borrelde langs zijn slokdarm omhoog. Plotseling werd hem duidelijk wat er was gebeurd. Enkele weken geleden had zijn vader de brief van de tuchtcommissie gevonden waarmee Zeiz de bel van zijn vroegere appartement had geblokkeerd. Natuurlijk had hij die brief gelezen. En blijkbaar had hij daarna zijn politieke vrienden ingeschakeld om het probleem van zijn zoon op te lossen. Dus daarom was die procedure tegen Zeiz zo ineens uit alle agenda's verdwenen.

Uiteraard had zijn vader die eigenzinnige actie ondernomen zonder eerst met zijn zoon te overleggen.

Zeiz zocht met zijn ogen de menigte af. Zijn vader was met Pema aan zijn zijde in een druk gesprek verwikkeld met enkele voornaam uitziende figuren, die hun blikken koppig op de mooie Tibetaanse gericht hielden.

Zeiz walgde van de situatie waarin hij was terechtgekomen. Zijn eerste reactie was om zo snel mogelijk te verdwijnen. Maar het montuur nam hem weer bij de arm en voerde hem naar een hoek van het café, waar een magere oude man mensen te woord stond, terwijl een andere man, waarschijnlijk een secretaris, noteerde wat werd gezegd.

Zeiz herkende de magere oude man. Iedereen zou hem herkend hebben. Hij behoorde tot het nationale collectieve geheugen. De voormalige voorzitter van de socialistische partij maakte ondanks zijn grijze verschijning een vitale indruk. Hij beheerste de ruimte. En in tegenstelling tot de andere personaliteiten in het café moest hij geen enkele moeite doen om dat duidelijk te maken. Hij was de spin in het web van de macht.

Het montuur leidde Zeiz dichterbij. Hij fluisterde de man iets in het oor, terwijl hij naar Zeiz wees: 'Voorzitter...'

De ex-voorzitter richtte zijn aandacht op de nieuwe gesprekspartner. Zijn blik was open, haast leeg. Hij gaf Zeiz vluchtig een hand en prevelde: 'Commissaris Zeiz? Aangenaam. We blijven elkaar steunen, dat spreekt voor zich.'

Voor Zeiz kon antwoorden, draaide de man zich weer om en stond iemand anders te woord.

Terwijl Zeiz zich een weg naar de uitgang baande, duwde iemand hem iets in de handen. Buiten ontdekte hij dat het een roos was. Nee, hij droomde niet. Hij rook eraan, het was een echte roos. De frisse lucht sloeg hem in het gezicht.

Hij zat al een tijdje in de auto. De vermoeidheid nam langzaam bezit van hem. Toen ging het portier open. 'Aha, hier ben je,' zei zijn vader met een zware tong. 'We hebben je overal gezocht.'

Ze stapten in. Pema ging naast hem zitten, zijn vader nam plaats op de achterbank. De oude man legde in zijn allerbeste imitatie Oxford-Engels aan Pema uit welke belangrijke mensen ze hadden ontmoet en wat die belangrijke mensen voor haar asielprocedure konden betekenen. Zeiz voelde zijn ogen dichtvallen.

Toen wendde zijn vader zich tot hem. 'We zijn uitgenodigd op een barbecue,' zei hij.

Zeiz deed zijn ogen weer open. 'Wij?' vroeg hij.

'Mijn vriend de Rat heeft mij uitgenodigd. En hij zegt dat jullie ook welkom zijn.'

Zeiz knikte. 'Aha?'

'Nu ja, als je geen zin hebt, kun je ons misschien brengen. Pema heeft al toegezegd.'

'En waar woont die vriend van jou?' vroeg Zeiz.

'In Allelanden. Niet ver van hier. Nog geen uurtje rijden.'

Zeiz keek zijn vader verbaasd aan. Hij stond plotseling weer voor een spoorwegovergang zonder slagbomen. De waarschuwingslichten gloeiden, een bel rinkelde zonder ophouden.

'En hoe heet die vriend?' vroeg hij.

'De Rat, dat zei ik toch. Ja, eigenlijk heet hij Ralf. Ralf Ratzinger. Maar iedereen noemt hem de Rat.'

Zeiz schoot in de lach. De Rat was dus Ratzinger, de man wiens getuigenis nog altijd in het moorddossier ontbrak.

'Ja, ik moest ook lachen toen ik die naam voor het eerst hoorde,' zei zijn vader. 'Zoals de paus. Maar geen familie, hoor.'

Misschien was dit allemaal inbeelding, dacht Zeiz.

Hij bukte zich. Hij wist pas waarnaar hij zocht toen hij het vond: de roos van café Germinal, hij lag tussen de rem en het gaspedaal.

Hij gaf de roos aan Pema. Ze lachte naar hem, haar ogen en lippen waren mysterieuze fijne streepjes. Zeiz kon er niets aan doen, de erectie had zich voltrokken buiten zijn wil om. Naast hem zat een knappe jonge vrouw, dat kon hij niet ontkennen, haar slanke benen in een strakke jeans met hier en daar een strategisch scheurtje, haar knieën zedig tegen elkaar. Hij rook haar, haar huid, de haartjes op haar armen trilden hem vrolijk tegemoet.

Op dat ogenblik werd hij bevangen door een onpeilbare vermoeidheid. Hij wilde de sleutel in het contactslot steken, maar dat lukte niet meer. Het enige teken van leven dat zijn lichaam nog gaf, was zijn erectie. De sleutels vielen uit zijn handen.

Het leven heeft altijd verrassingen in petto, dacht hij terwijl zijn ogen dichtvielen en de geluiden om hem heen verdampten.

De politiek had zijn klauwen op hem gelegd. Met dank aan zijn vader.

Ze waren uitgenodigd op een barbecue bij Ratzinger.

En naast hem zat een engel uit Tibet...